LIVRO DA NOITE

LIVRO DA NOITE

HOLLY BLACK

Tradução
Marcela Filizola

1ª edição

— Galera —
RIO DE JANEIRO
2022

PREPARAÇÃO
Gabriela Araújo
REVISÃO
Carlos Maurício
Laís Curvão
DIAGRAMAÇÃO
Abreu's System

CAPA
heBookDesigners
TÍTULO ORIGINAL
Book of Night

CIP-BRASIL. CATALOGAÇÃO NA PUBLICAÇÃO
SINDICATO NACIONAL DOS EDITORES DE LIVROS, RJ

B562L

Black, Holly
 Livro da noite / Holly Black ; tradução Marcela Filizola. – 1. ed. – Rio de Janeiro : Galera Record, 2022.

 Tradução de: Book of night.
 ISBN 978-65-5981-195-3

 1. Ficção americana. I. Filizola, Marcela. II. Título.

22-78701
CDD: 813
CDU: 82-3(73)

Gabriela Faray Ferreira Lopes – Bibliotecária – CRB-7/6643

Copyright © 2022 by Holly Black

Publicado mediante acordo com a autora e com a BAROR INTERNATIONAL, INC., Armon, Noya York, U.S.A.

Todos os direitos reservados.
Proibida a reprodução, no todo ou em parte, através de quaisquer meios.
Os direitos morais da autora foram assegurados.

Texto revisado segundo o Acordo Ortográfico da Língua Portuguesa de 1990.

Direitos exclusivos de publicação em língua portuguesa somente para o Brasil adquiridos pela
EDITORA GALERA RECORD LTDA.
Rua Argentina, 120 – Rio de Janeiro, RJ – 20921-380 – Tel.: (21) 2585-2000,
que se reserva a propriedade literária desta tradução.

Impresso no Brasil

ISBN 978-65-5981-195-3

Seja um leitor preferencial Record.
Cadastre-se e receba informações sobre nossos
lançamentos e nossas promoções.

Atendimento e venda direta ao leitor:
sac@record.com.br

Para todo mundo que já passou o Ano-Novo na minha casa

Tenho uma sombrinha que vai e vem comigo,
E saber por que ela existe é mais do que consigo.
Da cabeça aos pés, é igualzinha,
E quando vou dormir, ela já está deitadinha.

— "Minha sombra" por Robert Louis Stevenson

PRÓLOGO

Qualquer criança pode ser perseguida por sua sombra. Tudo o que precisa fazer é correr bem em direção ao sol em uma tarde preguiçosa. Desde que continue correndo, a sombra estará logo atrás. A criança pode até se virar e tentar persegui-la, mas não importa o quão rápido as perninhas se mexam, a sombra sempre estará um tanto fora de alcance.

Não é assim com esta criança.

O menino corre por um quintal salpicado de dentes-de-leão, rindo e gritando, segurando entre os dedos algo que não deveria ser sólido; algo que não deveria cair no trevo e na erva daninha *antes* de o menino fazê-lo e, algo com o qual ele não deveria conseguir lutar e prender na terra.

Depois, sentado no musgo frio sob uma árvore de bordo, o menino enfia a extremidade do canivete na ponta do dedo anelar. Ele vira o rosto para não ter que assistir. A primeira tentativa não atravessa a pele. A segunda também não. Somente na terceira vez, ao pressionar com mais força, com a frustração superando a sensibilidade, ele consegue se cortar. Dói *muito*, logo ele sente vergonha de como a gota de sangue que brota em resultado é pequena. O menino aperta a pele para ver se sai um pouco mais. A gota aumenta. Ele pode sentir a ânsia da sombra. Seu dedo arde conforme uma névoa escura se forma ao redor.

Uma brisa surge e solta as sementes do bordo. Elas caem em espiral em volta dele, voando como um helicóptero de uma asa só.

É só lhe oferecer um golinho todos os dias, ele escutara alguém na televisão falar da própria sombra. *E ela será sua melhor amiga no mundo.*

Embora não tenha boca nem língua e não haja umidade no toque, ele sabe que a sombra está lambendo sua pele. Ele não aprecia a sensação, mas não machuca.

O menino nunca teve um melhor amigo antes, mas sabe que eles fazem esse tipo de coisa. Tornam-se irmãos de sangue, esfregando os cortes de forma recíproca até ser impossível dizer onde um termina e o outro começa. Ele precisa de alguém assim.

— Sou o Remy — sussurra ele para a sombra. — E vou te chamar de Red.

1
SOMBRAS FAMINTAS

Os Crocs feios de Charlie grudavam no tapete do chão atrás do balcão do bar, fazendo um som pegajoso e molhado. O suor empapava suas axilas, a cavidade do pescoço e o espaço entre as coxas. Era seu segundo turno naquele dia; o cara do turno da tarde havia pedido demissão do nada para correr atrás do namorado em Los Angeles, e ela havia ficado com os turnos dele até que Odette contratasse um substituto.

Mas, por mais cansada que estivesse, Charlie precisava do dinheiro. E era melhor mesmo se manter ocupada. Manter-se ocupada significava não se meter em confusões.

Sempre houvera algo de errado com Charlie Hall. Mau-caráter, desde o dia em que nasceu. Nunca havia se deparado com uma má escolha na qual não tenha estado disposta a se jogar de cabeça. Tinha dedos feitos para bater carteiras, uma língua pronta para contar mentiras e um caroço de cereja ressecado no lugar do coração.

Se sua sombra houvesse sido uma daquelas sombras mágicas, Charlie tinha certeza de que até mesmo a dita-cuja teria fugido.

Mas aquilo não significava que não poderia *tentar* ser diferente. E ela estava tentando. Era óbvio que tinha sido difícil manter seus piores impulsos sob controle nos últimos dez meses, mas era melhor do que ser um fósforo aceso em uma cidade que ela já tinha banhado em gasolina.

Charlie tinha um emprego, um no qual até mesmo batia ponto, e um namorado confiável que pagava a própria parte do aluguel. A ferida de bala estava cicatrizando bem. Pequenas vitórias, mas que não significavam que ela não estivesse orgulhosa.

Foi com aquilo em mente que Charlie olhou para cima e, pelas portas duplas do Rapture Bar & Lounge, viu atravessar um desafio a sua determinação.

O rosto de Doreen Kowalski estava vermelho e inchado de tanto chorar; era óbvio que ela havia tentado dar um jeito na maquiagem, mas esfregara o rímel com tanta força que borrara um dos lados. No ensino médio, ela não teria olhado na cara de Charlie e provavelmente gostaria de fazer o mesmo naquela noite.

Existem inúmeras diferenças entre a vida de pessoas com grana e de pessoas sem. Uma é esta: sem dinheiro para pagar especialistas, é necessário desenvolver um ecossistema complexo de amadores úteis. Quando apareceu na pele do pai de Charlie o que, segundo o médico, era câncer, ele bebeu uma garrafa de uísque Maker's Mark e pediu a um amigo açougueiro que cortasse um naco de seu ombro, porque ele não tinha como pagar um cirurgião. Quando o primo do amigo de Charlie se casou, pediram à Sra. Silva, que morava a três quarteirões de distância, que fizesse o bolo de casamento, porque ela adorava preparar doces e tinha coisas chiques de confeitaria. E mesmo a cobertura estando um tanto arenosa e uma das camadas um pouco além do ponto, ainda era doce, além de ser tão alto quanto um bolo de revista, e custou apenas o preço dos ingredientes.

No mundo da magia das sombras, Charlie era uma ladra bem-sucedida, mas, para os outros, sempre seria uma amadora útil, disposta a roubar uma aliança de casamento ou resgatar um pit bull sequestrado.

Charlie Hall. Atraída por uma má ideia como uma traça por um suéter de lã. Cada corre uma oportunidade para deixar os piores impulsos saírem para brincar.

— Preciso falar com você — anunciou Doreen em voz alta, estendendo o braço em direção a Charlie enquanto ela passava.

Tinha sido uma noite calma no bar, mas Odette, a dominatrix velha e quase aposentada que era dona do lugar, estava sentada a uma mesa na entrada, fofocando com as amigas. Ela notaria se Charlie ficasse conversando com alguém por muito tempo, e Charlie não podia se dar ao luxo de perder aquele emprego. Ser bartender no Rapture tinha sido um golpe de sorte, considerando seu histórico.

A vaga tinha sido arranjada por Balthazar, que administrava um salão de sombras no porão, no estilo taberna clandestina, e que tinha boas razões para ficar de olho nela, sendo uma delas o fato de querer que ela voltasse a trabalhar para ele.

E, ao olhar para Doreen e sentir aquela empolgação familiar se agitar dentro de si, Charlie percebeu a fragilidade de seu compromisso de seguir o caminho de uma vida honesta. Como uma estratégia para o sucesso que é apenas a palavra "lucro" com muitos pontos de exclamação.

— Quer uma bebida? — perguntou ela a Doreen.

Doreen balançou a cabeça.

— Você tem que me ajudar a encontrar o Adam. Ele desapareceu de novo e eu...

— Não posso conversar agora — interrompeu Charlie. — Peça alguma coisa para a minha chefe não pegar no meu pé. Club Soda e bitter. Suco de cranberry e limão. Qualquer coisa. É por minha conta.

Os olhos molhados e avermelhados de Doreen sugeriam que ela teria dificuldade em esperar. Ou que ela havia bebido antes de chegar ali. Talvez as duas coisas.

— Ei — chamou um dos clientes assíduos e Charlie se virou para anotar o pedido.

Ela preparou um Cosmopolitan e derramou o líquido vermelho-rubi da coqueteleira. Então acrescentou uma bolinha de gelo seco, que fez subir fumaça, como se fosse uma poção.

Ela verificou outra mesa, onde um cara tomava uma cerveja devagar, com os dedos trêmulos aplicando um terceiro adesivo de nicotina na parte interna do braço. Ele queria deixar a conta aberta.

Charlie serviu uma dose de bourbon Four Roses para um sujeito vestindo tweed e com óculos sujos, que parecia que dormira com as roupas que vestia e havia dito a ela que não gostava de bourbon muito doce. Depois ela foi até o outro lado do bar, parando para preparar um uísque com ginger ale para o próprio Balthazar quando ele acenou para chamá-la.

— Tenho um trabalho para você — informou ele, baixinho.

Com os olhos brilhantes, pele marrom-clara e cachos longos o suficiente para serem puxados para trás em um rabo de cavalo desleixado, ele dominava seu salão de sombras, transformando os sonhos corrompidos da cidade em realidade.

— Não — respondeu Charlie, seguindo em frente.

— Ah, qual é? Knight Singh foi assassinado na própria cama, e o quarto ficou destruído. Alguém fugiu com seu livro pessoal de descobertas mágicas — explicou Balthazar, erguendo a voz, não convencido da recusa dela. — Isso era o que você fazia de melhor.

— Não! — exclamou ela em resposta da forma mais simpática que conseguiu.

Foda-se Knight Singh.

Ele havia sido o primeiro sombrista a contratar os serviços de Charlie, quando ela era apenas uma menina. Por Charlie, ele poderia apodrecer no túmulo, mas aquilo não significava que ela roubaria a sepultura dele.

Charlie tinha saído daquela vida. Ela fora boa demais e os danos colaterais tinham sido altos demais. Naquele momento ela era apenas uma pessoa normal.

Um trio de pessoas bêbadas, com uns vinte e poucos anos e aparência de bruxa, estava comemorando um aniversário; o batom preto borrado nas bocas. O grupo pediu doses baratas de absinto verde-néon e as virou. Uma delas devia ter alterado a sombra havia pouco tempo, porque ela ficava se mexendo para que a luz a capturasse e projetasse seu novo "eu" na parede. A sombra tinha chifres e asas, como um súcubo.

Era linda.

— Minha mãe odeeeeia — contava a garota ao grupo, com a voz um pouco arrastada.

Ela saltitou e pairou no ar por um momento conforme as asas da sombra bateram, e alguns clientes ficaram olhando, admirados.

— Minha mãe diz que vou me arrepender de ter algo que não posso esconder quando eu tentar conseguir um emprego de verdade. Respondi que era o meu jeito de me comprometer a nunca me vender.

Na primeira vez que vira uma sombra alterada, Charlie pensara em um conto de fadas que tinha lido quando era criança na biblioteca da escola: *O bruxo e o irmão azarado*.

Ela ainda se lembrava das linhas iniciais da história: "Era uma vez um menino que nasceu com uma sombra faminta. Ele teve a maior sorte possível, enquanto toda a má sorte foi concedida a seu gêmeo, que nasceu sem sombra alguma."

Mas era óbvio que a sombra daquela garota não tinha toda essa sorte. Parecia legal e dava a ela um pouco de magia inferior. Talvez ela até conseguisse levitar uns sete centímetros por alguns segundos. Um par de saltos a teria levado mais alto.

Aquilo também não tornava a garota uma sombrista.

Sombras manipuladas eram a especialidade de alteracionistas; das quatro disciplinas, a mais voltada ao público. Alteracionistas podiam moldar a estética das sombras, usá-las para desencadear emoções tão fortes que podiam ser viciantes e até mesmo arrancar pedaços do inconsciente de uma pessoa. Havia riscos, sem dúvida. Às vezes, as pessoas perdiam muito mais de si mesmas do que esperavam.

As outras disciplinas sombristas eram mais secretas. Carapaças se concentravam nas próprias sombras, usando-as para voar com o auxílio de asas de sombra ou como uma armadura. Titereiros mandavam as sombras fazer coisas em segredo, o que, na experiência de Charlie, era sobretudo o tipo de merda da qual ninguém queria falar. E os mascaradores não eram muito melhores:

um bando de babacas e místicos determinados a desvendar os segredos do universo, doesse a quem doesse.

Havia uma razão para serem chamados de sombrios no lugar do título apropriado. Não dava para confiar neles de jeito nenhum. Por exemplo, não importava o que os sombristas dissessem, todos traficavam sombras roubadas.

O namorado de Charlie, Vince, tinha tido a dele roubada, provavelmente para que algum rico escroto desfrutasse de uma alteração pela terceira vez. Desde então ele não projetava sombra alguma, nem mesmo sob a luz mais intensa. Acreditava-se que as pessoas sem sombra eram carentes de algo, apresentavam a falta de alguma coisa intangível. Às vezes, as pessoas que passavam por Vince na rua notavam aquela ausência e se afastavam.

Charlie queria que as pessoas saíssem de seu caminho também. Mas Vince ficava incomodado, então ela lançava um olhar furioso para cada pessoa que fazia aquilo.

Quando Charlie passou por perto de novo, Doreen anunciou:

— Vou tomar um ginger ale para acalmar meu estômago.

Odette parecia distraída com seu grupo.

— Ok, qual é o problema?

— Acho que o Adam voltou para o vício — explicou Doreen quando Charlie colocou a bebida na frente dela, junto com um guardanapo. — Ligaram do cassino. Se ele não aparecer na segunda-feira, vai parar no olho da rua. Ligo para o celular, mas ele não atende.

Charlie e Doreen nunca chegaram a ser amigas, mas tinham conhecidos em comum. E às vezes conhecer uma pessoa por muito tempo parecia ser mais importante do que gostar dela.

Charlie suspirou.

— Então o que você quer que eu faça?

— Encontre o Adam e faça com que ele volte para casa — pediu Doreen. — Quem sabe fazendo-o lembrar que ele tem um filho.

— Não sei se posso obrigar o Adam a fazer qualquer coisa — respondeu Charlie.

— Você é a razão de ele estar assim — disse Doreen. — Ele fica pegando trabalhos extras que são muito perigosos.

— E como que isso é culpa minha?

Charlie limpou a área do bar na frente dela em busca de algo para se ocupar.

— Porque Balthazar está sempre comparando Adam com você. Ele está tentando ficar à altura da sua maldita reputação. Mas nem todo mundo é um criminoso nato.

O parceiro de Doreen, Adam, era um crupiê de blackjack no cassino de Springfield e começara a trabalhar para Balthazar por meio-período depois de Charlie pedir demissão. Talvez ele tenha achado que lidar com qualquer jogo sujo de merda que rolava nas mesas o tivesse preparado para roubar de sombrios. Charlie também suspeitava de que Adam houvesse pensado que se ela conseguia fazer aquilo, não tinha como ser tão difícil.

— Podemos conversar mais depois que der a minha hora — afirmou Charlie com um suspiro, pensando em todas as razões pelas quais deveria ficar longe daquilo.

Primeiro: ela era a última pessoa que Adam gostaria de ver, em qualquer situação.

Segundo: aquilo não resultaria em nenhum dinheiro.

Havia rumores de que Adam gastava o dinheiro extra dado por Balthazar curtindo uma euforia, ou seja, modificando a própria sombra, assim poderia olhar para o nada por horas enquanto era inundado por sensações incríveis. Era provável que Adam estivesse deitado em um quarto de hotel, sentindo-se ótimo, e com certeza não gostaria de que Charlie o arrastasse para casa antes que o efeito tivesse passado.

Charlie olhou para Doreen, a última coisa de que precisava naquele momento, sentada diante dela no bar, mexendo a bebida de um jeito desolado.

Charlie estava estendendo a mão para pegar a bomba de água com gás quando um estrondo a fez olhar para cima.

O cara de tweed, que havia pedido o bourbon "não muito doce", estava naquele momento de quatro ao lado do palco vazio, enrolado em uma cortina de veludo. Um dos capangas do salão de sombras, um homem chamado Joey Aspirinas, estava de pé sobre ele, como se tentasse decidir se deveria chutar seu rosto.

Balthazar os havia seguido escada acima, ainda gritando:

— Você perdeu o juízo, tentando me fazer receptar isso? Está armando para cima de mim e fazendo parecer que fui eu quem roubou o *Liber Noctem*? Cai fora daqui!

— Não é isso — respondeu o cara de tweed. — O Salt está desesperado para recuperar nem que seja só uma parte. Vai pagar uma grana...

Charlie estremeceu ao ouvir o nome de Salt.

Pouca coisa a abalava, depois de tudo que tinha visto e feito. Mas só de pensar nele, ela ficava mexida.

— Cala a boca e sai. — Balthazar apontou para a saída.

— O que está acontecendo? — perguntou Doreen.

Charlie balançou a cabeça, observando Joey Aspirinas empurrar o cara de tweed em direção à porta. Odette se levantou para falar com Balthazar; ambos falavam baixo demais para ela ouvir.

Balthazar se virou e seu olhar cruzou com o de Charlie ao voltar para o salão de sombras. Ele deu uma piscadela. Ela deveria ter levantado a sobrancelha ou revirado os olhos, mas a menção de Lionel Salt a havia deixado tensa e sem reação. Balthazar se foi antes que ela conseguisse fazer qualquer coisa.

O anúncio para os clientes pedirem a saideira ocorreu logo depois. Charlie limpou o balcão e encheu uma lava-louça com coqueteleiras e copos sujos. Ela contou o dinheiro da gaveta, extraindo o valor da bebida de Doreen das próprias gorjetas e colocando-o com o restante das notas. O Rapture podia ser o lugar em que a estranheza imperava, podia ter as paredes e o teto revestidos de Preto 3.0, uma tinta tão escura que roubava a luz do cômodo, e podia ter o ar carregado de incenso. Podia ser o tipo de lugar aonde os moradores iam para conseguir um vislumbre de magia, ou excentricidade, ou caso se cansassem de bares esportivos com kombucha na pressão. Mas os rituais de fechamento eram os mesmos.

A maior parte do restante da equipe já havia saído quando Charlie pegou o casaco e a bolsa no escritório de Odette. O vento estava mais forte, esfriando o suor em seu corpo enquanto ela caminhava para o carro, e fazendo se lembrar de que já estava no fim do outono, perto do inverno, e que ela precisava começar a levar algo mais quente do que uma jaqueta de couro fino para o trabalho.

— E aí? — perguntou Doreen. — Estou congelando aqui. Vai encontrar o Adam? Suzie Lambton disse que você a ajudou, e vocês mal se conhecem.

O trabalho provavelmente não seria muito complicado e assim Doreen pararia de encher o saco. Se Adam estivesse curtindo a euforia dele em algum lugar, ela poderia roubar sua carteira. Aquilo o mandaria de volta para casa bem rápido. Poderia pegar as chaves do carro dele também, só para mostrar que conseguia.

— Seu irmão trabalha na universidade, não é? No setor financeiro.

Doreen estreitou os olhos.

— Ele é do serviço de atendimento ao cliente. Atende ligações.

— Mas tem acesso aos computadores. Então ele pode dar um jeito de a minha irmã ter mais um mês para pagar a conta? Não estou pedindo que ele cancele a dívida, apenas que adie.

As taxas de entrada, taxas de tecnologia para estudantes e taxas de processamento tinham que ser pagas antes de o dinheiro do empréstimo aparecer. Aquilo sem contar com a lata-velha de que Posey precisaria para ir e voltar do campus. Ou com os livros.

— Não quero criar problemas para ele — afirmou Doreen, como se não estivesse tentando persuadir uma criminosa a encontrar seu namorado criminoso.

Charlie cruzou os braços e esperou.

Enfim, Doreen assentiu devagar.

— Posso perguntar.

O que poderia significar muitas coisas. Charlie abriu o porta-malas de seu Toyota Corolla. Sua coleção de celulares descartáveis estava ao lado de um emaranhado de cabos de bateria, uma sacola velha de suprimentos para roubos e uma garrafa de Grey Goose que ela comprara a preço de atacado no bar.

Charlie pegou um dos telefones e digitou o código para ativá-lo.

— Tudo bem, vou tentar uma coisa e ver se Adam morde a isca. Me fala o número dele.

Disse a si mesma que, se ele respondesse, ela faria aquilo. Se não, ela iria embora.

Charlie sabia que estava apenas procurando uma desculpa para se meter em encrenca. Entrando na areia movediça para ver se afundaria. Mesmo assim, mandou uma mensagem:

Tenho um trabalho disponível e ouvi dizer que você é o melhor.

Se ele estivesse preocupado em não ser bom o suficiente, então a bajulação seria motivadora. Aquela era a natureza do golpista, tocar nos pontos fracos. Também era uma maneira ruim de ensinar ao cérebro a como pensar nas pessoas.

— Vamos ver se ele responde e... — começou Charlie quando seu telefone apitou.

Quem é?

Amber, escreveu Charlie.

Ela havia criado várias identidades para golpes e nunca usara. Delas, Amber era a única sombrista.

Desculpa mandar mensagem tão tarde, mas realmente preciso da sua ajuda.

Amber, com o cabelo castanho comprido?

Charlie olhou para o telefone por um bom tempo, tentando decidir se era uma cilada.

Você é mesmo tão bom quanto dizem.

Ela adicionou um emoji dando uma piscadela na esperança de que a ambiguidade permitisse que ela driblasse qualquer pergunta.

— Não acredito que ele está te respondendo. O que está dizendo?

— Pode dar uma olhada — sugeriu Charlie, entregando o telefone a Doreen. — Viu? Ele está vivo. Está bem.

Doreen roeu a unha ao ler as mensagens.

— Você não falou que ia flertar com ele.

Charlie revirou os olhos.

Do outro lado do estacionamento, Odette, envolvida por um enorme casaco-casulo, foi até seu Mini Cooper roxo.

— Acha mesmo que consegue fazer o Adam dizer onde está ficando?

Charlie assentiu.

— Com certeza. Posso até ir lá e acabar com a festa dele se quiser. Mas vai ter que me fazer um favor melhor por isso.

— A Suzie disse que pedir ajuda para você é como invocar o diabo. O diabo concede seu desejo, mas depois você perde a alma.

Charlie mordeu o lábio e olhou para o poste.

— Como você disse, mal conheço a Suzie. Ela deve estar pensando em outra pessoa.

— Talvez — retrucou Doreen. — Mas todas essas coisas que você fez... mesmo antigamente, as coisas que as pessoas comentavam... você tem que estar com raiva de alguém.

— Ou eu posso ter feito essas coisas por diversão — respondeu Charlie. — O que seria bem bizarro, não é? E como estou te fazendo um favor, seria educado não mencionar isso.

Doreen soltou um daqueles suspiros exaustos que pareciam brotar de mães de crianças pequenas o tempo todo.

— Ok. Certo. Apenas traga o Adam para casa antes que ele termine ficando como você.

Charlie viu Doreen ir embora, então entrou em seu Corolla, afivelando o cinto de segurança e tentando não pensar no trabalho que Balthazar estava oferecendo, ou em quem ela havia sido. Em vez disso, pensou no ramen que ela ferveria quando chegasse em casa. Torceu para que sua irmã tivesse alimentado a gata. Imaginou o colchão a sua espera no chão do quarto. Imaginou Vince, já dormindo, os pés enroscados nos lençóis. Enfiou a chave na ignição.

O carro não ligou.

2
REI DE COPAS, INVERTIDO

O vento soprava com força pelo túnel da Cottage Street, golpeando as bochechas de Charlie, jogando o cabelo de encontro ao rosto.

Seu Corolla ainda estava estacionado no Rapture. Independentemente de quantas vezes havia girado a chave ou batido no painel. Os cabos de bateria não conseguiram ressuscitar o carro e guinchos eram caros.

Ela havia pensado em ligar para Vince ou até mesmo chamar um táxi, mas em vez disso pegara a vodca do porta-malas e tomara alguns goles, de maneira mal-humorada, direto da garrafa, parada ali sentindo pena de si mesma. Olhando para o céu.

As últimas folhas tinham ficado marrons; apenas algumas ainda estavam penduradas nos galhos, pendendo como morcegos adormecidos.

Um carro desacelerara no sinal de pare, e o motorista fizera uma proposta vulgar antes de pisar no acelerador. Ela lhe mostrara o dedo do meio, embora fosse improvável que ele tivesse notado.

Não era nada que Charlie não tivesse ouvido antes de qualquer maneira. Ela se vira refletida nas janelas do carro. Cabelo escuro. Olhos escuros. E muito do restante: peito e bunda e barriga e coxa. Muitas vezes as pessoas agiam como se suas curvas fossem um convite gravado no corpo. Pareciam esquecer que todo mundo nasce em um corpo que não pode simplesmente ser trocado como quem muda de roupa; são formas que não podem ser transformadas como se fossem sombras.

Outra rajada de vento lançara algumas folhas no ar, embora a maioria se aglomerasse nas margens da estrada.

E fora então que Charlie decidira que seria uma ótima ideia caminhar os mais de dois quilômetros até sua casa.

Afinal, era uma *andadinha* de nada. Um passeio.

Ou teria sido, para alguém que não tivesse ficado em pé o dia todo, e metade da noite.

A expressão "coragem de bêbado" lhe ocorreu, tarde demais.

Ela passou por uma livraria apagada. Na vitrine havia um arranjo outonal de abóboras com dentes vampirescos de plástico enfiados nas bocas esculpidas. Cheias de dentes, estavam apoiadas ao lado de romances de terror, e uma camada decorativa de milho doce, seus corpos alaranjados começando a murchar com a podridão.

Não havia nada aberto na rua. Apertando o casaco em torno de si, Charlie desejou que Easthampton fosse como algumas das cidades universitárias vizinhas, Northampton ou Amherst, cheias o suficiente de estudantes bêbados tropeçando pelas ruas tarde da noite para justificar pelo menos uma pizzaria aberta depois de os bares fecharem ou um café aberto para os que preferiam estudar a dormir.

Aquele silêncio todo lhe dava tempo demais para pensar.

Sozinha na rua escura, Charlie não conseguia fugir das palavras de Doreen. "Mas todas essas coisas que você fez... mesmo antigamente, as coisas que as pessoas comentavam... você tem que estar com raiva de alguém."

Ela chutou um pedaço solto de concreto.

Quando era criança, Charlie tinha sido uma soma de cabelos pretos, olhos castanhos e mau comportamento. Ela havia se metido em um problema atrás do outro, mas, ao longo do caminho, tinha aprendido que era boa em desmontar coisas. Quebra-cabeças e pessoas. Ela gostava de resolvê-los, gostava de descobrir como chegar ao que estavam escondendo. Como se tornar aquilo em que queriam acreditar.

O que a fez considerar a situação de Adam outra vez. Não faria mal seguir com aquilo. Distrair-se da noite.

Charlie pegou o telefone e digitou:

> *Tem um volume na Coleção Mortimer de Livros Raros na faculdade Smith que sei que contém alguma coisa importante. Posso te pagar. Ou podemos negociar uma troca.*

Os sombristas estavam sempre em busca de livros antigos detalhando técnicas de manipulação de sombras. Eram conhecidos por matar uns aos outros por causa deles. Ela estava oferecendo um trabalho fácil para Adam.

Tinha que ser ao menos um pouco tentador.

Por dez anos, Charlie havia roubado coisas para um sombrista ou outro. Livros, pergaminhos e, de vez em quando, coisas piores. Por dez anos, havia mantido sua identidade em segredo. Havia sido discreta, às vezes trabalhando em restaurantes e bares para manter o disfarce, e usando Balthazar como seu intermediário. Pouco mais de um ano antes, Charlie tinha dado entrada em uma casa. Convencido Posey a se candidatar a faculdades.

E então ela acabara com tudo.

Parecia que havia uma fornalha dentro de Charlie, sempre queimando. Um ano antes, ela vira que podia reduzir tudo a cinzas com facilidade.

Adam não estava respondendo. Talvez estivesse dormindo. Ou chapado. Ou só não estivesse interessado. Ela jogou o celular de volta na bolsa.

Pela visão periférica, Charlie achou que tinha visto alguma coisa passando no espaço entre um prédio e outro.

Aquilo tirou sua mente do passado, mas não de um jeito bom.

As pessoas falavam de sombras sem corpo vagando pelo mundo do mesmo jeito que falavam da lenda de *Slender Man* ou da garota com a bochecha cheia de aranhas, mas Charlie sabia que Pragas não eram apenas uma história. Eram o que sobrava quando o sombrista morria e a sombra não. Bastante real e muito perigosa. Era possível usar ônix contra elas, e fogo, mas só aquilo, a menos que você próprio fosse um sombrista.

O telefone verdadeiro de Charlie apitou, forçando seus pensamentos de volta ao presente no susto. Era uma mensagem de Vince:

Tudo bem?

Já estou chegando, respondeu ela.

Ela deveria ter ligado para ele quando estava no Rapture. Vince teria ido buscá-la. E provavelmente teria levado aquilo numa boa. Mas ela não gostava da ideia de depender dele. Só dificultaria mais as coisas quando ele fosse embora.

Um barulho surgiu da rua, na altura onde o lago Nashawannuck encontrava o lago Rubber Thread, em frente aos prédios abandonados da fábrica. Havia alguém ali.

Ela andou mais rápido, enfiando a mão no bolso para pegar o cabo de uma faca tática dobrável presa às chaves. A ferramenta mantivera o fio de corte apesar de ser usada para abrir caixas de cereais e lascar massa de vidraceiro em janelas velhas. Charlie não tinha ideia de como usá-la para se defender, mas pelo menos era afiada e tinha um cabo de ônix para enfraquecer as sombras.

Um lampejo de movimento atraiu seu olhar para um beco. Uma luz acesa na entrada de uma das lojas iluminou uma pilha de roupas manchadas, ossos brancos e uma parede salpicada de marcas pretas de sangue.

Charlie parou, com os músculos tensos e o estômago se revirando, conforme sua mente tentava compreender o novo cenário. Seu cérebro ficava oferecendo alternativas para o que ela via: um adereço descartado de uma casa mal-assombrada, um manequim, um animal.

Mas não, os restos eram humanos. Carne viva exposta, dilacerada junto com as roupas, como se quem tivesse feito aquilo houvesse estado desesperado para chegar às entranhas da pessoa. Charlie se aproximou. O frio amenizava o cheiro, mas ainda havia um odor doce de sepulcro no ar. O rosto do homem estava virado para o lado, os olhos vidrados e abertos. A caixa torácica fora quebrada e parcialmente removida, os ossos pálidos e irregulares se projetavam do emaranhado de carne como um círculo de bétulas prateadas.

E, na parede, houve o movimento outra vez. A sombra dele, que deveria estar tão imóvel quanto o cadáver, estava retalhada e flutuando na brisa, como se fosse uma roupa rasgada no varal. Como se uma rajada forte pudesse libertá-la.

O rosto do homem estava tão mudado pela morte que o que ela notou primeiro foram as roupas, de tweed, amassadas e um pouco sujas, como se ele tivesse vivido uma vida dura dentro delas. Era o homem que Balthazar havia expulsado do salão do Rapture. O cara que havia proposto vender algo de Salt de volta para ele.

Duas horas antes, ela tinha colocado um Four Roses na frente dele. Mas agora...

Houve um som na extremidade oposta do beco e Charlie levantou a cabeça, prendendo a respiração com força. Um homem de chapéu e um longo casaco escuro, com olhos pretos como buracos de bala, estava olhando para ela.

Havia algo errado com as mãos dele.

Realmente errado.

Eram inteiramente feitas de sombra, até perto das protuberâncias desfiguradas dos pulsos.

Ele começou a andar em direção a Charlie, seus passos firmes e fortes no asfalto. Metade de seus instintos lhe dizia para correr, a outra metade queria que ela congelasse no lugar porque correr atiçaria o desejo do predador de persegui-la. Ela lutaria mesmo? A faca em sua mão parecia ridiculamente pequena, não muito melhor do que uma tesourinha de unhas.

Sirenes soaram ao longe.

Ao ouvir o som, o homem parou. Eles observaram um ao outro, o cadáver entre os dois. Então ele deu um passo para trás, virando a esquina e saindo do seu campo de visão. Charlie se sentiu atordoada com o choque e, de repente, muito sóbria.

Forçando-se a se mexer, ela tropeçou para fora do beco e caminhou depressa em direção a Union. Se estivesse perto do corpo quando a polícia chegasse, eles fariam muitas perguntas e provavelmente não acreditariam na história de um cara com mãos de sombra. Em particular vindo de Charlie, que tinha sido apreendida duas vezes antes dos dezoito anos por fraude.

Suas pernas a estavam levando adiante, mas a mente seguia dando voltas.

Desde o Massacre de Boxford, vinte anos antes, quando o mundo havia tomado conhecimento dos sombristas, a parte oeste de Massachusetts tinha ficado cheia deles. Era o Vale do Silício da magia das sombras.

Desde Springfield, com suas fábricas de armas fechadas e mansões abandonadas, às universidades e faculdades, passando pelas fazendas características das cidades montanhosas, com rios poluídos e a beleza pantanosa do reservatório de Quabbin, o Vale se tornara atrativo por ser mais ou menos barato e mais ou menos perto tanto de Nova York quanto de Boston. Além do mais, já tinha uma alta tolerância para gente esquisita. Havia cabras disponíveis para cortar grama. Um clube de tiro que organizava uma feira anual renascentista. Você podia comprar uma armação de cama do século 18 e uma cerâmica em forma de vagina, e conseguir heroína de um cara em um ponto de ônibus; tudo em uma caminhada de quinze minutos.

Nos dias atuais, era possível ainda entrar em um salão de sombras e arrumar um alteracionista para remover seu desejo por qualquer um dos vícios mencionados acima, ou acrescentar um novo. Curtir euforia era um hábito bem popular. Quanto mais sombristas havia, mais as cidades mudavam, e não havia ônix no mundo que detivesse aquilo.

E, no entanto, apesar disso tudo, aquele assassinato parecia excepcionalmente horrível. Quem ou o que tivesse feito aquilo precisaria de uma força absurda para abrir um corpo como uma noz.

Charlie enfiou as mãos trêmulas nos bolsos. O caminho familiar havia se tornado estranho para ela, cheio de sombras irregulares que se moviam com cada rajada de vento. Seu nariz parecia sentir o cheiro de carne estragada.

Seguiu tensa por mais dois quarteirões e então estava chegando à entrada de casa, com as mãos ainda trêmulas.

O sino sobre a porta soou quando ela entrou na cozinha amarela e feia da casa alugada. Uma frigideira e dois pratos sujos estavam na pia. Havia um prato cobrindo outro perto do micro-ondas. A gata delas, Lucipurrr, farejava o prato com esperança.

Indo em direção à sala, ela encontrou Vince dormindo na frente da televisão com o volume baixo, seu corpo grande esparramado no sofá de segunda mão, com um livro sobre a barriga. Ao olhar para ele, ela sentiu uma pontinha de saudade, uma sensação desconfortável de sentir falta de alguém que ainda não tinha ido embora.

Seu olhar seguiu para onde a sombra dele deveria estar. Mas não havia nada.

Quando Charlie o conhecera, seu olhar notara alguma coisa estranha, como se ele estivesse sempre um pouco fora de foco, com as extremidades meio borradas. Talvez ela houvesse estado distraída por estar bêbada, ou por ele ter o rosto bem definido e ser atraente de uma maneira que os homens com quem ela ficava nunca eram. Fora apenas quando o vira na manhã seguinte, com a silhueta encostada na porta, com a luz parecendo fluir através dele, que percebera que Vince não tinha sombra.

Posey havia notado de imediato.

Naquele momento a irmã de Charlie estava sentada no tapete gasto, cinza e felpudo, estreitando os olhos para uma imagem granulada em movimento em seu laptop, com uma pilha de cartões à sua frente. Ela usava o mesmo pijama que vestia quando Charlie saíra de casa, os punhos do tecido surrados e sujos. Sem sutiã. Com o cabelo castanho-claro torcido em um coque bagunçado no topo da cabeça. Seu único adorno era um anel de septo de ônix e ouro, que ela nunca tirava. Posey fazia todas as suas videochamadas com a câmera desligada, pelo menos em parte para não precisar se arrumar.

Ela soava bastante profissional, sua voz reconfortante conforme continuava a leitura de tarô, mal parecendo notar Charlie.

— Nove de Paus, invertido. Você está exausta. Quer dar muito de si, mas nos últimos tempos sente que não tem mais nada para dar...

A pessoa do outro lado devia ter começado a desabafar, porque Posey fez uma pausa e apenas escutou.

Quando eram crianças, a mãe delas as havia arrastado para muitos médiuns. Charlie se lembrava de olhar para travesseiros de veludo empoeirados e cortinas de contas na sala da frente de uma casa de beira de estrada, com a cabeça de Posey em seu colo, ouvindo as mentiras sobre o futuro que eram contadas à sua mãe.

Mas mesmo que fosse uma farsa, sua mãe precisara de alguém com quem conversar, e não era como se fosse se abrir com mais ninguém. Videntes eram terapeutas para pessoas que não conseguiam admitir que precisavam de terapia. Eram mágicos para pessoas desesperadas por um pouco de magia, na época em que a magia ainda não era real.

E embora Charlie não acreditasse que Posey tivesse poderes, ela acreditava que a irmã tratava os problemas dos clientes como importantes, era alguém que queria ajudar. Aquilo parecia valer uma doação de cinquenta dólares e uma assinatura para seu Patreon.

Charlie voltou para a cozinha e tirou a cobertura de cima do prato. Vince tinha feito tacos de ovo com abacate fatiado e porções dos molhos de tabasco e sriracha. Pelos pratos na pia, parecia que tinha feito alguns até mesmo para Posey. Charlie comeu o dela na mesa dobrável enferrujada na cozinha enquanto ouvia a irmã falando.

— Rei de Copas, também invertido. Você é uma mulher inteligente, mas às vezes toma decisões que sabe que não são as melhores.

Um arrepio da adrenalina de mais cedo a fez largar o garfo por um momento e respirar fundo algumas vezes. Ela tentou se concentrar na voz da irmã, na familiaridade da história que Posey estava contando.

A maioria das pessoas que pedia leituras tinha problemas amorosos. Talvez quisessem saber se tinham uma chance com alguém específico. Ou talvez estivessem solitárias e quisessem que alguém lhes dissesse que não era culpa delas não terem encontrado a pessoa certa. Mas com frequência era porque estavam em um relacionamento que andava mal, e parte das pessoas queria saber se valia a pena todo o sofrimento, enquanto outra parte queria permissão para cair fora.

Grande parte das visitas da mãe delas a médiuns tinha sido sobre relacionamentos. As mulheres Hall se apaixonavam como se estivessem caindo de um penhasco. Eram terríveis para escolher homens, como se houvesse algum tipo de maldição ancestral que havia começado com o casamento da avó com um cara tão horrível que ela ainda estava na prisão por atirar na nuca dele enquanto ele se sentava em sua lounger, assistindo à TV. Havia se estendido para a mãe delas, orientando Charlie e Posey a se sentarem quietas no banco de trás de um Kia enquanto dava voltas tentando pegar o pai delas a traindo, chegando a um padrasto que havia quebrado o pulso de Posey e um ex-namorado de Charlie tão desesperado para pagar uma dívida de jogo que ele a tinha convencido a fazer a declaração do imposto de renda de pessoas mortas e lhe dar o dinheiro das restituições. Posey dizia que um cara tinha que ter um buraco na cabeça, no coração ou no bolso para que uma das mulheres Hall se apaixonasse por ele.

Talvez fosse verdade. Talvez precisasse faltar alguma coisa em um homem para que Charlie sentisse que podia se jogar naquela ausência e curá-lo, como um elixir. Ou talvez fosse apenas porque ela sentia como se tivesse perdido alguma coisa também, e perda atrai perda.

Vince era um cara confiável. Forte, trabalhador. A maneira hesitante como contava histórias sobre sua família deixava nítido que ele não se sentia à vontade para compartilhar muito sobre o passado, mas ela estivera avaliando alvos por tempo suficiente para fazer algumas boas suposições. Os calos em suas mãos eram novos, e os dentes dele eram retos de um jeito que demonstrava o uso de aparelho. Ele sabia o tipo de coisa que se aprendia na faculdade, mas não tinha nenhuma dívida. Sua família tinha dinheiro.

Charlie se perguntava se eles tinham virado as costas para ele depois de Vince perder a sombra. Ela tentara questionar, mas as respostas foram evasivas. E ela não havia se esforçado *muito*, porque não tinha certeza se queria ouvir sobre aquela vida melhor e o tanto que ele se afastara dela.

Afinal, Vince estava disposto a fazer vista grossa quando a verdadeira Charlie Hall emergia, aquela atraída para problemas, propensa a crises sombrias em que mal saía da cama. Aquela que tinha passado anos tentando apagar os seus pensamentos destrutivos com muito álcool, muitos homens e uma série de roubos. As pessoas diziam que alguém sem sombra não vivia emoções de forma tão completa ou profunda quanto as outras pessoas. Talvez fosse aquela a razão de o que ela era e o que tinha feito não incomodarem Vince.

Em casa com ele, Charlie tentava fingir e encarnar o fingimento, uma mulher cujo passado como golpista tinha acabado havia muito tempo, alguém que não estava lutando contra a vontade de ir pelo mau caminho de novo.

E se Vince era um pouco bom demais em ouvir, se às vezes ela suspeitava de que ele pudesse identificar o lado ferido e selvagem dela querendo atacar, pelo menos ele não a afastava.

— Vamos — convidou Charlie, cutucando a perna de Vince com o pé.

Ela queria que ele fosse para a cama com ela, precisava da respiração dele em seu cabelo e do peso do braço sobre ela para protegê-la de pensar em osso branco, sangue seco ou homens com mãos de sombras.

Vince abriu os olhos. Espreguiçou-se. Desligou a televisão. Ele tinha aquele hábito de homens altos de se curvar um pouco ao se levantar, como se tentasse ser menos intimidador.

— Viu a comida? — perguntou ele, passando por Charlie a caminho do quarto, as pontas dos dedos deslizando pelas costas dela.

Ela estremeceu com avidez, inalando o perfume de alvejante que ainda estava na pele dele por causa do trabalho.

— Você é um cara legal — afirmou ela.

Ele sorriu em resposta, confuso, mas satisfeito.

Vince pagava as contas dele. Tirava o lixo. Era gentil com a gata. E se ele ansiava por outra vida, estava com Charlie no momento. Não importava o que havia em seu coração, tanto quanto não importava o que havia no dela.

3
O PASSADO

Quando Charlie tinha treze anos, ela contou à mãe que tinha incorporado um espírito. Sua mãe havia se envolvido com cristais e adivinhação após o divórcio e tinha uma amiga que recebia "mensagens de anjos", então não era como se a ideia tivesse vindo do nada. Charlie alegou que o espírito de uma bruxa que havia morrido na Inquisição começara a falar com ela e depois por meio dela.

Em retrospecto, não fora um bom plano. Mas sua mãe não teria lhe dado ouvidos de outra maneira. E Charlie estava desesperada.

Entra em cena *Elvira de Granada*, uma personagem baseada em parte num anime visto tarde da noite e em parte em besteiras de livros de terror baratos. Mas Elvira podia dizer todas as coisas que Charlie Hall não podia. Elvira podia botar para fora toda a raiva reprimida que enchia um coração já machucado.

O problema era que sua mãe precisava muito, muito, *muito* ser convencida de que seu novo marido era um cara ruim, e rápido. Travis era mau e odiava Charlie e Posey.

Mas ele não era burro. Batia em Posey — por *nada*, apenas por irritá-lo e brincar e se recusar a ir para a cama na hora —, mas fazia aquilo quando a mãe das duas não estava lá para ver e, em vez de agir como se nada tivesse acontecido, Travis alegava que Charlie tinha batido na irmã e que Posey a estava acobertando.

Charlie era punida, óbvio. E Posey também, por mentir.

Dali em diante, Travis sabia que tinha o controle da situação. Ele disse para a mãe delas que ela precisava estabelecer mais limites para as crianças, que o pai havia deixado elas soltas para tocar o terror, que elas eram sorrateiras, mentiam para chamar a atenção e roubavam dinheiro da carteira dele, e, se a mãe delas não agisse rápido, as duas nunca a respeitariam, além de ser provável que acabassem na prisão.

Quando ele bateu em Charlie, ela nem tentou contar à mãe.

Sua mãe ficou fascinada com a ideia de que a filha pudesse ser médium. Ela se surpreendeu quando Charlie contou fatos sobre parentes, embora fossem apenas coisas que ela lembrava ou histórias que tinha ouvido. Às vezes, eram mentiras deslavadas sobre pessoas mortas, o que parecia ser impossível de desmentir.

Mas nem mesmo Elvira de Granada conseguiu convencer a mãe de Charlie de que Travis não prestava. Sua mãe decidiu que Elvira era amarga e desconfiada por ter sido torturada até a morte. E foi então que Charlie inventou *Alonso Nieto*, feiticeiro. Ao contrário de Elvira, ele não foi apenas acusado de feitiçaria — ele admitiu ser um praticante.

No fim das contas, os homens têm mais autoridade, mesmo quando não são reais.

Sua mãe *adorava* conversar com Alonso. Charlie achava que tinha sido convincente ao interpretar Elvira, mas com Alonso, a mãe queria ser convencida.

Mesmo assim, Charlie sabia que tinha que ser cuidadosa. Se era para Alonso conseguir convencer a mãe a deixar Travis, o feiticeiro precisava de algo concreto.

O fato de que a maldade de Travis estava começando a ficar evidente não atrapalhava. Logo depois de os dois se casarem, ele dava um show dizendo à mãe delas como ela era perfeita e como a vida deles seria ótima, mas ele não conseguiu continuar com aquilo. Já naquela época, quando discutiam, ele fazia comentários a respeito do peso dela e de como ela não era lá muito inteligente. Flores e saídas românticas desapareceram, assim como grande parte da contribuição dele para as despesas.

Charlie sabia que tinha uma oportunidade, mas precisava de ajuda. Então contou o plano para sua irmãzinha.

Posey tinha ficado confusa com Elvira e Alonso, mas feliz por *alguém* estar falando merda sobre o padrasto que detestava. Ainda assim, obviamente ela havia ficado assustada ao ver sua irmã possuída. Mas, uma vez que soube que era um jogo, tudo passou a ser diferente.

Em geral os médiuns profissionais se especializam em um dos dois tipos de leitura, embora nenhuma das irmãs soubesse daquilo na época. O primeiro tipo era uma leitura fria, do tipo que Posey viria a fazer como médium por telefone, inventando coisas na hora, com base em observações. O segundo tipo de leitura era a quente.

Durante uma leitura fria, o médium podia analisar com que frequência uma pessoa olhava para o telefone, se o dedo tinha uma mancha pálida na pele devido à remoção de um anel de casamento, se os sapatos eram novos ou se havia muitas tatuagens visíveis. No telefone, o médium tinha que se basear nas escolhas de palavras, no sotaque e no nível de agitação na voz. Uma boa leitura fria convencia o cliente a relaxar e começar a fornecer informações.

A leitura quente era outra coisa. Envolvia pesquisar sobre uma pessoa com antecedência. Alguns médiuns de celebridades até grampeavam os salões de intervalo dos seus espetáculos ou enviavam assistentes para bisbilhotar os membros da plateia em apresentações.

Era aquilo que Charlie pretendia fazer: uma leitura quente.

Com a ajuda de Posey, elas vasculharam os bolsos de Travis. Descobriram a senha de seu computador e olharam seu histórico de navegação, e-mails, mensagens no Facebook. Elas acharam seu estoque de pornografia, que era *nojento*, mas não continha nada estranho o suficiente para acabar com ele. No fim das contas, ele não estava flertando com mais ninguém nem desviando dinheiro. Travis era mau, mas também um chato.

Embora Charlie não tivesse um desempenho muito bom na escola e suas chances de ir para a faculdade tinham deixado de existir havia muito tempo, ela lia muito e prestava atenção. Era inteligente.

Mas crianças inteligentes também podem ser muito burras.

Como Charlie não conseguia encontrar nada contra Travis, ela decidiu que *criaria* provas. Criou uma nova página no Facebook com o nome e a foto dele e começou a flertar com mulheres. Logo aquilo mudou para troca de mensagens em um celular descartável. Gerenciar a vida de Travis parte do tempo e a de Alonso no restante era exaustivo. Era levar um fingimento ao extremo.

Mas, em vez de se cansar, ela se sentia frustrada por todo o tempo que tinha que passar sendo Charlie Hall, que ainda era uma criança com muitos deveres de casa de matemática. Ela ansiava pela improvisação, quando parecia que todas as palavras certas saíam de uma parte dela que ela nem sabia que existia.

Mesmo conseguindo falsificar provas, ela não tinha certeza de que seria o suficiente para convencer a mãe. Charlie encarregou Posey de manipular o ambiente. Acender luzes nos quartos do outro lado do apartamento, ligar o fogão e deixar pequenas coisas onde a mãe delas pudesse encontrá-las. Para mostrar o poder de Alonso. Elas duas reinventaram o movimento espiritualista vitoriano desde os conceitos básicos.

Charlie tinha dado de cara com uma das ilusões mais fortes que existiam: Alonso disse à mãe dela que ela era importante, especial, escolhida. Os detalhes eram vagos, mas não importavam.

Não demorou muito para que a mãe estivesse fisgada. Na verdade, às vezes parecia para Charlie que sua mãe estava mais interessada em Alonso do que nela, mais empolgada em passar tempo com ele do que com a filha. Às vezes Charlie sentia que a coisa mais importante nela era ser um receptáculo.

Após uma noite ruim em que Travis gritara com Charlie para que ela limpasse o próprio quarto e, quando a garota não fizera aquilo de forma satisfatória para ele, o padrasto tinha rasgado sua cópia de *O castelo animado* ao meio, ela decidiu que era hora. Três dias depois, Alonso disse para a mãe dela olhar o porta-luvas do carro de Travis, onde Posey já havia colocado o celular descartável.

Depois daquilo, as coisas se desenrolaram rápido.

A mãe olhou as mensagens no celular e viu as promessas que "Travis" havia feito para aquelas mulheres e as coisas horríveis que ele falara sobre ela. Travis negou tudo e ficou cada vez mais furioso quando ela não acreditou.

Que dia merda para ser você, pensou Charlie, satisfeita, lembrando-se de quantas vezes sua mãe tinha acreditado nele em vez de acreditar nelas.

Charlie ficou feliz quando elas se mudaram e ainda mais feliz quando sua mãe pediu o divórcio, animada por se mudar para o novo e pequeno apartamento, mesmo que o dinheiro estivesse mais escasso do que nunca. Mas Charlie estava um pouco assustada com o que havia feito. Era um peso enorme saber que tinha cometido uma traição tão grande que, se sua mãe descobrisse, ela poderia nunca ser perdoada.

E ela não estava de forma alguma pronta para que a mãe apresentasse Alonso a amigos. Charlie se recusou a ir. Chorou e insistiu que não queria, que não gostava mais de deixá-lo falar por meio dela.

Ela estava beirando a idade adulta. Era três quartos ainda criança, e o restante era anseio. Seus sonhos eram caleidoscópios confusos vagando por sets de programas de TV, bebendo drinques que tinham a aparência de um martíni de vodca e gosto de Sprite, usando batom e sapatos cobertos de purpurina vermelha e se casando com alguém que era metade pop star e metade bicho de pelúcia.

Ela sabia que tinha que parar de fingir ser Alonso antes que fosse descoberta, mas não sabia como fazer isso sem decepcionar a mãe.

"Apenas deixe Alonso aparecer. Esta será a última vez. Prometo, querida."

Sua mãe a convenceu a falar com os amigos uma vez, depois uma segunda. Na terceira visita, Charlie sabia que alguns estavam céticos. Rand, um homem corpulento com um bigode lindamente encerado, tentou dar uma rasteira nela fazendo umas perguntas de história, e Charlie entrou em pânico. Ela falou demais. Na volta de carro, podia sentir a mãe a observando, decepcionada e à beira da desilusão. Todo o corpo de Charlie parecia pesado como chumbo.

Na terceira vez, ela não reclamou de ir, embora sua mãe parecesse dividida. Ainda assim, Charlie havia pesquisado fatos históricos, e, entre aquilo e a provável ignorância de Alonso sobre coisas como antibióticos e gravidade, ela imaginou que conseguiria fazer aquilo mais uma vez.

Mais importante: Charlie havia se lembrado do que funcionara com a mãe. Ela não precisava convencê-los de nada.

Precisava fazê-los *quererem* acreditar.

Então, em vez de responder perguntas, ela inventou uma fantasia. Conhecia todos os amigos da mãe bem o suficiente para adivinhar quem esperava que suas esculturas aparecessem em uma revista, quem queria encontrar o amor, quem queria que os filhos morassem mais perto.

Alonso contou o que eles queriam ouvir, com efeitos extras.

"Você já conheceu o homem com quem deveria estar e sabe quem ele é e por que não estão juntos."

"Seus filhos ficarão mais felizes morando perto de um lago, mas relutarão ao se dar conta disso."

"Seu trabalho será celebrado após sua morte."

E então Alonso disse que havia cumprido seu propósito e que finalmente teria permissão para seguir em frente. Após despedidas solenes e chorosas, Charlie deixou todo o corpo ficar mole. Caiu no chão e fingiu estar inconsciente por um minuto inteiro, até ficar preocupada em chamarem uma ambulância.

Mesmo a amiga mais cética de sua mãe a encheu de biscoitos e chá de ervas depois daquilo.

Ela nunca "incorporou" de novo.

Às vezes sua mãe olhava para ela de forma estranha, mas Charlie tentava não notar. E Posey, com ciúmes da atenção que Charlie tinha recebido, começou a ler cartas de tarô e cultivar um olhar distante.

No meio-tempo, Charlie sentia como se tivesse ficado apenas com as partes menos interessantes de si mesma e perdido o restante.

4
MAIS CAFÉ

A luz brilhante da manhã inundou a cozinha. Lucipurrr estava na pia, com as patas equilibradas em um prato sujo, lambendo a torneira gotejante.

Charlie serviu o café, notando o brilho dos olhos vermelhos de Posey e a maneira inquieta com que a perna da irmã se movia sob a mesa. Ela ainda vestia o pijama que estivera usando na noite anterior, mas com chinelos em forma de unicórnio, cujo pelo era cinza manchado.

— Você ficou acordada a noite toda? — perguntou Charlie, embora a resposta fosse óbvia.

— Encontrei um novo canal para seguir. — O tom de Posey sugeria que ela esperava que Charlie discutisse com ela.

Nos fóruns que Posey frequentava e nos vídeos que procurava, havia conselhos perigosos sobre como ativar a própria sombra, o primeiro passo para se tornar um sombrista.

A maioria dos artigos mais acessível sobre magia das sombras era sobre alteração, com títulos apelativos como: "A magia *é o novo* 1%? Atriz de Hollywood inicia nova tendência de sombra", "Acabe com os desejos por *junk food* pela raiz", "As alterações de sombra mais úteis para as novas mamães", "A remoção do desejo é a nova lobotomia?" Naquelas matérias, os sombristas eram os provedores. Os traficantes. As mercearias da magia. O velho São Nicolau da magia.

Celebridades alteravam suas sombras com mais frequência uma vez que a moda havia pegado, mudando-as como outras pessoas mudariam os cortes de cabelo, vestindo-se para o MET Gala com sombras em formas de dragões, cisnes ou grandes felinos de caça. Elas faziam seus sentimentos serem provocados a fim de se prepararem melhor para os papéis ou para poderem escrever músicas mais emocionantes.

E se algumas pessoas morriam de fome, ou se jogavam de pontes, ou tinham tanto de si mesmas removidas que pareciam flutuar pela vida, era um preço pequeno a se pagar. Quando as sombras murchavam, pegavam fogo ou não conseguiam se fixar, os ricos sempre podiam comprar novas.

Mas cavando um pouco mais fundo no emaranhado de links e artigos, indo além do interesse geral na superfície, era possível chegar às teorias sobre como as pessoas se tornavam sombristas. Fontes legítimas contribuíam de maneira comedida. Um cientista do Centro de Pesquisa Helmholtz foi citado em uma entrevista na *New Yorker* que tinha viralizado dizendo: "As sombras são como as formas dos mortos em Homero, precisando de sangue para serem ativadas." Mas parecia que todo influencer de bem-estar e aspirante a feiticeiro tinha um palpite para vender. O YouTube e o TikTok ficaram repletos de tutoriais falsos. "Como despertei minha sombra usando dor", "Ativação de sombras após uma briga", "Habilidade *mágica* descoberta depois de afogamento", "Técnicas seguras de asfixia com saco plástico: resultados garantidos". E nas profundezas do fórum 8kun, as ideias eram ainda piores e bem mais estranhas.

Charlie conseguia se lembrar de antes, quando a magia de verdade parecia impossível. E depois a incompreensão, quando parecia que ninguém tinha certeza do que era real e do que não era. Mas Posey havia ido de uma crença infantil em magia para uma idade adulta onde a magia era real... apenas negada a ela.

Charlie se lembrava vividamente de chegar em casa e encontrar a banheira cheia até a metade com gelo derretido e a irmã sentada no chão, enrolada em uma toalha, com os lábios azulados de frio.

— Eu devia ter ficado mais tempo — dissera Posey, batendo os dentes.

Charlie havia implorado para que ela não tentasse nada parecido de novo. Em vez disso, Posey havia arranjado um pedaço de linha de pesca para amarrar em um piercing na língua e começado o processo lento e doloroso de dividi-la. Ao que parecia, uma vez que você se acostumasse a usar os músculos de ambos os lados ao mesmo tempo, aquilo treinava seu cérebro para uma "consciência bifurcada". A segunda coisa que todo sombrista precisava depois de uma sombra ativada.

Até onde Charlie sabia, tudo que Posey ganhara com aquilo fora um leve ceceio.

Charlie bocejou e verificou as mensagens nos dois telefones. No celular verdadeiro, havia um convite de Laura, sua amiga mais próxima do colégio, que já tinha três filhos e pouco tempo, para um churrasco. Um pedido para ela ser bartender no casamento no quintal de outra pessoa conhecida. Spam de uma loja com promoção de amuletos de ônix.

Ela pegou o celular descartável e mandou uma mensagem para Adam, em mais uma tentativa:

Podemos nos encontrar? Em algum lugar reservado. Não quero que sejamos vistos juntos.

Aquela era a parte complicada, fazê-lo morder a isca. Uma vez que dissesse onde estava, Adam parecia ferrado.
Então Doreen poderia ir até lá gritar com ele e arrastá-lo para casa.
Se ao menos fosse fácil daquele jeito para Charlie consertar as coisas para Posey. Mas não havia golpe ou roubo, não havia nenhuma tramoia que ela pudesse pensar que ajudaria.

Amanhã?

Com seu carro enguiçado, aquilo seria difícil.

Combinado, digitou Charlie. *Posso passar aí de manhã, antes da aula.*

De manhã não.

Ela rangeu os dentes, frustrada. Se Charlie não soubesse quando ele estaria lá, teria que vigiar o lugar. E como ela estava fingindo ser Amber, a sombrista, não fazia nenhum sentido ela ter outro emprego. Charlie decidiu ser vaga.

Tenho um lance até meia-noite. Posso te encontrar depois.

Ele respondeu com um emoji de joinha e outro dando uma piscadela. Quando ele informou o número de seu quarto de hotel no MGM Springfield, ela se sentiu um pouco culpada, como se estivesse marcando um encontro.
Você não está fazendo nada errado, disse a si mesma.
Certo, ela estava fazendo *algo* errado, mas não o que parecia ser.
— Você prestou atenção em alguma coisa do que falei? — reclamou Posey.
— Óbvio — mentiu Charlie.
Posey revirou os olhos e chutou a perna da cadeira de Charlie com seu pé de pantufa.
— Tem um vídeo em que as pessoas tomam ayahuasca e são guiadas conforme despertam suas sombras. Todo mundo nos fóruns está surtando com

isso. Conheço uma pessoa que tem uma casa perto do lago Quinsigamond e ela quer que uma galera recrie a cena... se alguém conseguir o DMT.

Charlie ergueu as sobrancelhas.

— Essa é a parada que faz você vomitar a noite inteira. E coisas mais nojentas ainda.

Posey deu de ombros.

— Consegue arrumar?

— DMT? — repetiu Charlie, tentando decidir o quão ruim era a ideia. — Não sei. Pergunta perto da faculdade Hampshire. Se alguém estiver vendendo pela região, vai ser lá. Ou talvez, quando você começar na UMass, possa ver se alguém consegue produzir para você no laboratório de biologia.

A irmã de Charlie havia passado os últimos anos lendo tópicos do Reddit sem parar, assistindo a vídeos e conversando com outros sombristas esperançosos até o amanhecer. Mas ultimamente as coisas tinham piorado. Posey tinha começado a ficar acordada por dias seguidos e passava semanas sem sair de casa. O desespero parecia persegui-la enquanto sua sombra se recusava a ser ativada. Ela havia ido tão fundo na toca do coelho que Charlie se preocupava em ter se tornado uma masmorra.

Por aquela razão era tão importante Posey ir à faculdade. Na UMass, ela poderia estudar ciência penumbral com professores de verdade em vez de recorrer a babacas na internet. Talvez até descobrisse algum outro interesse.

O único problema era o número de formulários, taxas e cobranças inesperadas. Embora Charlie tivesse juntado a maior parte do dinheiro para esta última conta, ela não tinha tudo. Mas conseguiria o restante assim que o irmão de Doreen fizesse a parte dele e desse a ela um pouco mais de tempo.

Então Charlie recorreu à tradição da família de ignorar a situação, sugerindo, de vez em quando, com culpa, que sua irmã tentasse ir para a cama mais cedo. Agindo como se o problema dela fosse insônia.

Como se as duas não soubessem que Posey estava bebendo baldes de café e refrigerante e talvez tomando Adderall para evitar a exaustão. Pelo menos aquilo seria útil para ela na graduação.

Charlie tinha a terrível sensação de que sua irmã já soubesse onde conseguiria DMT e que aquilo envolveria roubar alguma coisa. Muito provavelmente, *Charlie* roubando alguma coisa.

O celular de Posey soou e, enquanto ela o verificava, Charlie se dedicou a beber seu café. Ela precisaria dele.

— Mamãe tirou o Sete de Copas hoje — murmurou Posey, segurando o celular para que Charlie visse a foto da mãe delas segurando uma carta de tarô.

A carta de um sonhador, de quem busca alguma coisa. A mãe delas estava morando em um hotel barato com um novo cara, mas sempre havia um novo cara. Ela gostava de que Posey avaliasse sua sorte, uma vez que as adivinhações eram gratuitas para a família.

Charlie ignorou uma pontada de culpa, entorpecida pelo tempo, mas nunca totalmente eliminada.

— O que vai dizer a ela?

Posey fez uma careta.

— Por que você se importa? Não é como se acreditasse que sei do que estou falando.

Ao ouvir seu tom, Lucipurrr ergueu os olhos da pia e sibilou.

— Isso não é justo — retrucou Charlie. — E você está chateando a gata. Ela odeia quando as pessoas brigam.

Posey a ignorou.

— Existe uma razão para arrancarem as sombras das pessoas e venderem. Todo mundo quer magia. Não sou apenas eu.

Charlie olhou de modo automático para o banheiro onde Vince estava tomando banho. Ela abaixou a voz:

— Eu não estava criticando você, porra. Pare de ser tão paranoica.

Quando Charlie era criança, alguém lhe dera de aniversário uma caixa de truques. Um lenço que mudava de cor no lado avesso. Um chapéu com um fundo falso. Uma pilha de cartas marcadas. Ela havia praticado noite após noite. Mas, no final, era apenas outro tipo de fingimento. Uma maneira diferente de mentir.

Óbvio que Charlie sabia o que era querer magia.

Posey arrastou seu laptop para perto.

— Vou te mostrar uma coisa.

Charlie tomou outro gole de café e começou a fazer uma pilha com a correspondência espalhada sobre a mesa. Catálogos, conta de luz, conta de gás, conta de telefone, outra carta do hospital marcada em vermelho e três de uma empresa de cobrança. O total subia a cada mês, com os juros. Além do mais, ela teria que ressuscitar o Toyota Corolla 1998 antes que fosse rebocado. Mas tinha que lidar com Posey primeiro.

— Pense em todas as coisas que foram encobertadas — começou a irmã caçula de Charlie. — Testes de radiação em bebês mortos, empresas forçadas a envenenar o material usado para fazer álcool contrabandeado durante a Lei Seca. E não apenas no nosso governo, ou em qualquer governo. Empresas. Instituições. Se houvesse uma maneira de ativar uma sombra, eles a esconderiam da gente.

Posey virou a tela do computador para mostrar um vídeo de adolescentes se esgueirando por um hospital. Abaixo, o arquivo alegava ser uma filmagem de vigilância não manipulada. Os olhos dos jovens brilhavam verde na luz infravermelha. Era assustador vê-los dando risinhos ao lado de pacientes adormecidos, usando os dedos para cortar como se estivessem jogando Pedra, Papel, Tesoura, e apenas escolhendo tesoura, repetidas vezes.

— *Para que* estão usando todas essas sombras? — perguntou Posey. — Devem ter uma maneira de despertá-las.

Charlie franziu a testa para a tela, sem se impressionar. Ela desprezava ladrões de sombras. Eram os assaltantes desleixados do mundo mágico do crime. E imaginava que os traficantes de sombras estivessem vendendo para pessoas que haviam perdido suas sombras graças a alterações excessivas ou as tinham usado para experimentos. Se alguém de fato soubesse como ativar uma sombra, parecia improvável para Charlie que a pessoa simplesmente não fizesse nada a respeito, considerando que proporcionar aquela informação ao mundo a faria nadar em dinheiro.

— Já ouviu falar de sombras se rasgando? — perguntou Charlie, em parte porque queria saber e em parte para mudar de assunto.

Posey fez uma careta.

— Quê?

— Eu vi uma... ontem à noite... que era... não sei... parecia que tinha passado por um triturador ou algo assim. E tinha um homem que...

Posey a encarou de maneira tão estranha que Charlie não terminou a frase. Sua irmã, que acreditava em tudo, não parecia acreditar nela. Charlie queria que houvesse um jeito de provar que a sombra tinha saído de um saco plástico danificado. Que o homem estivera usando luvas cinza. Mas Charlie sabia o que tinha visto.

— Alguém deve ter tentado cortá-la — sugeriu Posey, enfim. — Dizem que perder uma sombra é como ter sua alma arrancada do corpo. — Ela baixou a voz e sussurrou: — E você sabe que o Vince...

— Ah, qual é, para — interrompeu Charlie. — Ele tem a porra de uma alma.

— Tem alguma coisa errada com ele — declarou Posey. — Ele não conseguiria fazer aquele trabalho sinistro de merda se não houvesse.

Vince limpava quartos de hotel depois de eventos envolvendo muito sangue ou um corpo: esfaqueamento, tiros, overdose. Seu chefe cuidava do despacho, distribuindo o trabalho entre três freelancers que trabalhavam clandestinamente: Winnie, uma mulher mais velha com filhos crescidos e que tinha sido uma palhaça profissional antes de começar a fazer aquilo; Craig, que disse que estava fazendo aquilo por um ano para aprender como era lidar com sangue antes de se inscrever no curso de Tom Savini sobre maquiagem para efeitos especiais; e Vince.

— Quem é você para falar sobre trabalhos de merda? — comentou Charlie.
Posey a ignorou.
— Ele é quieto demais. E acho que está mentindo sobre saber falar *francês*.
Charlie deu uma risada esquisita, meio bufada, surpresa com o quanto a acusação era ridícula e com a seriedade com que Posey falava.
— Ele fez foi o quê?
Sua irmã fez uma careta.
— Estávamos assistindo à televisão e tinha um episódio em que um dos personagens disse uma coisa em francês e ele sorriu antes que o programa explicasse o significado. Não era só *bonjour* ou algo do tipo; ele entendeu toda uma piada em francês.
— Então ele cursou o idioma no ensino médio. E daí?
Posey balançou a cabeça.
— Ninguém se lembra do idioma que aprendeu no ensino médio.
— Não faço ideia do que te incomoda nele — confessou Charlie, jogando as mãos para cima. — E acho que você também não.
— Ele pode ser bonito, mas você *sabe* que está faltando alguma coisa ali. Você manda mensagens para outros caras pelas costas dele. — Posey pegou o celular de Charlie da mesa. — Viu? *Ahhh, Adam, vamos nos encontrar em algum lugar reservado.*
— Me dê isso!
Charlie arrancou o telefone da mão dela.
— Admita, o que você mais gosta no Vince é o quanto ele está disposto a aturar.
Antes que Charlie pudesse explicar, o passo pesado de Vince o anunciou. O cabelo estava molhado, a camisa apertada ao redor dos antebraços grossos e musculosos, os olhos cinza com luzes verdes por causa das paredes amarelas.
Posey se levantou e passou por ele, com o laptop debaixo do braço. E não foi nada gentil, empurrando o ombro contra o peito dele.
Vince ergueu as sobrancelhas.
— Ela está finalmente indo dormir? — perguntou ele, indo se servir de café.
— Espero que sim — comentou Charlie, desviando o olhar.
Ela se perguntou o quanto ele tinha ouvido e se a confrontaria. O que ele poderia confessar, se a raiva soltasse sua língua. Diria a ela que desejava estar em outro lugar, com outra pessoa? Que estava apenas matando o tempo? Deixaria de ser tão cuidadoso?

Charlie Hall, diabinha perversa. Gostava de um relacionamento por ser simples e ainda estava tentada a ver se podia criar uma confusão ali.

De forma impulsiva, ela pegou o celular e procurou perguntas em francês.

— *Voulez-vous plus du café?* — perguntou ela, se enrolando com a pronúncia.

Vince olhou para ela com uma preocupação confusa, o que era compreensível, considerando que ela havia acabado de falar asneiras.

— Quê?

Charlie balançou a cabeça, sentindo-se ridícula.

— Nada.

— É melhor a gente ir ver seu carro — comentou ele, tomando um gole longo da caneca.

Ela mordeu o lábio.

— Sim. Vamos.

Vince dirigia uma van branca, cujas partes enferrujadas haviam sido cobertas com tinta de parede. Era com certeza tão velha quanto o carro de Charlie e tão propensa a quebrar em um momento igualmente inoportuno, embora não tivesse até o momento. Ela se sentou no banco do passageiro. Um copo velho de café da Dunkin' estava no painel central, ao lado de um carregador com o celular pré-pago que ele sempre usava conectado e de um livro amarelado com o título *Grito do mal* com uma mulher na capa segurando uma arma em uma posição sexy, mas improvável. Um purificador de ar em forma de árvore pendia do espelho, adicionando apenas uma camada de óleo de limão ao cheiro forte de alvejante, vinagre e desinfetante da parte de trás.

O olhar de Vince estava focado no trânsito. Charlie analisava seu perfil. Sua mandíbula. Suas mãos no volante.

— Na noite passada — disse ela —, acho que vi um cadáver.

Ele olhou para Charlie.

— Era sobre isso que você e sua irmã estavam discutindo?

— Não estávamos... — começou ela, então parou. — Posey só precisa de alguém com quem gritar. Ela está ligada demais, cheia de cafeína, irritada por não dormir o suficiente. E um vídeo, de um grupo invadindo um hospital, a incomodou.

Vince não parecia acreditar totalmente nela.

— Onde você viu o corpo?

— A caminho de casa.

Ele olhou para ela, franzindo a testa.

— Você foi andando?

— Eu estava bem — respondeu Charlie enquanto Vince entrava no estacionamento vazio do bar. — Só foi estranho. Nunca vi ninguém morto antes.

Ele devia ver corpos o tempo todo, no trabalho. Mas não tentou competir com ela mencionando isso.

Também não disse que ela não deveria ter saído sozinha nem tentou fazê-la prometer que não faria aquilo de novo. Vince nunca dizia a ela como agir, ou o que vestir — que era, para constar, uma camiseta preta com decote em V bem sem graça, jeans preto e tênis Vans xadrez —, e isso era bom, óbvio. Mas havia uma parte dela que continuava querendo brigar. Como Posey, talvez ela precisasse de alguém com quem gritar. Talvez quisesse que gritassem com ela.

Charlie tentou engolir aquele impulso.

Ela se virou para se sentar com a porta aberta, deixando as pernas penduradas para fora da van enquanto Vince abria o capô do Corolla. Ele começou a mexer no interior, então deu a volta para tentar ligar o carro. Nada.

— Sabe qual o problema?

— Motor de arranque, acho — respondeu ele, franzindo a testa.

Charlie estava inquieta de ficar só sentada assistindo, embora não soubesse nada sobre carros.

— Quer ajuda com alguma coisa?

Ele balançou a cabeça.

— Agora não.

Ela o observou trabalhar, a curva de seu corpo. A firmeza das mãos. E a maneira como parecia desafiar a luz do sol, sem projetar nada no chão.

Charlie havia conhecido uma garota que tinha vendido a própria sombra. Ela fazia pole dance em uma boate, a Whately Ballet. Ela terminava o turno mais ou menos na mesma hora que Charlie, então as duas se encontravam às vezes nos poucos restaurantes que ficavam abertos a noite toda.

— Ele me pagou *cinco mil* — confidenciara Linda em um sussurro, sua expressão difícil de interpretar. — E não era como se eu estivesse a usando.

— *Quem?* — perguntara Charlie, dando uma mordida nos ovos fritos gordurosos demais.

— Eu nunca tinha visto o cara. Comprou uma dança comigo e foi aí que ele fez a oferta. No começo eu ri, mas ele estava falando sério. Disse que tinha alguém que queria uma sombra bem como a minha.

O restaurante estivera mal iluminado e Linda, sentada. Daquele ângulo, não fora óbvio que alguma coisa faltava.

— Você percebe que não tem mais ela? — perguntara Charlie, franzindo a testa para as bordas borradas da própria sombra.

Linda havia tomado um gole do café.

— Sabe quando tem uma palavra e você sente que está na ponta da língua? É assim. Tinha algo dentro de mim que não está mais lá, mas não sei o quê. Não tenho certeza se sinto falta, mas acho que deveria sentir.

Toda vez que pensava naquela conversa, Charlie se perguntava se era como Vince se sentia também. Mas quando lhe perguntara sobre aquilo, ele havia dito que não conseguia se lembrar de como fora antes. E quando ela perguntara se ele queria uma nova sombra, Vince havia dito que não precisava de uma.

Charlie pegou o celular descartável e rolou pelas notícias locais, procurando alguma menção a um corpo encontrado em Easthampton. Nada, mesmo com a parte de crimes locais no jornal estando tão parada que furtos em lojas e estudantes bêbados eram noticiados. Quem era o cara morto? E ele tinha mesmo roubado um livro de Lionel Salt?

O nome daquele canalha rico estava no topo das listas de doadores para museus, instituições de caridade e maratonas beneficentes. As crianças trocavam histórias sobre verem o carro de Salt surgindo em diferentes ruas (um Rolls-Royce Phantom Mansory Conquistador preto fosco e prata); os garotos no colégio tinham prazer em dizer o nome do carro inteiro com tanta frequência que se alojara na sua cabeça como uma música-chiclete.

Mas a maioria das pessoas não estivera dentro do show de horrores que era a casa de Salt nem o vira envenenar alguém na esperança de roubar uma sombra ativada. Se havia um conjunto diferente de regras para os ricos, Lionel Salt operava sem qualquer regra. Só de pensar nele Charlie ficava nervosa.

Ela voltou os pensamentos para o cara morto. Ele tinha pedido bourbon e pagado com cartão. O que significava que haveria um recibo no escritório de Odette com o nome dele. Se Charlie soubesse quem ele era, conseguiria perguntar por aí. Saber mais sobre o que ele achava que estivera fazendo.

Seu telefone apitou e ela levou um momento para perceber que era o descartável. Adam.

Não falamos sobre o pagamento.

Era por aquele motivo que Adam precisava de Balthazar como intermediário, não apenas pelo anonimato, mas porque Balthazar teria falado sobre o dinheiro imediatamente.

Como ela não estava planejando pagá-lo de verdade, podia ter prometido qualquer quantia. Mas Charlie resolveu aproveitar a oportunidade para descobrir qual era o tamanho da euforia que ele estava curtindo.

Podemos negociar?, escreveu ela.

A resposta surgiu depressa.

Que tipo de contatos você tem?

Charlie franziu a testa. Ela esperava que ele mencionasse euforia, não isso.

Conheço pessoas, escreveu ela.

Ele levou um momento para responder, e, quando o fez, foi uma mensagem longa:

Tenho algo que preciso mover. Algo grande mas não quero que ninguém saiba que sou eu que está fazendo o negócio. Aja como se fosse você e faço o trabalho para você de graça.

Um trabalho como o que ela estava oferecendo poderia render mil dólares, fácil. O dobro daquilo, se o cliente estivesse desesperado. O que Adam poderia ter que precisava ser escondido? Pelo que diziam, ele não era um ladrão particularmente habilidoso. E tinha Balthazar para negociar as coisas para ele.

Tudo bem, escreveu ela. *Com quem está negociando?*

Ele digitou a resposta rápido.

Tudo o que precisa fazer é falar no telefone do hotel. Vou te falar o que dizer.

Charlie notou Vince a observando e enfiou o celular no bolso, sentindo-se culpada.

— Como você aprendeu sobre carros?
— Te contei que meu avô era rigoroso, não é? — disse Vince, sua atenção retornando para o interior do Corolla. — Ele me ensinou muitas coisas. Acreditava

no poder transformador do trabalho, não importava quantos anos você tinha. Ele não acreditava em desculpas. E tinha uma limusine que às vezes quebrava.

— Então ele era motorista? — perguntou Charlie. — Ele deixava você andar na parte de trás às vezes?

Vince deu de ombros.

— Me deixou na escola no primeiro dia do ensino médio. Todo mundo olhou para mim como se eu fosse alguém importante.

Ela tentou imaginá-lo naquela época. Tinha sido um garoto desengonçado que almoçava duas vezes e nunca ganhava peso? O menino que se sentava no fundo da sala e lia quadrinhos? A estrela de atletismo? Nada encaixava.

— Você não teria gostado de mim — comentou Charlie, batendo a ponta do tênis na porta da van. — Eu era estranha.

Seus peitos despontaram aos dez anos, saindo da parte de cima dos sutiãs do Walmart. Entre aquilo e sua vida doméstica, ela mantivera a cabeça baixa até o ensino médio, quando encontrara maneiras de parecer ameaçadora. Roupas largas demais, muito delineador e cabelos que caíam no rosto. Botas estilo Frankenstein que ela usou até as solas descolarem.

Vince estreitou os olhos ao observá-la e Charlie se perguntou se ele faria uma piada.

— Eu gosto de estranho — afirmou ele em vez disso, e voltou a desconectar algo no carro.

Vince não tinha nem ideia.

Um pouco depois, o Mini Cooper roxo e brilhante de Odette entrou no estacionamento. Ela saiu do carro, com um volumoso cafetã preto ondulando ao seu redor. As tatuagens faciais desbotadas em sua pele fina e ressecada e os piercings de prata pesados nos lábios e nas bochechas, indo até as orelhas, deixavam óbvio que ela já era fodona quando todos eles ainda estavam no jardim de infância.

Ela caminhou até eles, acenando com a mão enluvada que tinha garras de metal presas nas pontas do tecido.

— Você é um colírio para os olhos — comentou Odette, olhando Vincent de cima a baixo.

Seu olhar não foi até o asfalto, para a sombra ausente.

Ele limpou uma das mãos na calça e a estendeu.

— Vince — apresentou-se ele. — Você deve ser a Odette. Ouvi muito sobre você.

Charlie se perguntou o que sua chefe viu quando olhou para ele. Vince estava com as unhas sujas de trabalhar no carro. Havia um monte de cabelo loiro-escuro cobrindo o rosto. Olhos cinza que pareciam vazios na luz errada. Bonito, com seus ombros largos e queixo definido, de um jeito que parecia desafiar o tempo. Bonito o suficiente para irritá-la quando as pessoas olhavam para ele, e depois para ela, e tiravam conclusões nada lisonjeiras.

Depois de um instante, Odette deu a mão a ele como se fosse uma rainha entregando-a a um cavaleiro.

— Só coisas ruins, espero.

— Terríveis — concordou ele, dando um sorrisinho.

Odette deu uma piscadela para Charlie.

— Os quietinhos sempre surpreendem — comentou ela.

Então se dirigiu para dentro.

Vince estava quase terminando o conserto quando um Lexus estacionou atrás do Rapture, o mais longe possível deles. Um homem de cabelos brancos com óculos escuros espelhados saiu do veículo. Ele usava blazer e sapatos *top sider* imaculados.

— Esse cara está perdido? — perguntou Vince.

— Deve ser um cliente — respondeu Charlie.

Odette ainda tinha alguns.

— Hum — murmurou Vince.

O homem teve que passar por eles a caminho da entrada principal, olhando repetidas vezes na direção deles com nervosismo.

— Alguns caras têm o rabo preso com a Odette há quatro décadas — sussurrou Charlie.

Era uma década e pouco a mais do que ela estava viva.

— Rico — afirmou Vince.

— Com certeza — concordou Charlie. — É engraçado. E eles nunca são o que eu espero. Esse parece ser um homem de negócios normal, o tipo de cara que teria uma casa de inverno na Flórida, se gabaria dos netos, votaria no Partido Republicano. Teria um titereiro na equipe para espionagem corporativa, mas ficaria nervoso demais para encará-lo nos olhos.

Vince olhou para o homem.

— Ele está usando um relógio Vacheron Constantin. A casa provavelmente é no Sul da França e não na Flórida. Ele pode pagar.

Charlie franziu a testa.

— Espero que ela bata nele com força extra.

Vince voltou a atenção ao motor e Charlie observou moscas zumbindo pelo estacionamento. À medida que a tarde chegava ao fim, ocorreu-lhe que era estranho que Vince conhecesse um relógio tão chique que ela nunca tinha ouvido falar a respeito.

Talvez o avô com a limusine entendesse de pessoas ricas. Ou talvez Vince pegasse coisas que as pessoas deixavam em quartos de hotel. A ideia de que ele tinha segredos a incomodava, embora ela tivesse muitos. Mas não era para ele ser como Charlie.

— Me conte sobre alguns dos outros clientes da Odette — pediu ele. — Enquanto eu trabalho.

Vince adorava fofocas, mesmo sobre pessoas que ele não conhecia. Quem o conhecesse, todo calado e com mais de 1,80 metro, não imaginaria. Mas ele ouvia e comentava, como se as histórias fossem importantes. Lembrava detalhes.

Às vezes ela queria que ele não lembrasse. Aquilo a deixava preocupada, achando que Vince fosse ver através de sua tagarelice e descobrir a verdadeira razão pela qual ela havia saído daquela vida.

Charlie tinha passado tantos anos nela. Roubando bibliotecas, museus, feiras de livros raros. Tendo mentido e encantado e trapaceado, batido carteiras e arrombado portas, e tinha até mesmo prendido uma Praga uma vez em uma caixa de ônix. Ela podia não ter magia, mas tinha polinizado o mundo mágico como uma abelha.

Os sombristas não tinham feitiços, exatamente, mas tinham anotações sobre técnicas e experimentos feitos pelos sombrios ao longo dos tempos. No início, houve um movimento para digitalizá-las e compartilhá-las em uma grande biblioteca on-line gratuita, até que as pessoas começaram a fazer upload de versões hackeadas.

A biblioteca foi formalmente desmantelada depois que uma cópia da *Cosmometria Gnomonica* foi posta no sistema, detalhando uma maneira de sombristas ganharem poder, ultrapassando os limites anteriores ao alimentarem um fluxo aberto de energia vital para suas sombras. Trinta sombristas morreram antes de ficar evidente que a última parte, que era essencial, pois explicava como calcular quanto era demais e identificar a hora de interromper o fluxo, havia sido excluída da versão em PDF.

Desde então, os sombristas guardavam o que tinham e desconfiavam de qualquer coisa que não pudessem autenticar. Aquilo levava à contratação de pessoas como Charlie para conseguir originais.

Era um trabalho tenso, porque envolvia pessoas que poderiam arrancar parte dela. Uma vez, ao ser pega, um sombrista alterara a sombra de Charlie e ela ficara tão aterrorizada que tremera em seu armário por quase uma semana. Não só isso, mas os trabalhos exigiam que ela se tornasse outra pessoa. Quando ela fazia uma pausa entre golpes, Charlie não sabia exatamente quem ela era. Fazia outra tatuagem, como se aquilo pudesse enraizá-la ali. Ficava bêbada. Às vezes arrumava alguém para partir seu coração. Torrava uma grana, guardava o restante, então fazia tudo de novo.

Aquilo acabara quando ela roubara um volume para Vicereine, a chefe de uma gangue local de alteracionistas que se autodenominavam Artistas. Um livro de memórias do século XIX, difícil de tirar do titereiro em Albany que o tinha pegado de um cara em Atlanta. Charlie havia levado um mês para arrumar um esquema e colocar as mãos nele.

Então, o namorado de Charlie na época, um merdinha covarde chamado Mark, tentara roubar o livro dela e vender. Ele tinha feito um acordo paralelo com outra gangue por muito menos do que o livro valia. Como Posey, ele quisera uma sombra ativada e estivera disposto a acreditar que os sombristas poderiam ajudá-lo.

Charlie poderia ter lhe dito que havia descoberto o que ele estava tentando fazer e dado um pé na bunda dele. Mas não, ela precisava ter a última palavra e ver o circo pegar fogo.

Ao tentar fazer a troca, Mark descobriu que o livro estava em branco. Charlie havia removido a capa com cuidado e substituído o interior por um caderno da Target. Pela ofensa, eles arrancaram a sombra de Mark e todos os dedos de sua mão direita.

Ele fora músico.

Charlie tentara se convencer de que ele merecia, e que não fora culpa dela. Mas aquilo não a impedira de cair numa depressão profunda, odiando a si mesma.

Naquela época, ela estava trabalhando no Bar Ten e, depois do turno, ficava deitada na cama até a hora de trabalhar de novo, exausta demais para se mexer. Charlie acabara perdendo o emprego. Começara a gastar suas economias. Alguns meses depois, Mark e seu irmão atiraram no carro dela enquanto ela estava parada em um semáforo. Apenas uma bala a atingira, mas fora o bastante. Duas acertaram o cara no banco do passageiro, um contatinho, que morrera imediatamente.

A ideia de que Posey poderia ter estado sentada no lugar dele a atormentava.

Mark e seu irmão foram direto para a prisão, onde continuavam apodrecendo.

Tudo aquilo porque Charlie precisara se exibir. Buscar vingança. Charlie Hall, sendo melhor em fazer o pior. Sempre que tentava criar alguma coisa, aquilo se desfazia em suas mãos. Mas quando se tratava de mandar uma coisa pelos ares? Aí sim, Charlie tinha um instinto infalível para o sucesso.

Chega de roubar magia, disse a si mesma enquanto se recuperava. Chega de sombristas. Chega de golpes. Chega de viver a vida na última potência. Chega de colocar as pessoas que amava em perigo. Charlie tinha perdido a coragem.

Não muito tempo depois que as ataduras foram retiradas, ela ficara com Vince. Quando o notara ao lado dela no bar, o primeiro impulso de Charlie fora se afastar ao máximo. Ele tinha a mandíbula definida, mãos grandes e sobrancelhas raivosas. Ele estivera curvado sobre a bebida como se quisesse socá-la. Ela havia tido um dia ruim em um mês ruim em um ano pior ainda e ficara exausta só de pensar em se meter em confusão.

Mas ele acenou para o bartender quando ela foi ignorada e se interpôs entre ela e a multidão da noite. Quando ele falou, foi para fazer o tipo de pergunta que não exigia muito.

Ela havia gostado da voz grossa e da estranheza de seus olhos, de um tom de cinza tão pálido que mal pareciam ter cor. Ela havia gostado do fato de ele não dar em cima dela. E ele não era feio. De modo objetivo, era muito mais gato do que os caras por quem ela em geral se sentia atraída — bonitinhos, tristes, magros, cheios de lábia e com a cara longa como a de um cachorro *whippet*. De modo objetivo, parecia que ele poderia parti-los ao meio.

Talvez ela precisasse de algo diferente. Um homem que fosse como um adesivo de nicotina. Algo para afastá-la de seus piores impulsos, pelo menos por uma noite.

Do lado de fora do bar, ele havia traçado a tatuagem de rosas e besouros alados ao longo do pescoço de Charlie, com seu toque gentil. Mas quando ela havia jogado os braços em volta do pescoço dele e o beijado, ele a pressionou contra os tijolos ásperos com toda vontade que ela poderia querer, a altura e a força de seus braços de repente se tornando uma vantagem real e anteriormente desconhecida.

Ela o levara para casa e, pela manhã, ele ainda estava por lá. Preparou o café e o levou para ela na cama, junto com uma torrada só um pouquinho queimada nas bordas. Talvez ela o tivesse amado um pouco mais naquele momento, embora nunca fosse admitir aquilo para si mesma. Ele estava querendo se mudar, explicara. Ela conhecia alguém com um quarto para alugar?

Mas Charlie nunca se permitia esquecer de que a vida de Vince com ela era uma espécie de exílio. Ele mantinha na carteira uma foto dele próprio com outra mulher, sobre quem nunca falava. Naquela primeira noite, ela tinha dado uma olhada e encontrado dez dólares, uma carteira de motorista de Minnesota e a foto, desgastada pelo toque dos dedos dele.

De vez em quando, ela a furtava de novo, para checar. Sempre estava lá.

5
DO AVESSO

Apesar de terem conseguido levar o Corolla para casa (devagar), ele fez um barulho alarmante e Vince achou que precisava de uma peça que já era tarde demais para conseguir. Ele se ofereceu para deixar Charlie no Rapture para o turno dela, mas era improvável que voltasse de seu trabalho de limpeza a tempo de buscá-la.

Charlie conseguiu que sua amiga Barb lhe desse uma carona para casa, pois não queria ficar sozinha na rua outra vez. Barb era chef de estação em um restaurante vegano em Northampton que parava de receber clientes às onze da noite às sextas-feiras; quando eles viravam a última mesa, a cozinha estava limpa e a comida do dia seguinte pronta, próximo o suficiente de uma da manhã para que o *timing* funcionasse.

De pé do lado de fora, encolhida em seu casaco, Charlie viu Balthazar ir embora com Joey Aspirinas. Ela não conseguia deixar de pensar no homem assassinado sem nome e na sombra esfarrapada. Não conseguia deixar de se perguntar se Balthazar havia delatado o cara para Salt. Ela esperava que não. Queria continuar gostando de Balthazar.

Quando era criança, tinha fantasiado sobre fazer Salt pagar pelo que ele tinha feito com ela. Mas a ideia de vingança era infantil, e morrera com sua infância. Charlie era pragmática. Pessoas como ela não se vingavam de indivíduos como Salt.

Ainda assim, ela não podia deixar de se perguntar sobre o *Liber Noctem*, o livro que ele parecia estar desesperado para recuperar. Imaginou como seria ter algo que ele queria. Ter o poder de tirar alguma coisa dele.

Então Charlie lembrou a si mesma que ela não queria acabar como um cadáver em um beco, principalmente no beco virando a esquina de sua casa alugada. Caso fosse assassinada, gostaria de que ocorresse em Paris. Ou Tóquio.

O que ela queria era ver sua irmã na faculdade e suas dívidas pagas.

Bem, aquilo era o que ela *queria* querer.

"Você não pode se demitir", dissera Balthazar quando ela o informara de que não estava pegando trabalhos. "Você é boa demais. Esta é a única coisa em que você é boa." Às vezes Charlie se preocupava em ele estar certo sobre a segunda parte.

Preguiçosamente, ela pegou o telefone e digitou *"Liber Noctem"* na janela de busca. Um aviso de leilão da Sotheby's apareceu:

LIBER NOCTEM. Coloquialmente chamado de *O livro das Pragas*, com cada letra individualmente indicada em páginas compostas de liga de níquel. Criado em 1831 na Escócia por um autor anônimo, o livro é um dos documentos mais significativos relacionados ao fenômeno de manifestação de sombras sem corpo. Rumores de uma Praga de verdade estar envolvida na escrita do livro não estão confirmados, mas acrescentam a sua importância histórica.

Nota do catálogo: A Sotheby's não endossa a realização de nenhum dos rituais deste livro e solicitará ao comprador que assine papéis eximindo a Sotheby's da responsabilidade por todos e quaisquer danos relacionados.

O lance inicial é de 520 mil libras esterlinas.

A foto que o acompanhava era de um livro prateado com fechos elaborados, como uma bíblia antiga. Não era exatamente uma coisa fácil de esconder.

Poderia ser aquilo que Adam tinha e estava tentando negociar? Ele queria que Amber levasse a culpa pela posse do livro?

Barb se aproximou em sua minivan azul elétrica levemente amassada, retirando Charlie de seus pensamentos. Barb abaixou o vidro e abriu um sorriso enorme.

— Entra, docinho.

Charlie jogou a bolsa no chão do lado do carona e entrou em seguida. Barbara Panganiban era facilmente sua pessoa favorita entre as que ela conhecera ao longo dos anos em que conseguiu, e depois perdeu, empregos de bartender por todo o Vale.

— Tem uma galera na minha casa esta noite — contou Barb, dando a ré no carro. Seu cabelo preto e grosso estava preso em um lenço cor de azeitona e ela usava uma jaqueta de cozinheira aberta por cima de uma regata. — Pensei em comentar isso mais cedo, mas achei que seria mais fácil sequestrar você.

Várias vezes por mês, em geral nos fins de semana, Barb e sua namorada, Aimee, recebiam em casa uma equipe rotativa de funcionários de restaurantes e outras pessoas com turnos que terminavam depois da meia-noite. Barb fazia um pote gigante de *pancit* com a receita que sua avó havia passado para sua mãe nas Filipinas, ou descongelava *arroz caldo*, e todo mundo levava alguma coisa (principalmente álcool) ou preparava alguma coisa (em geral um teste culinário).

Charlie comparecia com frequência quando ela e Barb trabalhavam juntas. Mas então tinha acontecido um golpe em Worcester, depois uma coisa ainda mais estranha em Albany, e em seguida ela levara um tiro. Na época em que havia conhecido Vince, sua frequência tinha se tornado irregular. Ainda assim, Charlie deveria ter pensado em checar o Slack onde as datas eram postadas. Se tivesse, não teria sido pega de surpresa.

— Ah, vamos — convidou Barb. — A Aimee está com saudades.

Aquilo parecia improvável. Aimee era cerca de dez anos mais velha que Barb, magra e tão calada que, mesmo quando falava, era sussurrando. Charlie não sabia dizer se secretamente a mulher gostava da energia extrovertida extrema daquelas reuniões, ou se Aimee só amava tanto Barb que estava disposta a aturar a ideia de diversão da namorada que mais parecia um pesadelo. De qualquer forma, Charlie nunca tinha tido a impressão de que Aimee a havia guardado muito na memória.

— Se não se importar de eu estar de mãos vazias. — Talvez fosse bom para ela sair uma noite. Se fosse para casa, só pensaria se Adam tinha o livro de Salt e se ela conseguiria pegá-lo, ou discutiria com Posey sobre conseguir DMT. — O Vince pode me buscar quando sair do trabalho.

— Diga a ele para entrar — falou Barb. — Quero conhecer esse cara misterioso. Sabe como é difícil encontrar alguém no Vale com quem os amigos ainda não tenham ficado?

Charlie com certeza sabia.

Quinze minutos depois, elas chegaram à entrada lotada de uma casa de fazenda velha à sombra do monte Tom, que dava no meandro abandonado do rio Connecticut. Era da família de Aimee e tinha sido herdada por ela após a morte de uma tia-avó. O lugar era extenso, com as últimas atualizações significativas tendo sido feitas nos anos 1950. Um fogão elétrico cor de mostarda espalhafatoso ocupava um canto da cozinha e um tapete felpudo laranja-queimado percorria todos os outros lugares, inclusive os banheiros.

Elas chegaram ao som de música vindo de caixas Sonos que pelo menos três pessoas estavam tentando controlar ao mesmo tempo. O lugar tinha cheiro de gengibre, cebola frita e pizza.

Aimee, de legging e uma regata que mostrava tatuagens de carpas descendo pelos braços, meio escondida atrás de cabelos castanhos na altura dos quadris, se aproximou para beijar Barb. Ela sussurrou para Charlie que as bebidas e a comida estavam na sala de jantar e que o gelo tinha acabado.

Charlie agradeceu e, concluindo que não poderia seguir Barb como um patinho, atravessou a área principal em direção à bebida. Ela passou por Angel e Ian no tapete, jogando o que parecia ser xadrez com salgadinhos no lugar das peças. Ian tinha uma caneta *vape* pendurada no canto da boca como se fosse um charuto antigo. Ele e Angel trabalhavam no Cosmica, um restaurante estilo *diner* que servia hambúrgueres de carne de búfalo e muitos drinques. Quando Ian a notou, sua boca se abriu o suficiente para a caneta *vape* cair no tabuleiro e fazer com que um biscoitinho de queijo rolasse e batesse numa batata.

Ela e Ian tiveram uma transa de fim de noite, quando nem um dos dois estivera tomando as melhores decisões. Charlie esperava que aquilo não tornasse a noite desconfortável.

Um cara estava sentado no sofá, com a cabeça enterrada em seu caderno de desenho. Ela o reconheceu como um artista de quadrinhos da internet. Havia anos que ele publicava uma história surpreendentemente explícita e extensa de um rato guerreiro, mas só recentemente tinha começado a ganhar muitos leitores. Circulava um boato de que ele tinha começado a ganhar muito dinheiro.

O homem de cabelo comprido sentado ao lado dele devia achar que ele estava bem de vida, pois tentava convencê-lo a investir em um trailer de maconha, igual a um trailer de sorvete, mas vendendo comestíveis, baseados e cremes. O trailer circularia pelos bairros e, insistia o Homem de Cabelo Comprido, seria muito bom para pessoas mais velhas com problemas de mobilidade. Algumas pessoas sentadas por perto perguntaram se aquilo era legal, mas o debate acalorado de verdade foi em torno de qual música comemorativa de maconha o trailer deveria tocar.

Aquilo levou ao assunto de curtir euforia, o que vários deles tinham feito.

— Fui a essa alteracionista, Raven, em Pittsfield — comentou o Homem de Cabelo Comprido. — E ela me deixou tão alegre que quase entrei na frente de um caminhão. Mas valeu a pena. É como aquele sentimento de quando você é criança e o verão acaba de começar combinado com todo o otimismo do primeiro amor.

Na cozinha, Don discutia com a namorada, Erin. Eles eram um casal dramático, propenso a choros e gritos sobre qual dos dois tinha tratado o outro mal primeiro. Don era bartender no Top Hat, um lugar legal, um dos primeiros de onde Charlie havia sido demitida.

Ela serviu quatro dedos do bourbon Old Crow em um copo de plástico e passou por Don e Erin para pegar um pouco de gelo no freezer antes de lembrar que não havia mais. Ela se contentou com um pouco de água gelada para cortar a queimação. Don abaixou a cabeça para esconder que estava enxugando os olhos.

Pelo menos não era ela chorando na cozinha daquela vez.

— Charlie Hall! — exclamou José. — Quanto tempo. Não gosta mais da gente?

Ele estava em um pequeno emaranhado com Katelynn e Suzie Lambton, quem fez aquele comentário para Doreen sobre Charlie ser como o diabo.

— Tem notícias *dele*? — quis saber José quando ela se aproximou.

Ele trabalhava em um pequeno bar gay chamado Malebox, onde tinha conhecido seu ex, aquele que se mudou para Los Angeles por causa de um cara, o que levou Charlie a fazer turnos dobrados.

Charlie balançou a cabeça.

— Mas a Odette deve ter um endereço registrado para enviar o último pagamento dele, se quiser mandar um objeto assombrado ou alguma coisa assim para ele. Ou tem um serviço que envia pacotes cheios de glitter para seus inimigos. Não é chamado de herpes do artesanato à toa.

José lhe deu um pequeno sorriso, mas estava visivelmente no fundo do poço.

— Ele provavelmente está pegando sol, feliz, comendo abacates das árvores no quintal, transando com um surfista gostoso todas as noites. Enquanto isso, eu *nunca* vou encontrar o amor.

— Já te falei — disse Katelynn —, vou te apresentar ao meu primo.

— Não foi ele quem comeu uma mariposa morta do chão do banheiro? — José ergueu as sobrancelhas.

— Quando era criança! Não pode usar isso contra ele — reclamou Katelynn.

— Eu deveria simplesmente arrumar um sombrio para arrancar meus sentimentos de mim — declarou José, de forma dramática. — Talvez assim eu seja feliz.

— Não pode ser feliz sem sentimentos — contrapôs Katelynn, pedante até o fim.

Charlie parecia ter chegado no ponto exato da noite em que todo mundo havia bebido demais e se tornado hostil ou mal-humorado. Ela virou o *Old Crow*. Era melhor se esforçar para não ficar para trás.

— Ouvi dizer que Doreen estava te procurando — informou Suzie enquanto Katelynn e José continuavam a discutir se era possível desfrutar do beijo em uma boca que fora contaminada por uma mariposa.

Suzie usava um vestido de mangas bufantes com estampa amarela e um colar grande e grosso. Seu cabelo escuro estava preso em uma presilha de tartaruga. Ela usava o tipo de achado de brechó que custava mais do que roupas novas.

Algumas pessoas na festa podiam ter ouvido falar que Charlie tinha "dado um jeito nas coisas" para alguém em uma enrascada, ou tinha um trabalho paralelo vagamente criminoso, mas não sabiam detalhes. Eles viam o que esperavam ver: Charlie Hall, sempre fazendo merda, uma pessoa que tinha dificuldade em manter um emprego e estava disposta a agarrar alguém quando ficava muito bêbada.

Suzie Lambton sabia um pouco mais. Quando estivera em Hampshire, um professor havia tentado expulsá-la por plagiar um trabalho. Charlie achara um jeito de fazê-lo mudar de ideia.

Ela deu de ombros.

— Adam está sumido. Ela quer que eu o encontre. Convença o Adam a ir para casa.

— Se eu fosse você, não me envolveria na confusão dele — comentou Suzie. — Quando as pessoas chegam a certa idade, ou mudam ou azedam. Ele está chegando aos trinta e quer viver como se tivesse vinte. Quer ir trabalhar ainda bêbado da noite anterior, apostar em jogo, esse tipo de merda. Vou fazer um retiro de ioga no próximo fim de semana. Você deveria ir comigo em vez de fazer isso.

— Tarde demais — confessou Charlie, levantando o copo de plástico em um brinde. — A conselhos sábios e más escolhas.

Suzie, que provavelmente *havia* plagiado o trabalho, ergueu o copo também.

Vince chegou meia hora depois, com suco de laranja e gelo, depois de receber uma mensagem de Charlie dizendo que havia pouco dos dois na festa.

Ela se aproximou e o abraçou, enterrando o rosto na lã de seu casaco. Tinha cheiro de folhas e do ar frio da noite. Um pequeno sorriso surgiu no canto da boca dele e ela sentiu um desejo estranho e contraditório por alguém que já era dela.

Tina, que trabalhava no *Hampshire Gazette* e bebia como uma jornalista de cinema, estava pensando em voz alta sobre alterar sua sombra para ter um rabo de gato.

— Homens adoram um rabo — proclamou Tina, sob protestos de quase todos.

Aimee achava que Tina não deveria considerar fetiches como parte da binaridade de gênero. Ian queria que todos soubessem que ele achava aquilo *nojento* e que os homens não queriam *molestar animais*. O artista concordava que era meio sexy, mas era bom lembrar que seu quadrinho era sobre ratos provocantes.

Charlie disse a Tina que talvez ela tivesse entendido mal o que "enrabar" realmente significava.

— Pegar sereias, certo? — perguntou Vince, em um tom tão sem noção de quem acabou de entrar na conversa que era difícil saber se ele estava brincando ou se tinha ouvido mal a parte anterior.

Não importava. Todo mundo riu. Foi engraçado de qualquer maneira.

Enquanto Charlie servia mais bourbon — com *gelo* daquela vez —, ela decidiu que estava feliz por ter ido. Estava bêbada o suficiente para sentir uma afeição expansiva pelas pessoas na sala. Viu, ela estava bem sendo uma pessoa normal e fazendo coisas normais. Ela comeu um pedaço de queijo que Tina fazia com o leite de suas cabras e que ninguém tinha coragem de dizer que tinha um gosto estranho, e sorriu sem motivo nenhum.

Então ela ouviu Ian, falando alto o suficiente para abafar o som da Sonos:

— Ei, Vince. Qual foi a pior coisa que você já viu nesse seu trabalho? — O tom era de desafio.

Vince ergueu os olhos da poltrona onde estava sentado, pego no meio de uma conversa com Suzie e José. A cadeira, notou Charlie, parecia ter sido rasgada por um gato, e pedaços de estofamento estavam à mostra nos braços.

— Nada de bom — respondeu Vince, visivelmente tentando mudar de assunto.

— Sim, mas deve ter alguma coisa. Um globo ocular na pia. Cabelo no teto. Vai. — Ian sorriu de uma forma bastante hostil. — *Nos entretenha.*

Charlie estivera se sentindo muito bem até aquele momento. Seu atual namorado não estava de mau humor em um canto, nem dizendo algo desagradável nem provocando uma briga, do jeito que os anteriores fizeram. Vince estava disposto a ouvir e fazer o tipo de barulho encorajador que mantinha as pessoas falando — um combustível para os egocêntricos. Mas por mais que os amigos dela estivessem se dando bem com Vince, ainda assim a noite estava prestes a ficar ruim.

— Ian — repreendeu Charlie, tentando fazer sua voz soar tão severa quanto a de Odette empunhando um chicote gato de nove caudas em seu escritório nos fundos.

Ele sorriu para ela e de repente Charlie teve certeza de que não se tratava de uma curiosidade desagradável. Era sobre algum sentimento estranho de Ian com relação a Charlie. Ele queria provar alguma coisa para ela ou arruinar alguma coisa para ela.

— Só estou fazendo uma pergunta. Conhecendo o cara. Quero dizer, se você está fod...

Vince o interrompeu, afastando o corpo da cadeira.

— Uma vez vi uma pessoa inteiramente virada do *avesso*.

Charlie estava acostumada com ele se curvando um pouco, tentando não ocupar muito espaço nem ser muito intimidador. Não com os ombros para trás e os músculos dos braços tensos. Sua voz soava tão calma como sempre, mas os pelos dos braços de Charlie se arrepiaram.

— Ossos, órgãos, dedos das mãos e dos pés. Tudo. Como uma meia. Do. Avesso.

— Mesmo? — perguntou Ian, impressionado.

— Não — respondeu Vince, impassível.

As pessoas próximas riram. Até Charlie riu, surpreendendo-se.

— Tudo bem, babaca, não vou perguntar sobre seu trabalho estúpido — retrucou Ian, aproximando-se.

Chegando perto do rosto dele, desafiando a levar um soco.

Quando Vince não reagiu, Ian lhe deu um empurrão.

Vince se deixou ser empurrado, mas havia uma satisfação mal contida em seus olhos que ela nunca tinha visto antes.

— Só pego pedaços de cérebro das paredes. Não tem muito que contar.

Por um momento, os dois homens se encararam.

Um momento depois, Ian empalideceu e abaixou a cabeça.

— Não sabia que você seria tão chato — murmurou ele.

Vince se sentou e deu de ombros, como se nada tivesse acontecido. Como se nada tivesse estado prestes a acontecer.

Charlie estava indo pedir desculpas quando Suzie Lambton se empoleirou no braço da cadeira de Vince. Ela tocou o ombro dele ao dizer alguma coisa. Jogou o cabelo. Riu. Vince sorriu de volta, um de seus sorrisos verdadeiros.

Charlie teve uma vontade repentina e quase irresistível de derrubá-la no chão.

Em vez daquilo, ela bebeu uma dose de bourbon.

— Você não pode fazer a Suzie pegar fogo apenas olhando assim, sabia? — comentou Barb.

Ao ser pega, Charlie desviou o olhar.

— Eu não estava...

Barb riu.

— Vá até ele e diga que ele fez bem. Não é fácil deixar um carinha qualquer te ofender.

— Tenho certeza de que o Vince está bem — respondeu Charlie, franzindo a testa um pouco. — Não é normal ele se irritar.

Normal era darem em cima dele. Vince, com o cabelo cor de ouro velho, era o tipo de muita gente. Charlie tinha um tipo de beleza espalhafatosa. Não havia nada de discreto em suas curvas. Não havia sutileza em seus seios. Talvez Suzie achasse que tivesse uma chance.

Suzie estava fazendo mestrado na Smith. Havia rumores de que seus pais ricos ainda pagavam seu aluguel. Ela conseguia fazer aquele movimento de ioga em que você se apoia na cabeça. Talvez *tivesse* uma chance.

— Cruel — opinou Barb. — Abandoná-lo aos lobos. Bem, apenas um lobo, mas você sabe o que quero dizer.

Charlie deu de ombros.

— Não me culpe se você acabar num trisal.

Charlie revirou os olhos, indo para a varanda que circundava a casa. Precisava de um pouco de ar. A intensidade da raiva por Suzie a incomodava. Ela não sentia ciúmes. Não daquele jeito.

Não fazia sentido ansiar por alguém que já era seu.

É o álcool, disse a si mesma, sentada em um balanço na varanda que ela esperava que não estivesse cheio de aranhas.

A maioria das casas próximas não tinha luzes acesas, mas algumas espalhadas chamaram sua atenção. O brilho suave de uma luz noturna cor-de-rosa no quarto de uma criança. Uma televisão, a tela se movendo entre imagens. Um lampião queimando sobre uma porta de garagem, esperando que alguém voltasse. Aquela área tinha sido toda ocupada por fazendas certa vez. De tabaco, provavelmente. Ainda havia velhos celeiros de secagem nas estradas secundárias.

Depois da rodovia ficava o rio Connecticut, uma cobra preta se enroscando ao redor do monte Tom até trocar de pele e se tornar o rio Chicopee, depois o rio Swift e, finalmente, o reservatório Quabbin. Charlie se lembrava de passear por lá quando era criança em uma excursão escolar. Sua turma fora ver uma incubadora de peixes e depois subira na torre de observação. Ela tinha ficado no topo, olhando para a água e se perguntando se conseguiria ver os prédios afogados sob as ondas.

O Quabbin era um reservatório feito pelo homem, criado a partir da inundação de quatro cidades. E, embora os moradores tivessem se mudado, suas casas, lojas e salões permaneceram. Ainda estavam lá embaixo, com o que quer que tivesse sido deixado no interior. Secretos, a menos que você soubesse onde procurar e como.

Ela pensou em sombras se movendo no escuro, tão impossíveis de detectar quanto cidades submersas.

— Está pronta? — perguntou Vince, fechando a porta com força.

Ela pulou, surpresa.

Os olhos dele pareciam fantasmagóricos na luz da varanda. Prateados.

— Nada de trisal? — perguntou ela depois de um momento.

Ele franziu a testa para ela da mesma forma confusa que havia feito quando ela leu a frase em francês no celular. Charlie queria poder *fazê-lo* dizer a ela o que ele estava pensando. Com certeza era possível que estivesse apenas pensando que estava cansado, irritado com os amigos dela e querendo ir para casa.

Ou era possível que estivesse pensando que havia algo muito errado com ela.

— Deixa para lá.

Ela se levantou do balanço e limpou as calças.

Charlie precisava parar de procurar problemas onde não havia. Precisava parar de procurar problemas, ponto.

Em casa, Charlie se preparou para dormir, lavou o rosto e vestiu uma camiseta. Ela foi passar por cima de Vince, para seu lado do colchão, quando ele colocou a mão em sua cintura. Charlie parou, em cima do peito dele.

Do lado de fora da janela, a lua parecia uma moeda de prata brilhante no céu preto, iluminando o quarto o suficiente para ver a intensidade do olhar dele. Vince levantou a mão para passar os dedos pelo cabelo dela.

— Seus amigos são legais. — Ele deu um meio sorriso. — A maioria.

Ela se perguntou se ele iria querer saber de Ian.

— Você foi um sucesso.

— Porque eu levei gelo — contrapôs ele, visivelmente não acreditando nela. — Todo mundo ama o cara que leva gelo.

Charlie poderia ter explicado que os caras anteriores que ela levara foram ruins e o quanto Vince parecia incrível em comparação, mas aquilo não passava uma boa impressão sobre nem um dos dois.

— Eu com certeza — comentou ela, antes de perceber o que aquilo significava.

Sua intenção fora ser engraçada, sugerindo *eu amo gelo*, não *eu amo você*.

Mas ele não parecia assustado, e, depois de um momento, a pontada aguda de pânico desapareceu. Ela estava apenas bêbada. Pessoas bêbadas diziam coisas estúpidas.

— Chega um pouco mais perto — pediu ele.

Quando ela se inclinou na direção dele, o polegar de Vince foi até a bochecha de Charlie, roçando na pele de leve. O cabelo dela caiu ao redor deles como um dossel.

Ele se levantou para beijá-la; a boca cuidadosa, como se ela fosse algo frágil e precioso. Algodão-doce. A asa de uma borboleta. Alguém que não era um calo humano. Ou uma pedra pronta para ser jogada em uma janela. Alguém que não era Charlie Hall.

Talvez ele achasse que *devesse* beijar garotas daquela maneira, do jeito que tinha beijado a garota cuja foto estava em sua carteira. Talvez quisesse ser respeitoso. Mas toda vez que ele o fazia, Charlie não conseguia deixar de pensar naquilo como um desafio.

Ela abaixou os braços, colocando a mão em seu peito, os dedos deslizando sob o cós do pijama de Vince. Charlie adorava como ele perdia o fôlego, a respiração ficando irregular. Adorava o jeito que sua boca ficava mais solta e sua língua mais obscena quando ele a beijava de novo.

Afastando-se, ela se contorceu para tirar a calcinha, chutando-a para o lado da cama, sem se preocupar em tirar a camisa. Então ela rastejou de volta de quatro. Ele se inclinou sobre ela, cobrindo o corpo dela com o dele. Sua boca foi para o pescoço de Charlie, o ombro, os dedos traçando a parte de seu seio logo acima do coração.

Quando o prazer atingiu a base de sua coluna, Charlie deixou que aquilo a levasse para além de todos os arrependimentos.

6
TESTE DO MARSHMALLOW

Charlie gemeu e rolou para o lado. O café estava sendo passado no outro cômodo, o cheiro fazendo com que ela se sentisse cada vez mais acordada. Do lado de fora, alguém estava usando um soprador de folhas, o som um tamborilar constante e incômodo. Acima dela, os familiares anéis marrons secos de uma mancha de infiltração no teto gotejante formavam padrões semelhantes ao personagem Rorschach. Uma arma. Uma cabra. Uma ampulheta. Em folhas de chá, tudo aquilo seria um aviso. Ela esfregou o rosto com a palma da mão e se levantou.

Sua calcinha estava em algum lugar embaixo do edredom. Charlie a encontrou e jogou na pilha de roupa suja, junto com a camisa com a qual tinha dormido.

Nua, ela caiu de cara no colchão e pegou o celular descartável. Precisava de um plano melhor do que aquele que era apenas (1) ir ao MGM e decepcionar Adam por não ser Amber, então (2) convencê-lo a ir para casa para decepcionar Doreen sendo ele mesmo.

Mas... se Adam realmente tivesse o *Liber Noctem*, Charlie queria o objeto.

Acho que consigo chegar aí por volta de 1h15, escreveu ela. *Deixe uma chave na portaria e subo direto.*

Quase todos os elevadores de hotel precisavam de chaves para funcionar, o que significava que, se ela não tivesse uma, ele teria que descer para buscá-la. Talvez ele estivesse disposto a tornar as coisas um pouco mais convenientes para os dois.

OK, respondeu Adam.

Te vejo hoje à noite, escreveu ela.

Assim que Charlie chegasse ao hotel, pegaria aquela chave. Então mandaria uma mensagem dizendo que tinha mudado de ideia e se sentia estranha de ir direto para o quarto de um cara. O andar do cassino servia bebidas até as quatro horas da manhã; ela sugeriria que eles se encontrassem lá. Adam podia estar cansado, podia ficar frustrado com ela, mas Charlie não achava que ele fosse desistir de um trabalho porque ela pediu que ele descesse primeiro.

Como ela teria a chave do quarto dele, podia simplesmente entrar enquanto ele a esperava no bar do cassino. Contanto que o livro não estivesse guardado no cofre, ela poderia achá-lo, pegá-lo e ir embora. E, mesmo se *estivesse* no cofre, ela tinha informações suficientes por causa de Doreen (aniversário do filho, aniversário dele, aniversário de casamento) para adivinhar as senhas óbvias.

O disfarce não seria grande coisa. Charlie só queria parecer diferente o suficiente para que não fosse notada pelas câmeras de segurança, caso ele pedisse ao hotel para ver as imagens. Tinha uma coleção de perucas enfiadas no fundo de uma gaveta da cômoda, embaladas em sacos *ziplocks*, justo para aquilo.

Ela jogou uma ruiva na mochila, além de um batom muito vermelho, um vestido brilhante, mas elástico, e um par de sapatilhas com as quais poderia correr. Depois Charlie se vestiu para o trabalho: uma camiseta preta, saia sobre um short de ciclista e os Crocs fiéis e feios.

Desde que seu Corolla a levasse até Springfield e a trouxesse de volta, ela poderia ter algo que nunca pensou que teria: a satisfação de tirar algo de Lionel Salt. Talvez ela destruísse o livro e lhe enviasse os restos derretidos e retorcidos de metal.

Após pegar o livro, entregaria Adam para Doreen e deixaria que ela resolvesse como levá-lo para casa.

O corpo de Charlie estava no piloto automático enquanto ela transformava os bitters em coquetéis Old-fashioned, servia chope e adulterava Smirnoff Ices abomináveis com meia dose de licor Chambord. No palco, um trio de drags em trajes sinistros, mas brilhantes, ao estilo de Elvira, cantava músicas dos anos 1990. Preparando bebidas, ela se viu feliz por ter algo para ocupar as mãos, alguma distração da agitação de seus pensamentos.

Nas horas antes de um trabalho, batia a adrenalina. Ela estava alerta, focada. Como se só despertasse de verdade quando havia um quebra-cabeça para resolver, a possibilidade de um triunfo fora do padrão desgastante dos dias. Algo além de acordar, comer, ir trabalhar, comer de novo e ter algumas horas antes de dormir nas quais você podia malhar, lavar roupa, transar, limpar a cozinha, assistir a um filme ou ficar bêbada.

Contudo, aquele padrão desgastante era a vida. Não era para você ficar ansiando por outra coisa.

Ela havia assistido a algumas horas de aulas na faculdade comunitária local antes de estragar aquilo também.

— Criminosos — declarara seu professor idoso e ligeiramente caduco — *não têm autocontrole.*

Havia um teste em que um marshmallow era colocado na frente de uma criança. Ela era informada de que, se pudesse esperar o retorno do pesquisador, receberia dois marshmallows. As crianças de um marshmallow só eram as que tinham mais probabilidade de se transformarem em criminosas, que eram imprudentes, que buscavam prazer e adrenalina acima de tudo, roubavam quando achavam que podiam se safar, mentiam quando aquilo as beneficiava. Que escolhiam o frenesi temporário em vez do ganho permanente.

Charlie serviu três doses de licor Chartreuse que exibiam um verde vivo como veneno. Sacudiu um martíni, jogando azeitonas extras no líquido turvo e salgado da bebida.

Sua mente considerou tudo o que poderia dar errado, e ela pensou nos recibos no escritório de Odette, um deles revelando o nome do cara morto que quisera revender aquelas páginas do *Liber Noctem*. Se era ele quem tinha o restante do livro, com Adam encarregado de negociar, ela estava ferrada. Não estaria no hotel. Mas se ela soubesse o nome do cara morto, poderia ir até a casa dele em seguida.

Talvez ela não tivesse mudado muito, no fim das contas.

Se alguém tivesse colocado um marshmallow na frente dela na infância, Charlie o teria comido de imediato, porque não dava para confiar que os adultos manteriam suas promessas.

Às dez da noite, Charlie teve meia hora de intervalo para o jantar. Era sua chance de fazer xixi e engolir alguma coisa antes que voltasse para ficar até uma hora da manhã, com apenas mais um intervalo de quinze minutos naquele meio-tempo. Normalmente, andava alguns quarteirões até o Daikaiju para comer *ramen*, mas naquela noite foi até a loja de conveniência na esquina e comprou macarrão com queijo para micro-ondas, um pote de uvas com uma cara ruim e uma água de coco.

Ela bebeu a água de coco no caminho de volta, jogando a garrafa na lixeira antes de passar pelas grandes portas duplas pretas do Rapture. Charlie foi direto para a sala de descanso. Apesar de tecnicamente fazer parte dos bastidores, tinha um micro-ondas e um lugar para se sentar.

Como os artistas estavam no palco, não havia ninguém que se opusesse à presença dela. Charlie foi até um sofá cor-de-rosa acetinado que parecia apenas um pouco comido pelas traças. Maquiagens cobriam um longo balcão espelhado. Trajes de palco cintilantes estavam pendurados em um cabideiro que se curvava no meio como se estivesse prestes a desmoronar com o peso. Um gancho na parede continha algumas roupas abandonadas, incluindo um terninho de cetim vermelho-escuro que Charlie cobiçava, esperando que os donos fossem buscá-las. Uma pequena mesa lateral ao lado do sofá continha um telefone fixo sujo cor de creme.

A área principal do Rapture, incluindo o bar e o palco, não era tão grande. Talvez fosse possível comportar umas cem pessoas ao mesmo tempo, bem apertadas, embora, se contasse com o salão de sombras de Balthazar no porão, fosse provável enfiar mais trinta. Apenas um corredor dava para os fundos, levando ao camarim onde o macarrão com queijo de Charlie girava no prato de vidro do micro-ondas. Diretamente em frente estava a grande porta de metal que levava ao escritório de Odette.

Apenas uma olhada rápida no recibo, disse ela a si mesma. O nome não era segredo. Charlie tinha passado o cartão dele na máquina. Ela lhe dera o papel e a caneta para assinar. Se tivesse prestado mais atenção, já saberia.

Atravessando o corredor, Charlie bateu à porta. Quando ninguém respondeu, ela entrou.

Um papel de parede com um padrão de facas douradas reluzentes cobria a sala. Havia uma escrivaninha de aço com uma camada de revestimento roxo neon no centro do cômodo e uma lâmpada de metal dourado brilhando em cima. Uma estante em estilo *art déco* se estendia pela parede dos fundos, cheia de pilhas de papéis. Ao lado, havia uma segunda porta de aço. Estava entreaberta, revelando a masmorra de Odette.

De onde Charlie estava, parecia ser pequena e bem-organizada, com uma gaiola de cachorro em um canto e uma cruz de Santo André dominando o restante do espaço.

Charlie gostava da Odette. Gostava de trabalhar no Rapture. Odette a deixava pedir gelo seco, infundir vodca com limões *Meyer*, gengibre ou pimenta em grandes tonéis de vidro que mantinham em um local fresco sob o palco. Charlie era paga e recebia gorjetas decentes, e se alguém a incomodasse, era retirado do bar.

Era estúpido arriscar um bom emprego por algo que não importava de fato. Mesmo que ela encontrasse o livro, e daí? Ela tiraria algo de Salt, mas não seria nada parecido com o que ele tirara dela.

Mas, enquanto pensava naquilo, os dedos vasculhavam os recibos na mesa de Odette. Charlie Hall, falhando no teste do marshmallow. Nenhum autocontrole. Curiosa como um gato hiperativo.

E lá estava, Four Roses, US$ 4,25. Ele acrescentara uma gorjeta de cinquenta centavos, o que era uma droga, mas tudo bem, não falemos mal dos mortos. *Paul Ecco*. Charlie enfiou os recibos de volta no envelope roxo neon e o fechou, repetindo o nome mentalmente. Ela pegou uma caneta e estava prestes a voltar para a sala de descanso para escrever na mão quando Odette entrou, assustando-se ao ver Charlie.

Merda, pensou ela. *Merda. Merda. Merda.*

— Charlotte? — perguntou Odette, o tom severo como o de uma professora.

Aquele devia ser o tom de voz exato que ela usava antes de estapear alguém e depois cobrar a pessoa pelo tapa.

— Desculpe — disse Charlie, mostrando o que estava em sua mão. — Eu estava procurando uma caneta.

— Estas são as *minhas* canetas, minha querida. — Odette não parecia menos irritada, mas parecia acreditar que o crime de Charlie era exatamente o que ela havia dito.

— Desculpe — murmurou Charlie de novo.

— E eu preferiria que você não viesse aqui sem minha permissão explícita. Somos indulgentes aqui no Rapture, e informais, mas isso não significa que não existam regras.

— Certo. — Charlie assentiu.

— *Ótimo* — respondeu Odette, de uma forma que não deixou dúvidas de que Charlie estava dispensada.

Ela se esgueirou para fora da sala, totalmente ciente da sorte que tivera.

Enquanto comia sua comida triste na sala verde, coberta do molho picante pronto, ela deu um google em "Paul Ecco" no celular. Nenhum obituário, nada nas notícias locais. Ela acrescentou "livro" à busca e ficou surpresa ao descobrir que o terceiro resultado o listava como um "negociante de livros raros e de antiquário" em um lugar chamado Livros Curiosos. O site ostentava um grande estoque on-line e algum tipo de loja física em um dos prédios da fábrica de Easthampton que atendia clientes "apenas com hora marcada". Mostrava algumas primeiras edições, principalmente de ficção científica e quadrinhos, e uma seção inteira dedicada a tomos mágicos antigos.

Os negociantes de livros raros ocupavam uma posição interessante no ecossistema sombrista. Eles eram aqueles dispostos a vasculhar sebos remotos, olhando pilhas de caixas velhas e mofadas, procurando uma joia rara escondida. Podiam descobrir volumes que ninguém nem sabia que existiam. Ou podiam ser compradores intermediários para ladrões à procura de quem pagasse mais.

Óbvio que era possível que Paul Ecco fosse tanto um comerciante de livros raros *quanto* um ladrão, mas parecia mais provável que fosse com ele que Adam tivesse feito um acordo para negociar o *Liber Noctem*. Após a morte de Ecco, Adam precisaria de outra pessoa, razão pela qual ele havia sondado Charlie.

Se aquilo fosse verdade, era possível que Adam tivesse ficado com o livro, o que era uma boa notícia. Mas por que Ecco estava carregando algumas páginas se ele tinha acesso à obra completa? Ele estava enganando Balthazar?

Talvez ela devesse planejar uma visita à casa dele ainda assim. O que significava descobrir se alguém estava lá.

O velho telefone com fio estava com sinal quando Charlie o levou ao ouvido. Ela discou o número da livraria. Dois toques e alguém atendeu.

— Livros Curiosos. — A voz era ríspida e um pouco ansiosa demais.

— O Paul está aí? — perguntou Charlie, questionando que resposta dariam.

— É ele. Você está procurando um livro?

— Uma edição ilustrada de *A bruxa e o irmão azarado* — improvisou Charlie, com o coração batendo forte. A menos que fosse um Paul Ecco diferente, a pessoa do outro lado da linha estava se passando por um homem morto. — Conversamos sobre isso ontem?

Ontem, um dia depois de ele ter sido assassinado.

— Ah, sim — disse o homem. — Algumas caixas acabaram de chegar, então vou ter que dar uma olhada no inventário e te dar um retorno. Por que você não me dá seu nome e número...?

Ele fez uma pausa, esperando Charlie fornecer o restante.

O problema com telefones e identificadores de chamadas era que ele provavelmente já tinha o número do Rapture, então a única coisa a se fazer era mentir sobre o próprio nome.

— Srta. Damiano — respondeu ela, dando o sobrenome de Vince em vez do seu. — E você pode perguntar por mim neste número.

— Te dou um retorno *muito em breve* — garantiu ele de maneira sinistra.

— Boa noite, Srta. Damiano.

Certo, aquilo não foi nadinha assustador.

Ela verificou o celular. Sete minutos antes de ter que voltar ao bar. Não muito tempo. Mas havia mais uma pessoa que sabia algo que valia a pena sobre Paul Ecco.

Charlie empurrou a cortina de veludo para o lado, deu o primeiro passo para o degrau superior de ônix, espelhado pelo lintel de ônix sobre a soleira, e depois desceu as escadas para o salão de sombras de Balthazar.

Embora enfraquecer o poder das sombras pelo breve período que alguém passasse pelo degrau não fosse tão útil, a outra característica do ônix era sim, pois tornava sólidas as sombras ativadas. Era aquilo que fazia o ônix anexado a armas ser algo de fato valioso; significava que as sombras de sombristas poderiam ser atingidas.

O espaço tinha o teto baixo, com as mesmas paredes pretas e sugadoras de luz do restante do Rapture. Algumas pessoas estavam sentadas às mesas com bebidas, cabeças abaixadas enquanto conversavam. Uma garota estava com os olhos fechados enquanto o sombrio ao lado dela fazia algo em sua sombra; parecia que a sombra estava sendo costurada. Havia um menino, com um skate, curvado em uma cadeira, com a cabeça encostada na parede, revirando os olhos.

Nos fundos, havia outra cortina de veludo. No interior, um par de poltronas (para clientes) estava disposto em frente a uma pequena mesa de madeira surrada onde Balthazar estava sentado. Joey Aspirinas estava encostado na parede oposta, com os braços cruzados.

— Tem hora marcada? — exigiu Joey Aspirinas, mais alto do que o necessário.

Balthazar acenou de forma casual.

— Ah, deixa de ser bobo. Essa é a garota do bar. Qual é o seu nome mesmo... Shar? Cher?

— Engraçadinho — disse ela.

— Charlie! — Ele estalou os dedos como se tivesse estado na ponta da língua. — Você reconsiderou sobre pegar trabalhos. Sabia que sim. Bem-vinda de volta às minhas boas graças.

Balthazar tinha cabelos pretos ondulados e cílios longos, e usava um terno preto amarrotado com uma gravata preta amarrotada sobre uma camisa amarrotada. Um alfinete de gravata de ônix estava preso na lapela. Diziam que ele tinha sido um alteracionista e queimado sua sombra usando-a demais. Ainda tinha a língua partida como um sombrio e usava um piercing de prata na ponta da fenda. Ele chegava tarde, saía cedo e muitas vezes se esquecia de pagar o aluguel para Odette. Era exatamente o tipo de magricela com lábia com quem Charlie em geral se envolvia e depois se arrependia.

Joey Aspirinas, por outro lado, era pequeno, magro e com as bochechas sulcadas de um jeito que indicava problemas de saúde, talvez algum vício, no passado. O cabelo grisalho era curto em um corte militar. Tinha muitas tatuagens, incluindo algumas rastejando no pescoço, botas de combate e um guarda-roupa que parecia consistir só na combinação de camisetas brancas e camisas sociais de manga curta sobre elas. Quando olhou para Charlie, ela sabia que ele não esperava que ela fosse inteligente. Bem, ela também não achava que ele fosse algum tipo de gênio.

Charlie colocou a mão na cintura.

— Meu intervalo acabou agora. Queria perguntar se quer alguma coisa do bar?

— Como você é atenciosa — respondeu Balthazar, parecendo cético, mas não a ponto de recusar uma bebida. — Talvez aquele Old-fashioned que você faz com amaro?

— Casca de laranja e uma cereja?

— Um par de cerejas — pediu ele. — Gosto de *bastante* doce no meu amargo.

Boa cantada. Com grande força de vontade, Charlie não revirou os olhos.

— E eu queria te perguntar uma coisa.

— Não me diga. — Balthazar era a imagem da inocência.

Ela suspirou.

— Vi um homem na rua na outra noite. Ele tinha sombras no lugar das mãos. Você o conhece?

— Você conheceu o novo Hierofante — contou ele.

O Hierofante. O sacerdote em um baralho de tarô e uma posição entre os sombristas. Os magos das sombras locais se reuniam para escolher representantes de cada disciplina para se sentar no que eles chamavam (talvez não de forma incorreta) de Confraria.

Os representantes eram conhecidos. Vicereine, famosa por fazer um ator decadente ganhar um Oscar de atuação com sua pós-sombra alterada e por ter alterado seu ex-namorado *influencer* para que a cabeça de sua sombra parecesse a de um porco. Sua gangue de Artistas havia crescido ao longo dos anos e se tornado altamente influente, em parte porque alterações eram muito lucrativas.

Havia rumores de que Malik tinha feito títeres de sua sombra para roubar um rubi enorme do Museu Britânico antes de instalarem ônix, enquanto Bellamy das máscaras não tinha reputação, por assim dizer, o que já era uma reputação em si para aqueles da disciplina mascaradora.

E havia Knight Singh. Depois de seu assassinato, teriam que encontrar outra pessoa.

A Confraria supervisionava qualquer julgamento que fosse necessário fora da lei entre os sombristas, e todos eles investiam um pouco de dinheiro para caçar e prender a única coisa que nenhum sombrista queria que o mundo da luz soubesse muito a respeito: Pragas.

Fosse quem fosse o escroto azarado que batera de frente com a Confraria, ele tinha recebido a posição do Hierofante.

— Ele não parecia muito amigável quando o vi — comentou Charlie. — Mas acho que nem um deles é.

Se o Hierofante estava no beco com o corpo, era muito provável que Paul Ecco tivesse sido assassinado por uma Praga.

— Aquele cara que veio na outra noite tentando conseguir que você revendesse uma coisa para ele — prosseguiu Charlie. — Por que você o expulsou?

— Sabe por que chamam esse cara de Joey Aspirinas? — cortou Balthazar, acenando para seu companheiro.

Charlie deu de ombros.

O sorriso fácil de Balthazar se desfez e ela teve a sensação de uma ameaça implícita.

— Porque ele faz as dores de cabeça irem embora. E você é uma. Você era boa, Charlie. Uma das melhores. Volte a trabalhar comigo e conversamos. Caso contrário, saia.

Ao voltar para o bar e preparar o drinque de Balthazar, Charlie lembrou a si mesma que não deveria se importar com o assassinato de Paul Ecco. Sua escolha de bebida não fora tão interessante assim e sua gorjeta fora péssima. Ele estava morto, sim, mas muitas pessoas morriam. Provavelmente era Adam quem estava com o livro, de toda forma.

Ao voltar depois de entregar a bebida, um cara com um cavanhaque bem aparado e dreadlocks fez sinal para ela. Ele queria pedir aquele negócio do absinto, com a água e o cubo de açúcar em chamas, e queria que cinco de seus amigos experimentassem também. Havia também uma pessoa bebendo uísque do outro lado do bar que queria debater sobre as características defumadas e salgadas dos uísques Speyside.

Quase na hora do Rapture fechar, Charlie tinha prendido o cabelo em duas tranças suadas e jogado uma toalha molhada no pescoço. Balthazar e Joey Aspirinas já tinham ido embora. As artistas estavam sentadas juntas no canto com Odette, bebendo coquetéis Aviation lilases enquanto Charlie embolsava as gorjetas da noite e fechava o caixa.

— Era isso que pensava em fazer da vida? — perguntava Odette.

— Ah, não, querida — respondeu uma. — Minha mãe queria que eu fizesse medicina.

As três riram enquanto Charlie carregava a máquina de lavar louça. Um dos assistentes do bar, Sam, varria os cacos de vidro.

Foi quando as portas se abriram. Um cara de barba vestindo uma jaqueta impermeável verde entrou, com sua sombra em forma de asas nas costas.

— Estamos fechados — gritou Odette, virando-se na cadeira e fazendo um grande gesto com uma das mãos. — Volte outra noite, querido.

O olhar do homem de barba seguiu para Odette e sua mesa, depois para Charlie.

— Srta. Damiano? — perguntou ele, e por um momento Charlie não entendeu.

Então, ao entender, ela ficou apavorada. Era o homem do outro lado da linha, aquele que fingira ser o falecido Paul Ecco.

— Charlie Hall — afirmou ela, apontando para si mesma.

Afinal de contas, era um bar. As pessoas passavam por lá. Usavam o telefone. Charlie disse a si mesma que não havia como sua voz ser tão distinta que ele pudesse ter certeza de que era ela quem tinha ligado.

Mas, conforme ele atravessava o cômodo, indo em direção ao bar, ela podia ver que ele havia tomado sua decisão. E, ao caminhar, sua sombra começou a crescer, as penas se alongando e depois se movendo em direção a Charlie como neblina.

Do outro lado da sala, as artistas olhavam, boquiabertas, e Odette se levantou tão rápido que fez sua cadeira cair.

Charlie parou de se mexer.

A escuridão se aproximou dela com dedos que de repente pareciam facas. Ela se jogou contra as prateleiras, fazendo as garrafas atrás de si tremer perigosamente.

E então a sombra deslizou para longe, como se todo mundo a tivesse imaginado. Como se nada tivesse acontecido. A sombra do homem parecia totalmente normal, inalterada. Nem mais em forma de asas.

— *Abracadabra*, vadia — proferiu ele com um sorriso, apoiando o braço na madeira arranhada do balcão.

7
O PASSADO

Charlie não imaginava que houvesse alguém de quem ela pudesse gostar menos do que Travis, até Rand aparecer.

Ele era um dos amigos do grupo de cristais e tarô de sua mãe e foi particularmente cético quando ela estivera canalizando Alonso. Ele não a tinha achado grande coisa, então Charlie ficou surpresa quando um dia sua mãe lhe disse que ele estava esperando por ela na sala do apartamento.

— O que ele quer? — perguntou Charlie.

— Ele disse que estava fazendo uma leitura e havia algo sobre você. Ele queria te contar pessoalmente. — Sua mãe estava preparando chá verde em uma panela comum com vários pedaços de quartzo no fundo, para a nitidez de pensamento. — Vai lá. Já me junto a vocês.

Rand estava sentado no sofá. Seu bigode parecia ainda mais longo do que antes, torcido com cera em ambos os lados em um estilo que ele chamava de "imperial" e todo mundo chamava de "hipster". Ele vestia um terno de tweed e calça social, ambos apenas um pouco gastos nos cotovelos e joelhos. Tudo combinava e lhe dava um visual afável que o fazia parecer ao mesmo tempo um professor, um dono de uma taberna antiga e o tio rico Pennybags do Banco Imobiliário.

Uma de suas principais artimanhas era convencer mulheres mais velhas de que ele era especial e que, por meio da conexão com ele, elas eram especiais. Charlie não tinha ideia de que Alonso estivera ofuscando o esquema dele.

Ela também não sabia que Rand era um golpista.

— Sente-se — pediu ele, dando um tapinha no sofá ao seu lado.

Charlie escolheu a cadeira que era o mais longe que ela achava que poderia ir sem parecer grosseira.

Rand lhe deu o sorriso falso que os adultos costumam dar às crianças, largo demais.

— Sua mãe deve ter dito que tenho uma mensagem para você.

Ela apenas continuou olhando para ele. A única coisa boa que morar com Travis havia feito por ela fora libertá-la do desejo de querer agradar adultos.

Ele pigarreou, inclinou-se para a frente e continuou:

— Mas não é realmente uma mensagem minha, é uma mensagem do *Alonso*.

Charlie abriu a boca para discordar antes de perceber que não podia. Se o fizesse, estaria admitindo que Alonso não era real.

— Sabe — murmurou Rand, olhando-a bem nos olhos, como se soubesse exatamente o que ela estava pensando —, ele veio até mim em um sonho e revelou que era importante que você me ajudasse. Você acredita no Alonso, não é?

Mais tarde, ela viria a desejar ter dito muitas coisas. Queria ter sido esperta o suficiente para revelar que, como Alonso falava *por meio* dela, ela nunca o tinha conhecido. Queria ter dito em lágrimas a Rand que ela *odiava* quando Alonso falava por meio dela e que ele já havia tirado o suficiente dela. Basicamente, queria já ter se tornado a golpista em que ele a transformaria.

Mas, naquele momento, Charlie estava com muito medo. Sentiu-se encurralada, pega. Então apenas assentiu.

— Que bom — respondeu ele. — Você vem comigo para uma festa neste fim de semana. Diga para sua mãe que você quer ir.

— Não vou fazer nada relacionado a sexo — afirmou Charlie.

Rand pareceu surpreso, depois ofendido.

— Não é isso...

— Vou ficar vestida — continuou Charlie, para o caso de ele não ter entendido o que ela quis dizer.

A mãe dela tinha lhe dito que quando homens pediam para você guardar um segredo, em geral era relacionado a sexo.

— Tudo que você tem que fazer na festa é contar mentiras — assegurou ele com sarcasmo. — E você é boa nisso, não é?

O que era bem próximo de uma ameaça. Quando sua mãe perguntou a Charlie se ela queria ir com Rand, ela insistiu que sim.

Muito mais tarde, Charlie perceberia que sua mãe não deveria ter achado aquilo uma boa ideia. Garotas de doze anos não têm razão alguma para perambular por aí com homens adultos de quem não são muito próximas. Mas sua mãe trabalhava muito naquela época e estivera tão ocupada que ter Charlie fora de casa por algumas horas em um fim de semana seria um alívio.

A festa seria nos Berkshires. Charlie ficou em silêncio no banco do passageiro do carro dele, embora Rand tentasse ganhá-la na conversa. Ele a deixou escolher a estação do rádio. Ele a levou no drive-thru do McDonald's e deixou que ela pedisse o que quisesse, que eram batatas fritas e milk-shake. E contou uma história sobre sua mãe que foi um pouco engraçada.

Aquilo não a fez odiá-lo menos, mas fez com que ela gostasse mais do passeio de carro.

Enfim, conforme passavam por uma estrada arborizada, por mansões separadas por hectares e hectares, ela cedeu e fez a pergunta que deveria ter feito antes de entrar naquele carro.

— Você está me levando nesse lugar para fazer o quê?

— Você vai se esgueirar para o andar de cima na festa.

Charlie lhe lançou um olhar incrédulo.

— Quer que eu *roube* alguma coisa? E se me pegarem?

Ele riu um pouco, como se sua conclusão muito óbvia estivesse totalmente e evidentemente errada.

— Nada assim. Nada *ilegal*. Você vai usar uma camisola por baixo da jaqueta. Vá para o andar de cima, terceiro quarto à esquerda. Não deixe ninguém te ver. Quero que você espere até eu dar o sinal, então fique na frente da janela de camisola. E antes que você pergunte, não é uma roupa reveladora nem nada. Nada que corrompa sua preciosa virtude.

Ele estava fazendo parecer fácil, mas era muita coisa.

— Por quê?

Ele manteve os olhos na estrada.

Ela sugou o restante do milk-shake de morango pelo canudo, a doçura se misturando com o sal em seus lábios. E sugou de novo para fazer aquele som que os adultos odiavam.

— Se quer que eu faça isso, é melhor me contar.

Rand olhou para ela rápido, como se tivesse acabado de perceber como ele dera a ela uma função importante.

— Pense nisso como um faz de conta. Fique lá por alguns minutos como se fosse uma linda princesa, depois saia escondida e espere por mim no carro. Não vai ter que dizer nada a ninguém.

Ele devia achar que ela tinha sete anos em vez de doze.

— Que seja.

Rand estacionou o carro perto de uma cerca viva, saiu e remexeu no porta-malas. Quando voltou, carregava uma sacola do Walmart com uma camisola branca de algodão e uma peruca loira.

— Ponha isso — orientou ele.

— Não olhe — pediu ela e foi para o banco traseiro, onde teria mais espaço.

— Não pretendo olhar — respondeu ele.

— E fique de guarda para que ninguém mais veja.

Rand soltou um som irritado, mas ficou de costas para a janela e de braços cruzados.

Ela colocou a camisola depressa, vestindo-a sobre as roupas e, em seguida, deslizando para fora de sua camisa. Charlie enfiou a camisola em seu jeans. O material se amontoou de um jeito estranho, mas era a única maneira de escondê-lo completamente sob a jaqueta. Então ela pôs a peruca na cabeça e tentou prender dentro dela qualquer pedaço solto do cabelo escuro.

Quando saiu, Rand começou a torcer a ponta do bigode de um lado ao outro entre o polegar e o indicador, como um vilão querendo amarrar alguém nos trilhos. Ele franziu a testa diante da calça jeans dela.

— Não pode usar isso na frente da janela.

— Tá — retrucou ela.

Ele estava visivelmente ficando mais nervoso à medida que se aproximavam de seu plano.

— E você não está usando a peruca direito.

— Não sei como colocar — contrapôs ela. — Nem espelho eu tenho.

— Só... — Ele fez uma pausa. — Também não sei. Me dê aqui.

Rand tentou ajustar a peça para esconder mais do cabelo dela, fazendo força contra a linha do cabelo até ficar tão frustrado que desistiu. Charlie tinha a lembrança de uma vizinha idosa com um guarda-roupa cheio de perucas e muitos grampos, mas ela apostava que Rand nunca tinha ouvido falar daquilo, muito menos pensado em levar alguns.

— Não importa — murmurou ele, mais para si mesmo do que para ela.

Charlie vestiu a própria jaqueta de novo. Era uma *puffer* cor-de-rosa com pelo falso surrado e um tanto emaranhado ao redor do capuz. Chegou a ela de segunda mão, por meio de uma das amigas de sua mãe cuja filha era um pouco mais velha. Elas estavam sempre deixando roupas na casa delas, todas muito mais alegres e coloridas do que Charlie teria escolhido para si mesma.

Nada do que ela vestisse seria apropriado para um lugar como aquele. Ela se destacaria de qualquer maneira. De repente, Charlie foi tomada pela terrível convicção de que Rand não tinha ideia do que estava fazendo.

Só piorou quando eles se aproximaram dos portões. Paredes de pedra levavam a barras de ferro forjado com recortes de cavalos em ambos os lados.

Ele se inclinou para perto do interfone em um dos lados de pedra, apertou um botão e deu seu nome. Eles esperaram enquanto os portões de ferro forjado se abriram.

— Não vão notar que estamos a pé? É estranho — sussurrou ela, olhando para uma longa entrada e uma mansão gigantesca.

Três andares, o piso superior coberto de telhas pintadas e a parte inferior feita de pedra. Havia hera subindo ao redor das janelas e grandes colunas brancas flanqueavam as portas da frente.

— Não se preocupe tanto — orientou ele, puxando-a para sair da estrada. — Sou considerado *extravagante*, o que me ajuda a explicar tudo o que faço em função das minhas *extravagâncias*. Sabe o que essa palavra significa?

— Sim — retrucou ela, irritada.

Charlie não tinha enganado pelo menos alguns adultos, fazendo-os acreditar que ela era um feiticeiro morto? Talvez ele devesse dar algum crédito a ela.

Rand apontou para um trecho de gramado com poucas árvores que levava à lateral da mansão gigante.

— Vá por ali.

— Aonde? — perguntou ela.

Ele suspirou e colocou um celular nas mãos dela.

— Entre pela lateral. Depois, já falei... segundo andar, terceira porta à esquerda. Vá rápido, mas não corra. Não chame atenção e não se distraia. Não importa o que aconteça, este telefone não é para você me ligar. É para eu enviar um sinal para você. Quando vibrar, você entra em posição e *tira o jeans*.

O coração de Charlie estava acelerado e os dedos frios de ansiedade.

— Não quero entrar lá sozinha.

— Te encontro na porta lateral. Que tal?

Ele olhou para o portão.

Os dois podiam estar escondidos do olhar de quem estava na frente da casa, mas, se outro carro passasse, a pequena reunião deles pareceria muito suspeita.

— Não acho que consigo fazer isso.

Rand colocou a mão em seu queixo e inclinou o rosto dela para cima.

— Que pena — respondeu ele com impaciência. — Faça alguma besteira e terei uma longa conversa com sua mãe. Você decide o que é pior.

Ela se afastou da mão dele. O que ele queria que ela fizesse (entrar sorrateiramente na mansão, pregar uma peça nas pessoas ali) parecia impossível, mas perder sua mãe seria pior. Ela nunca a perdoaria, não apenas pela decepção, ou por lhe custar um casamento, ou por fazê-la agir como uma tola na frente de amigos, mas por arruinar a ideia de magia. Charlie seria enviada para morar com o pai em seu sítio experimental no meio do nada com galinhas e um banheiro de compostagem que não estava instalado direito. E sua nova esposa nunca a deixaria ficar.

— Vou dizer que você está mentindo.

— Você meteu sua irmã nisso, não foi? — Rand sorriu. — Ela ainda é uma criança. Acha mesmo que não admitiria tudo se sua mãe a pressionasse?

— A Posey odeia o Travis — retorquiu Charlie. — Mais do que eu até.

Havia algo no rosto de Rand, uma expressão calculista que não estivera ali antes. Talvez não tivesse adivinhado *por que* ela fazia o papel de Alonso; talvez tivesse pensado que era para se divertir, para tirar sarro das pessoas ou mesmo para ganhar alguma coisa da mãe dela: *Alonso está dizendo que é melhor você me comprar um Xbox novinho em folha. Os espíritos estão exigindo!*

Charlie não sabia se estava mais ou menos encrencada.

— Travis era um escroto — afirmou ele por fim.

A menina lhe deu um meio sorriso, não um sorriso de verdade, mas que já era alguma coisa.

Então ela atravessou o terreno, com as mãos nos bolsos da jaqueta e a cabeça baixa. Acima, o céu estava nublado. Enquanto caminhava, percebeu que, para ser realmente convincente, deveria ter colocado a peruca no andar de cima. Mas não confiava em si mesma para colocar todo o cabelo para dentro de novo. E, além do mais, era melhor para *ela* estar disfarçada o tempo todo. Daquela forma, se Rand fosse pego no pulo mais tarde, ao menos Charlie não seria.

Ela pôs o capuz de qualquer maneira.

A lateral da casa para onde ela foi direcionada havia sido ocupada pelo serviço de bufê. Havia uma barraca montada e uma churrasqueira acesa. Bandejas inteiras com folheados, camarões e outras coisas que Charlie nunca tinha visto antes eram preparadas e então enviadas para o interior, para serem colocadas em algum prato mais chique, presumia ela.

Perto da porta havia um pequeno pátio de pedra onde alguns funcionários, com roupas pretas e brancas, estavam sentados enquanto fumavam. Um deles bebia café de um copo de papel, sua respiração e o líquido quente esfumaçando o ar.

Outro falava espanhol em voz baixa com um colega de trabalho. Ela não entendia todas as palavras porque não prestava atenção suficiente às aulas, mas achava que ele estava reclamando de um cara que era gato, mas também terrível.

Mesmo que estivessem distraídos, ela não se atreveu a passar por eles. O grupo olharia uma vez para ela e saberia que ela estava no lugar errado. Seus tênis estavam enlameados por causa da caminhada e eram *tênis*. Com cadarços brilhantes.

No entanto, por mais que ela não pudesse passar por ali, também não podia ficar onde estava. Uma hora o grupo a notaria espreitando os arbustos e então ela não teria chance. A sensação de que Rand não tinha ideia do que estava fazendo voltou. Talvez ela devesse pegar o celular e ligar para a mãe. Se o deixasse encrencado, talvez sua mãe não acreditasse em nada do que ele dissesse.

— Ei, garota? — A voz de Rand a assustou. — Vamos lá. Rápido.

Ela o viu segurando a porta aberta. Podia ver um movimento distante em outros cômodos, mas ninguém por perto. Abaixando a cabeça e sem olhar para mais ninguém, Charlie correu para dentro da casa.

Por um momento, ela ficou tão surpresa com a elegância de tudo que conseguia apenas olhar ao redor. Madeira polida. Papel de parede com listras em creme e dourado. Pinturas em molduras pesadas e antigas, sem vidro as protegendo.

Ele a conduziu em direção à escada.

— Lembre-se do trabalho. — A voz dele era baixa e intensa. — Terceira porta à esquerda. Um quarto de criança. Tire tudo menos a camisola. Quando eu der o sinal... *não antes*... fique de pé na janela. Atrás da cortina transparente para seu rosto ficar borrado, Ok? Entendeu? Não antes do sinal. Fique lá por um minuto, depois coloque o casaco de volta e dê o fora da casa. Seu trabalho é não ser vista e não deixar rastros.

Charlie assentiu, sentindo-se desajeitada e com medo. Tinha certeza de que seria pega e aí ele contaria tudo para a mãe dela de qualquer maneira.

— Ora, bem, não fique aí parada. Vá! — Rand virou as costas para ela, indo em direção à festa.

Charlie se apressou e subiu os degraus.

O corredor do andar de cima estava silencioso. Havia cristais pendurados em arandelas, brilhando, projetando arco-íris no chão de madeira.

Sua mão girou a maçaneta da terceira porta e ela se viu em um quarto enorme, todo decorado em cor-de-rosa com uma cama no formato da carruagem da Cinderela no centro. As paredes eram murais de videiras.

Ao contrário do corredor, no entanto, havia poeira cobrindo os móveis. Como se a pessoa que dormia naquele quarto já tivesse partido havia muito tempo. Como se alguém não quisesse modificá-lo.

Charlie tirou a jaqueta, colocando-a suavemente na lateral da cômoda, ao lado de uma caixinha de música, que emitiu algumas notas estranhas com a vibração. Ela também tirou os tênis, pois estavam enlameados e havia uma extensão de tapete cor-de-rosa pálido entre ela e a janela. Em seguida, o jeans.

Em sua mente, ela desafiou um Rand imaginário. *Viu? Não precisou me dizer para fazer isso.*

Ao terminar, Charlie atravessou o quarto. Mas, em vez de se aproximar da janela, ela abriu as portas internas. A primeira levava a um banheiro cor-de-rosa também, com um tecido em formato de coroa sobre a banheira. Uma barra de sabonete cor-de-rosa repousado em um pratinho perto da pia, mas estava seca e rachada.

A segunda porta levava a um closet enorme, tão grande que havia uma área de estar com uma penteadeira. Fotografias de uma garota loira estavam presas na moldura ao redor do espelho com fita de arco-íris. *Hailey.* Lá estava o nome dela, nas costas de uma camiseta de futebol cor-de-rosa. E lá estava ela, abraçando os amigos. Em outra foto, montava um enorme cavalo castanho. Parecia feliz. Parecia viva.

Mas, obviamente, não estava.

Charlie se sentou à penteadeira. Entendeu para o que Rand a levara até ali.

Ela imaginou o que ele diria ao pai ou à mãe enlutada de Hailey: *Olhe para sua filha na janela. Quer continuar falando com ela? Bem, eu adoraria ajudar, mas vou exigir uma contribuição financeira. Erva-mate e cera de bigode não são de graça.*

Dentro das gavetas, Charlie encontrou um pente, uma fita de cabelo e duas presilhas brilhantes.

Ela tirou a peruca e usou a fita para puxar o cabelo para trás para que, quando colocasse a peruca de volta da forma correta, os fios não ficassem caindo toda hora. Então pegou o pente para tentar arrumar a peruca como o cabelo da menina nas fotos.

Charlie olhou para alguém que era ela e não era ela. Sentiu-se um pouco atordoada com o pensamento de se encaixar em uma vida diferente. De experimentar um eu diferente, um que fora amado tão completamente que seu quarto havia se tornado uma tumba, faltando apenas sua múmia.

Rand ainda não havia sinalizado, então ela vasculhou as coisas da garota até encontrar uma camiseta qualquer e uma bolsa grande o suficiente para enfiar a peruca e a camisola. Ela as colocava perto da porta quando o celular vibrou. Quando ela olhou para baixo, a tela mostrava uma palavra.

Agora!!!!!

Charlie foi até a janela, tomando cuidado para manter a cortina transparente entre ela e o vidro.

Ela esperava ver Rand do lado de fora, dirigindo a ação, mas não conseguia achá-lo. Por um bom tempo, pensou que nada aconteceria, que ninguém olharia para cima. Mas então uma mulher o fez e gritou.

Não foi um grito de horror ou de medo, mas de dor pura e agonizante. Charlie nunca tinha ouvido um som como aquele.

Ela estava feliz de a cortina estar entre elas. Não queria ter que ver o rosto da mulher com muita nitidez.

Mas quando a mulher desmaiou, com o rosto ainda virado para cima, Charlie levantou uma das mãos e pressionou a palma no vidro.

Era melhor a mãe de Hailey acreditar que sua filha podia vê-la, certo? Melhor lhe dar alguma resolução. Alguma coisa.

Então, percebendo que provavelmente tinha passado mais de um minuto, ela se afastou da janela e correu pelo quarto até suas coisas. "Dê o fora", dissera Rand. Óbvio, porque se você visse um fantasma, a primeira coisa a fazer seria ir ao cômodo onde o viu.

Charlie arrancou a peruca. Tirou a camisola. Por um momento, vestida apenas com o sutiã, teve a terrível sensação de que seria pega daquele jeito. Mas em seguida a camiseta do lado avesso estava sobre sua cabeça, a jaqueta estava de volta no corpo e fechada, e ela corria em direção às escadas.

Contudo, antes que pudesse descer, Charlie ouviu o som de vozes vindo daquela direção. Virando-se, ela foi para o lado oposto do corredor. Era uma casa grande; tinha que haver um banheiro no qual pudesse se esconder.

Ela se deparou com outro conjunto de escadas, mais grandiosas, e desceu correndo, dando em um saguão com piso de mármore. Era bem exposto e o último lugar onde ela deveria ser vista.

Atravessando a porta mais próxima, Charlie se viu em uma sala de música. Um tapete estampado com tons esverdeados cobria o chão, seguindo até um sofá que parecia muito duro e pequeno para ser confortável. Ao lado havia um instrumento de cordas que parecia um violão e um piano vertical. Ela não era velha demais para ter o desejo de uma criança de apertar as teclas, mesmo que não tivesse ideia de como tocar de verdade. Em vez daquilo, contentou-se em passar um dedo na laca preta brilhante que as cobriam.

— Aí está você — sussurrou Rand, pegando-a pelo braço. — Qual o seu problema? Por favor, me diga que não roubou nada. Não importa, não me diga nada. Apenas saia daqui.

— Você está me machucando — reclamou Charlie, tentando se afastar.

Mas ele continuou segurando-a, apertando seu braço com mais força enquanto colocava as chaves na mão dela.

— Espere no carro.

— Eu teria sido pega se fizesse o que você disse — retrucou Charlie, com raiva por Rand não ter percebido que ela tinha sido *esperta*.

E mais zangada consigo mesma por esperar que ele fosse *justo*.

Ele a empurrou para a porta da frente.

— Suma.

Charlie respirou fundo e saiu. Passando pelas gigantescas colunas brancas. Descendo os degraus de pedra. Ela manteve o olhar apenas no chão à frente, assim, se a mulher de quem havia fingido ser filha estivesse lá, Charlie não a notaria e entraria em pânico.

Ela passou pelos manobristas, sentindo que chamava atenção. Havia alguns casais saindo. Charlie ouviu um homem dizer à esposa:

— Ele é um vigarista. Por que ela não vê isso?

O rosto de Charlie ficou quente, mas ela continuou até chegar ao portão. Lá, esperou que um carro passasse e disparou. Outra coisa que tinha conseguido descobrir sozinha.

Ao chegar ao carro, ela entrou e bateu a porta. Queria saber dirigir. Ela o deixaria lá. Talvez o buscasse alguma hora; talvez não. O que ele poderia fazer, chamar a polícia?

Naquele momento, Charlie se sentiu nova demais e como se não quisesse ser tão adulta ainda.

Quando Rand chegou ao carro, ela estava esperando que ele fosse ser malvado, como tinha sido dentro da casa, mas, em vez disso, estava radiante.

— Você foi incrível! — exclamou ele com um grito ao conduzir o veículo para a rodovia. — Que adrenalina, não é? Sério, você nasceu para isso. Eu sabia que você era assim.

— Assim como? — perguntou Charlie.

— Você é igual a mim. É para isso que pessoas como nós foram feitas. Enganadores natos. Como hienas, com sorriso no rosto, rondando as margens da sociedade, procurando os fracos e os lentos.

E quando Charlie não disse nada em resposta, ele empurrou o ombro dela.

— Ah, não fique assim porque te repreendi lá dentro. Era muita tensão! A gente não tem tempo para boas maneiras quando está em um trabalho. Sem ressentimentos, certo?

Charlie assentiu, satisfeita por ser elogiada, mesmo por ele. Aquilo fez com que sentisse que tudo ia ficar bem. Ele a levaria para casa e aquilo seria apenas uma coisa estranha que acontecera uma vez. Ela poderia voltar a pensar nele como amigo de sua mãe e evitá-lo.

Ela podia se convencer de que ele estava errado e que eles não eram parecidos.

Depois de uma hora e muitas mudanças de estação de rádio, eles pararam do lado de fora do prédio dela.

— Aqui — afirmou Rand, entregando-lhe uma nota de vinte. — Você mereceu.

— Obrigada. — Charlie pegou o dinheiro e saiu do carro.

Juntos, eles caminharam até o segundo andar.

A mãe de Charlie estava montando um quebra-cabeça com Posey na mesa da sala de jantar. Havia uma caixa de pizza ao lado delas.

— Que bom que você voltou — anunciou a mãe. — Estava ficando tarde. Você se divertiu?

Charlie tinha esquecido de onde Rand deveria tê-la levado, mas assentiu.

— Bem, agradeça a ele — encorajou a mãe, com um sorriso paciente dirigido a Rand.

Ele sorriu também; dois adultos ensinando responsabilidade a uma criança.

Qualquer coisa para que isso acabe, pensou Charlie.

— Obrigada — disse ela para Rand.

— Vamos repetir a dose outra hora — respondeu ele. — Dar um descanso para sua mãe.

Charlie foi até a caixa de pizza e pegou uma fatia, ignorando-o.

Sua mãe convidou Rand para ficar e comer com elas, mas, para alívio de Charlie, ele recusou.

Uma semana depois, ela estava na rua, tentando aprender a andar de skate. Andava caindo muito e seu joelho estava sangrando quando Rand saiu do carro.

— Tenho outro trabalho para a gente, minha pequena charlatona — pronunciou ele. — *Charlatona Hall.* Amei.

Ela balançou a cabeça, sentindo-se completamente entorpecida.

— Não? — Rand pareceu achar graça. — Ah, vamos lá. Vou te pagar melhor dessa vez. E não é como se você realmente tivesse escolha.

Charlie o encarou, boquiaberta.

— Você não pode dizer nada. Eu sei o que *você* fez. Posso contar.

— É? — Ele ergueu o telefone, com uma foto na tela de um fantasma na janela. — Antes teria sido minha palavra contra a sua, mas agora não. Tenho provas de que você é uma pequena golpista.

Charlie olhou para a foto e seu coração ficou apertado. Não estava totalmente visível que era ela, mas a figura tinha sua altura. E sua mãe sabia que ela estivera com Rand naquele dia.

—Mas *você* me levou lá. *Foi você* quem mentiu para aquelas pessoas.

— Ah, ela também me odiaria — confirmou Rand, ainda sorrindo. — Mas por que eu me importaria com isso? Além disso, você se divertiu. Não seria tão boa nisso se não tivesse se divertido.

Levaria anos até que ela entendesse a técnica que ele havia usado para fisgá-la. A areia movediça dos golpistas, a transição de manipular alguém com algo pequeno até o momento de deixá-los sem escolha. Você começa com uma chantagem. Uma coisinha, talvez, desde que a pessoa se esforce um pouco para fazer aquilo desaparecer. Talvez esteja disposta a roubar algo para você, falsificar alguns números, mudar uma nota, tirar um dinheirinho do caixa, qualquer coisa. Mas aí é que ela se afunda. Porque, se tiver cedido, não está mais escondendo qualquer que tenha sido a indiscrição inicial e sim o que foi feito para encobri-la. E quanto mais tentar se desenterrar, mais fundo vai mergulhar.

Não há nada tão instrutivo para aprender como colocar alguém na corda bamba do que ser colocado lá você mesmo.

8
O *LIBER NOCTEM*

Quando o sombrista falou, Charlie congelou, suas costas pressionadas na borda de trás do bar.

Ele virou a cabeça para Odette e as três artistas drag.

— Deem o fora.

Com muito pouco poder, sombrios podiam fazer uma sombra títere pegar um centavo do chão. Com mais, podiam esmagar seu coração, enfiando a mão pela garganta. Toda a carreira de Charlie como golpista e ladra tinha sido sobre evitar enfrentar um deles diretamente.

As artistas se levantaram e correram em direção à saída dos fundos que levava às lixeiras, depois do palco. Ao segui-las, Odette olhou para trás e murmurou algo para Charlie. Infelizmente, ela não tinha ideia do que Odette estava tentando dizer. Charlie esperava que fosse que ela chamaria a polícia. Não que Charlie esperasse grande bravura por parte deles diante de magia, mas talvez as câmeras de corpo pudessem assustar o cara.

— Me chame de Hermes. Quais chopes você tem?

Ele tinha um leve sotaque do sul de Boston. Ela chutava que ele estivesse na casa dos trinta anos, com cabelos escuros e pele pálida, embora as bochechas estivessem coradas por causa do vento. Tinha a aparência de um cara prático, e não alguém interessado em magia. Não alguém *com* magia.

— Acho que você não ouviu a dona do bar dizer que estamos fechados — proferiu Charlie com firmeza.

Naquele momento, a sombra dele estava insubstancial como um raio de luar. Ela sabia que custava *alguma coisa* para manipulá-la, só não tinha certeza do quê.

— A dona foi embora — retrucou ele. — Somos só nós agora.

A forma etérea se moveu em direção a ela outra vez, tão grande que toda a sala pareceu escurecer. Charlie cruzou os braços.

Hermes bateu a mão no bar, fazendo-a pular.

— Sabe o que eu poderia fazer com você?

Sua adrenalina aumentou, tornando difícil pensar, mas ela lembrou a si mesma que ele não tinha ideia de quem ela era. O que quer que o tenha levado a confrontá-la, ele não sabia que estava falando com Charlie Hall, ladra de magia. Via apenas Charlie Hall, bartender curiosa demais. E era daquele jeito que ela agiria, com a arrogância da ignorância.

— Fazer comigo? Não sei, o que você pode fazer com sua sombra tããão assustadora? — perguntou ela. — Pairar? Parecer cinco centímetros mais alto se eu não forçar os olhos? Ter um olfato melhor?

Por um momento, ela teve a satisfação de ver Hermes parecendo aturdido. Então ele bufou.

— Realmente não sabe, não é? Não sabe nada de nada.

— Essa sou eu, uma ignorante — respondeu Charlie, orgulhosa de como sua voz soou. — Por exemplo, não tenho ideia do motivo de você estar aqui me intimidando.

A sombra do homem se esticou como um puxa-puxa, em direção a Charlie e depois *através* de uma fina emenda na madeira do bar, sobre a pia, os copos não usados, recipientes plásticos com xarope de grenadine e xarope simples.

Em todo o tempo que tinha roubado deles, Charlie temera a ideia de ser pega por uma de suas sombras e descobrir os limites dos poderes sombristas da pior maneira possível. Que irônico, ter evitado aquilo na época, só para acontecer naquele momento.

Charlie deu um passo para trás, mas a estreiteza do bar a impedia de escapar. Ela estava presa com prateleiras espelhadas de bebida atrás dela, além da caixa registradora e uma máquina de cappuccino.

— Paul Ecco — proferiu Hermes naquele silêncio. — Você pode ter sido a última pessoa com quem ele falou na terra. Uma garota bonita como você, aposto que ele se gabou de como ficaria rico. Talvez tenha te mostrado um objeto raro que ele pretendia vender. Mas, veja, aquele objeto pertencia ao sr. Salt. Conte-nos como Ecco o conseguiu. Diga isso e poderá voltar para sua vidinha triste e fingir que nunca teve um encontro com a morte.

Maldito Lionel Salt.

Aquele era um método para levantar informações. Hermes não fazia ideia se Charlie sabia de alguma coisa. Mas ela havia mentido no telefone para testá-lo e aquilo a fizera parecer suspeita. Em um ano longe do trabalho, ela havia ficado desleixada.

— Tudo o que fiz foi servir uma dose para o cara.

Ele não tem motivos para me machucar, disse a si mesma, embora duvidasse de que alguém que trabalhasse para Salt precisasse de um motivo. O lugar estava silencioso, como se ela e o homem compartilhassem um único fôlego.

— Sabe com o que eu alimento essa coisa? — perguntou o homem, afastando-se dela e de sua sombra. — Sangue. Talvez o seu.

A sombra de Hermes *se solidificou* de alguma forma. Por um momento, pareceu que ele estava em dois lugares ao mesmo tempo, de tão convincente que foi a recriação que a sombra fez dele. Parecia consistente, embora a conexão tipo um cordão umbilical com os pés do homem barbudo permanecesse visível, mas embaçada.

Um dedo da sombra se aproximou dela e Charlie se preparou. Quando roçou sua pele, ela sentiu que era frio e um pouco elétrico, como se estivesse sendo tocada por uma tempestade. Ela enrijeceu, tropeçando para trás quando uma onda de medo a atingiu, grande e paralisante demais para ser dela própria.

O coração de Charlie disparou e a irrealidade do momento a deixou tonta.

— Ok, tire essa coisa de perto de mim. Desisto. — A voz de Charlie tremeu quando ela ergueu as mãos em sinal de rendição, recuando. Ela mordeu o interior da bochecha para se acalmar. — Você me convenceu. Vou te servir uma cerveja, embora estejamos fechados.

A sombra não se moveu.

— Você é uma verdadeira palhaça, não é? — comentou Hermes.

Alcançando a prateleira espelhada, Charlie pegou um copo de cerveja. Estava escorregadio em seus dedos por causa das mãos suadas. A sombra pairava no ar, flutuando ao lado dela, enquanto ela servia a melhor cerveja IPA que eles tinham.

Talvez pudesse tentar dizer a verdade. Bem, um pouco da verdade.

— Eu estava voltando para casa e o vi. Paul Ecco, morto. Eu o reconheci do Rapture. Foi tenso, o que aconteceu com ele. E então, quando não vi notícias sobre isso, acho que fiquei curiosa.

— Está mentindo — retrucou ele. — Você o conhecia. Ligou à procura dele.

— Eu não esperava que alguém *atendesse* — explicou Charlie. — E pensei que se eu pedisse para falar com o Paul, a pessoa do outro lado da linha me diria o que aconteceu. Não esperava que fosse fingir *ser* ele.

— Não acredito nisso. — Sua raiva tinha uma pontada de desespero, como se voltar para o chefe de mãos vazias fosse algo preocupante.

— Nunca tinha visto o Paul antes daquela noite — insistiu Charlie, sabendo, ao ver a expressão de Hermes, que era inútil.

Ele *queria* que ela estivesse conectada aquilo.

Ela não achava que conseguiria chegar à porta dos fundos, mas talvez tivesse que tentar. Queria aquela faca estúpida com cabo de ônix em sua bolsa. Queria qualquer coisa.

— Pare de tentar me enrolar — ralhou ele. Sua sombra parecia estar piscando nas bordas, como se fosse feita de algum fogo escuro. — Está metida nisso de alguma forma. Da próxima vez que abrir a boca, é melhor ter muito cuidado com o que sai dela.

Ele já havia decidido o que queria ouvir e não estava disposto a ouvir nada além daquilo. Ou Charlie teria que tentar uma fuga fadada ao fracasso ou teria que fazer com que ele acreditasse em uma boa história.

Hermes queria o *Liber Noctem* para seu chefe e acreditava que ele tinha mais do que apenas as páginas que queria vender, páginas que ela supunha que o assassino de Ecco havia pegado. Charlie poderia falar sobre como Paul Ecco estivera pedindo a Balthazar para revender a parte que ele tinha, mas ela suspeitava de que Hermes já houvesse falado com Balthazar e que o dono do salão de sombras a tivesse jogado aos lobos. Afinal, Hermes parecia ter muita certeza de que ela havia ligado.

Charlie fez a cerveja deslizar pelo balcão do bar e soltou um suspiro longo e ensaiado.

— Quando o Paul veio no Rapture, ele não estava sozinho — mentiu ela. — Havia outro homem e eu o ouvi dizer algo sobre "um livro inteiro". Isso ajuda?

Hermes não havia mencionado o livro diretamente, então talvez aquilo o convencesse. Aquilo *poderia* ter acontecido, se ele realmente negociara o livro para Adam.

— Tem certeza de que a coisa com ele era um *homem*? — perguntou Hermes.

— Acho que sim — respondeu ela, perguntando-se se havia mais alguém que ele esperava estar envolvido.

Alguém havia de fato falado com Ecco naquela noite?

— Edmund Carver — anunciou Hermes. — Foi assim que Paul o chamou?

Charlie hesitou. Se dissesse que sim, podia ver que ele ficaria satisfeito. Mas ela não fazia ideia de quem era tal pessoa e teria que fornecer detalhes que não tinha. Ela balançou a cabeça outra vez.

— Não ouvi um nome e sua sombra não parecia...

A sombra do homem atingiu Charlie no rosto, forte o suficiente para desequilibrá-la. Seu quadril bateu na pia e seus pés saíram do chão. Ela caiu de joelhos no piso.

— Não minta para mim — comandou Hermes.

Charlie estava consciente de muitas coisas ao mesmo tempo: a viscosidade do chão; o fedor de bebida estragada; a sensação de formigamento e ardência no rosto esbofeteado; seu pavor diante do que estava acontecendo; o taco de beisebol que Odette insistia que guardassem atrás do bar, embaixo da máquina de fazer gelo, bem fora de seu alcance.

O tempo pareceu desacelerar e acelerar outra vez conforme Charlie engatinhava até o taco.

A sombra do homem barbudo piscou acima dela, uma mão etérica atingindo a prateleira de garrafas e as enviando ao chão em uma chuva de cacos de vidro.

Charlie cobriu a cabeça automaticamente. Uma garrafa cheia até a metade atigiu seu ombro enquanto mais garrafas quebraram ao redor dela. Pequenos fragmentos de vidro estilhaçado voavam a cada colisão, alojando-se em suas roupas e picando sua pele. O álcool derramado escorreu pelos seus joelhos em uma torrente.

Os dedos de Charlie envolveram o taco e ela se levantou, tremendo de adrenalina, medo e raiva.

Carente de boas ideias, tentaria a ruim.

Que gravassem aquilo em sua lápide. O lema de Charlie Hall.

Ela avançou forte contra a sombra. O taco passou direto por ela, como se fosse um fantasma. O impulso a fez cambalear para a frente e Charlie quase caiu de bunda.

Hermes gargalhou. Ele havia se afastado do bar, como se fosse um espectador do que estava acontecendo e não o arquiteto.

— Você é muito espoleta, não é? Última chance. A verdade desta vez. Quem deu ao Ecco as páginas daquele livro?

O ar pareceu pesar ao redor dela.

— Você não reconheceria a verdade nem se ela aparecesse pintada de ouro na sua frente — retorquiu ela com o melhor sorriso de escárnio que conseguiu esboçar.

Daquela vez a sombra desceu direto por sua garganta.

Ela sentiu como se estivesse se afogando. Como se seus pulmões estivessem cheios de algo mais pesado que o ar, algo que ela não podia tossir para fora.

Em pânico, ela arranhou o pescoço, engasgando-se com a sombra, seus gritos sem som.

Partes transbordavam de sua boca e nariz, de trás dos olhos. A escuridão estava se aglomerando na sua visão periférica e ela não tinha certeza se era a falta de ar ou a sombra.

Por um momento, sentiu como se estivesse fora de si mesma, notando que os cantos de seus lábios estavam ficando azuis. Observando enquanto se engasgava, levantando o queixo como se estivesse se afogando e buscando a superfície da onda.

Quando Charlie abriu os olhos, estava no chão. Podia respirar de novo, embora inalar doesse.

Ela olhou para a bola espelhada no teto e viu uma figura parada atrás de Hermes, com o braço pressionando seu pescoço. Mas, pela forma borrada, não conseguia identificar a pessoa nova. A chegada daquela pessoa deve ter sido o que fizera Hermes chamar a sombra de volta.

Charlie começou a rastejar devagar pelo chão coberto de vidro, dizendo a si mesma que, quando chegasse à área aberta do salão, correria para as portas dos fundos, usaria o ombro para as abrir com força e não olharia para trás.

— Você deixou sua sombra se alimentar por tempo demais esta noite. — Por incrível que parecesse, foi a voz de Vince que ela ouviu. Mas soava errada. Suave e ameaçadora. Tão alheia à agitação de Hermes como se aquilo fosse irrelevante. — Não sobrou muito de você. Consegue sentir a tensão, como se algo fluísse de você?

O homem fez um som de engasgo, contorcendo o corpo, tentando desesperadamente se libertar.

— Não importa agora.

Charlie quase não conseguia reconhecer aquele Vince, parado no meio do bar vazio. Apertando com mais força.

Então houve um som como um galho molhado se quebrando.

Ela prendeu a respiração.

Refletido em uma dúzia de pequenos espelhos, o homem barbudo ficou inerte nos braços de Vince.

9
O PASSADO

Charlie começou a bater carteiras como se fosse para isso que seus dedos haviam sido criados para fazer. Quando ela tinha doze anos, Rand a colocou para estudar com uma mágica aposentada que havia aprendido a furtar carteiras e relógios como parte de seu número, e toda terça e quinta depois da escola, ele a deixava na casa da Sra. Presto, dizendo à mãe de Charlie que eram aulas de piano.

A Sra. Presto fumava, o que empesteava a casa inteira. Era um lugar pequeno, em Leeds, sem nenhum espaço no quintal. O interior estava cheio de móveis antigos, incluindo um autômato que enfeitava uma loja de departamentos no passado, mas naquele momento ficava em um canto usando uma cartola, com metade do rosto faltando.

— Os únicos mágicos de quem as pessoas já ouviram falar são homens, mas algumas das grandes eram mulheres — contava a Sra. Presto, mexendo o cigarro. — E deixe-me dizer uma coisa, os melhores trapaceiros *sempre* foram mulheres. Nós sabemos como as pessoas pensam. Temos coragem. E não somos pegas.

Charlie gostou da forma como a Sra. Presto a incluiu na declaração. *Nós*. E gostou em particular da ideia de que ela poderia evitar quaisquer consequências.

— Então, a primeira coisa que você precisa entender é o toque. Você toca em algum lugar no corpo do alvo enquanto o furta. Pode esbarrar nele se estiver andando ou tocar no ombro se a pessoa estiver sentada em um restaurante lotado. As pessoas acham que o toque é para distrair, mas não é. O cérebro não consegue registrar a sensação de ser tocado em dois lugares ao mesmo tempo, então apenas alerta a mente para o golpe mais forte. Toque no ombro e eles não sentirão sua mão no bolso ou na bolsa. Não há sutileza de fato. Só pegue.

Charlie pensou naquilo. A Sra. Presto deu a ela uma bala de cardamomo retirada de uma caveira de prata que estava na mesa de centro.

— E se você enfiar a mão em uma bolsa com muitas coisas? Ou se o zíper estiver fechado?

— Ah, bem, é aí que entra a distração — explicou ela. — Surpreenda-os. Deslumbre-os. Ou apenas escolha um alvo mais fácil. Há muitos peixes no mar. E alguns estão usando correntes de ouro maciço.

— E os fechos? — Quando a Sra. Presto havia começado a falar, parecera simples.

Mas quanto mais Charlie pensava naquilo, mais difícil parecia. Ela levava três tentativas para colocar um colar, imagine tirar um de alguém com uma mão, tudo aquilo enquanto os deslumbrava.

— Mão na nuca, um pouco de pressão e dedos ágeis. É tudo a mesma coisa — afirmou a Sra. Presto. — Vamos começar a praticar.

Primeiro, penduraram jaquetas no autômato e prenderam relógios nos braços das cadeiras. Então, quando Charlie dominara aquilo, a Sra. Presto começou a andar pela casa para que Charlie pudesse fingir esbarrar nela, ou andar até ela no meio da multidão.

Finalmente, estavam prontas para sair.

Uma tarde Rand a levou para o shopping Holyoke em vez de levá-la para a casa da Sra. Presto.

— Vamos fazer compras? — perguntou Charlie.

Rand nem pareceu se importar com o tom dela. Ele sorriu como se ela fosse a piada.

— Sua aula vai ser aqui hoje.

A Sra. Presto encontrou Charlie na loja Macy's, onde estava comprando um tênis.

— Nunca é demais ter uma sacola com você — contou ela a Charlie. Então sorriu. — Ou uma mulher idosa.

Elas foram caminhar no shopping.

— Vou assistir primeiro? — perguntou Charlie, esperançosa.

A Sra. Presto balançou a cabeça.

— Não adianta adiar o inevitável. Vamos em direção ao Starbucks. Tem sempre aglomeração lá.

E assim Charlie começou o primeiro dia de treinamento prático. Ela passou por pessoas em corredores estreitos dizendo "com licença" e dando um toque no braço. Funcionou na Sephora e na loja da Apple. E foi mais fácil do que ela teria imaginado, mas não muito preciso. Ela conseguiu furtar uma carteira de um cara, mas todas as incursões em bolsas resultaram em coisas aleatórias. Um chaveiro. Um batom. E até um lenço de papel enrolado.

Depois de cinco furtos, a Sra. Presto comprou um frappuccino para Charlie.

— Dois comentários — começou ela. — Depois de pegar o objeto, você o colocou no bolso. E o que você fez depois disso?

Charlie deu de ombros.

— Fui embora?

— No futuro — orientou a Sra. Presto, olhando-a com seriedade —, você vai tirar do bolso um chocolate. Ou dinheiro. O que você quiser, para que as pessoas pensem que por isso sua mão estava no bolso. Sempre tenha algo lá para pegar. Sempre. Caso contrário, dará a eles duas coisas para notar. O furto em si e a mão saindo vazia do bolso.

Mesmo que ninguém tivesse dito nada a Charlie, suas palmas começaram a suar ao pensar que ela havia cometido um erro tão óbvio.

— Ah, e você não me parece o tipo que gosta de abraçar — comentou a Sra. Presto.

Charlie deu de ombros outra vez. Ninguém em sua família gostava de abraçar, exceto sua avó, que ela não via muito. Nem Charlie e Posey se abraçavam.

— Acostume-se a tocar as pessoas enquanto fala. Mão no braço. Mão no ombro. Abrace-as quando as vir e novamente quando for embora. Dessa forma, quando *tiver* que fazer isso, vai saber como fazer parecer natural.

— Está bem — concordou Charlie e tomou um longo gole de seu frappuccino.

Aquele era o único conselho, ainda que muito sábio, que ela sabia que não seguiria.

— Muito bem. — A Sra. Presto se levantou. — Vou esperar por você na Macy's. Preciso devolver estes tênis.

— E o que vou fazer? — perguntou Charlie, já sabendo que odiaria a resposta.

— Vai encontrar as pessoas de quem você roubou e colocar as coisas de volta.

A Sra. Presto lhe deu aquele sorriso maroto e saiu passeando, com a sacola na mão parecendo muito mais pesada do que no início do passeio.

Uma hora depois, Charlie havia devolvido as chaves e a carteira e desistido de procurar as outras pessoas. Rand estava esperando por ela do lado de fora da Macy's.

— Ouvi dizer que você foi bem — comentou ele quando ela entrou no carro. — Muito bem.

— É? — perguntou ela.

Ele riu.

— Não deixe isso subir à cabeça, garota.

Mas ele a levou à hamburgueria onde você podia comer quantos amendoins quisesse e a deixou pedir qualquer coisa, então ela sabia que a Sra. Presto tinha lhe dado notas altas.

Charlie não podia deixar de ficar satisfeita com a ideia de que tinha um talento natural para bater carteiras, mas o que ela mais amava eram os arrombamentos.

Ela adorava estar em espaços que pertenciam a outras pessoas. Andar em seus tapetes. Experimentar suas vidas como experimentava suas roupas.

E era fácil, em grande parte. Pessoas que moravam em casas grandes e caras tinham muitas portas, e na maioria das vezes ela conseguia encontrar uma que estivesse aberta. Às vezes havia uma chave debaixo do tapete. Na falta daquilo, havia uma janela destravada. Ela deslizava para dentro quando não havia carros por perto. Pouquíssimas pessoas tinham sistemas de alarme e menos pessoas ainda se preocupavam em acioná-los.

Quando Rand a mandava para dentro de casas, em geral estava à procura de algo específico. Um anel de safira enorme. Porta-guardanapos antigos em forma de pequenas teias de aranha de filigrana. Uma primeira edição autografada de *O falcão maltês* que, segundo rumores, poderia valer mais de cem mil dólares. Ele se imaginava como um daqueles criminosos heroicos dos filmes, aqueles que nunca se rebaixavam a roubar aparelhos de TV.

Mas às vezes Charlie atravessava a cidade de bicicleta e invadia casas por conta própria.

Quando era pequena, seu pai havia trabalhado para uma empresa que instalava piscinas e banheiras de hidromassagem. Às vezes ele a levava naqueles projetos de construção e ela ficava olhando para as casas gigantes com seus gramados aparados e suas piscinas brilhantes, de um tom de azul vivo igual aos mares tropicais que via em calendários.

Naqueles dias, quando seu pai via Posey e Charlie, era para levá-las para tomar sorvete e agir como se tudo estivesse bem, mesmo que ele tivesse se casado de novo, sua nova esposa estivesse grávida e ela visivelmente não quisesse contato com as duas filhas do primeiro casamento dele.

E seu pai queria as filhas sorridentes e felizes. Queria bochechas coradas e saudáveis e que elas rissem e fizessem coro ao dizer "foi muito legal" em resposta a seu "tchau, tchau, tchau", do jeito que faziam quando eram pequenas e tinham certeza de que sempre seriam amadas. Elas tinham que entrar no jogo, ou ele se tornava grosso e rabugento. Se elas fossem exigentes ou mal-humoradas, ele as ignorava por completo.

Então, quando Charlie tentava reclamar de Travis ou contar a seu pai qualquer uma de suas preocupações ou medos, ele ficava irritado e transferia sua atenção para a irmã dela. E se Posey continuasse o assunto, ele as levava direto para casa.

A afeição do pai delas era inteiramente condicional e ele não fazia segredo daquilo.

Mas aquelas casas para as quais ele a levara naquela época? Eram aquelas as casas que ela invadia quando estava sozinha.

Charlie olhava em suas geladeiras e fazia sanduíches com o que quer que tivesse lá. Atum e picles. *Kimchi* e sobras de lombo de porco. Tofu e brie. Ela experimentava as roupas dos armários, deitava-se nas camas e, às vezes, quando tinha certeza de que as pessoas que moravam lá estavam de férias, nadava naquelas piscinas cristalinas que seu pai tinha construído, olhando para as nuvens.

Ela fingia que aquelas famílias eram sua família. Que logo alguém a chamaria para fazer o dever de casa, repreendendo-a por não usar protetor solar e por entrar na casa molhando o tapete.

Foi em uma daquelas casas que ela assistiu a um programa de televisão que tinha uma sombrista como convidada. Ela estava explicando sobre magia das sombras, com três modelos para mostrar suas alterações. Uma era a sombra de um pássaro. A segunda sombra tinha um coração arrancado do peito. E a terceira usava uma coroa, com as pontas saindo da cabeça sombreada.

Quando o apresentador do programa perguntou sobre outros usos para a magia, a sombria riu.

— Isso não é suficiente?

— Por que vocês ficaram escondidos do mundo por tanto tempo? — perguntou o homem na televisão.

Charlie, com sorvete roubado no colo e colher de sopa na mão, ouviu a mulher explicar que os primeiros sombristas não estavam cientes uns dos outros. Cada um descobria a disciplina do zero e tais descobertas eram perdidas com suas mortes. Algumas cartas existiam como prova de que alguns se acharam e alguns telegramas errantes foram trocados na década de 1940. Mas as coisas realmente não mudaram até o surgimento do sistema informático BBS na década de 1980. Grande parte da prática contemporânea sombrista foi desenvolvida em trocas de mensagens e fóruns fechados, quando finalmente pessoas de todo o mundo com sombras ativadas perceberam que não estavam sozinhas.

Charlie olhou para o modelo cuja sombra tinha um buraco em forma de coração no peito. Ela se perguntou como era ser ele.

Quando ela saía daquelas casas que havia invadido sozinha, Charlie não levava nada.

10
DAR TILT

Ao olhar para o homem morto no chão do Rapture, Charlie sabia que tinha que fazer alguma coisa, mas o choque da violência a enraizava no lugar.

Vince, o Vince *dela*, tão equilibrado que não reagira mesmo ao ser empurrado, havia assassinado alguém.

E ele não percebeu que ela o tinha visto.

Se Charlie voltasse para o chão, se deitasse no molhado e no vidro, podia fingir que estivera inconsciente o tempo todo. Só quando ele a tocasse, ela piscaria como a Branca de Neve, com o pedaço de maçã removido de sua garganta. Então ele poderia inventar a mentira que quisesse sobre o que tinha acontecido e ela aceitaria. *Ah, aquele cara morto? Ele deve ter escorregado em uma casca de banana.*

Em vez daquilo, Charlie se levantou, segurando-se no bar. Fez-se parecer surpresa por ele estar ali.

— Vince? Como você entrou...

A luz endureceu suas feições e ela se lembrou de como o achara assustador naquela primeira noite no bar, antes de ele falar.

Vince observou o olhar dela passar dele para o homem morto, percebendo a forma como o pescoço de Hermes estava no ângulo errado. O rosto de Vince parecia terrivelmente inexpressivo.

Continue parecendo surpresa, disse a si mesma. *Tudo é muito surpreendente.*

— Ele se foi — respondeu Vince, atravessando o bar e indo até ela. — Você está sangrando.

Engraçado que pudesse matar Hermes, mas não o chamar de *morto*. Usou o eufemismo educado. *Se foi.*

Se foi bem ido mesmo.

— Estou bem — insistiu Charlie, embora não tivesse certeza.

Seu corpo doía por ter sido atingido por garrafas. Ela podia sentir a ardência aguda de cortes superficiais e provavelmente tinha vidro em seu sutiã. Seus pensamentos estavam um caos.

Além de tudo, havia um cadáver no meio do bar.

Um cadáver cuja sombra ainda estava se mexendo, contorcendo-se e puxando a conexão com o homem barbudo como se quisesse se libertar.

Charlie estremeceu e um horror visceral a tomou.

— O que... é aquilo?

— Vai se acalmar depois de alguns minutos — explicou ele depois de uma pausa em que ambos olharam para a sombra relutante.

— É uma *Praga*?

Charlie não entendia os detalhes de como a troca de energia funcionava para sombristas, mas entendia o suficiente para saber que quanto mais de si colocassem na sombra, mais ela poderia fazer. Um sombrista podia deixar sua sombra retirar energia dele diretamente, mas também podia colocar pedaços de si (como lembranças que não queria mais, desejos que o envergonhavam, sentimentos que o atrapalhavam) dentro da sombra. Após a morte de um sombrista, a sombra podia se tornar uma Praga. Sombras separadas, cortadas não apenas do humano, mas da própria humanidade. A maioria era um pouco mais lógica do que um animal, e os sombristas faziam questão de caçá-las. Outras podiam pensar e raciocinar. Charlie tinha visto muito poucas e nunca esperara testemunhar o nascimento de uma.

Vince não encontrou seu olhar.

— Pode ser.

Charlie pensou na sombra de Paul Ecco, no modo como ela havia sido dilacerada, como se tivesse sido destruída separadamente daquilo que o matara. E ela pensou em Vince, que parecia saber muito mais sobre sombrismo do que ela havia imaginado.

— Ela está *morrendo*? — perguntou ela, em voz baixa.

Ele assentiu.

— A menos que seja libertada com um corte ou que se solte, vai morrer.

Ela se lembrou de respirar a sombra em seus pulmões. Lembrou-se do golpe de sua mão. Podia ser lamentável ver a coisa lutando, mas ela estava feliz por não poder atingi-la. E feliz que logo iria embora.

Vince balançou a cabeça.

— Tem alguém aqui além de você?

Charlie olhou para a sala dos fundos. Odette e as outras pessoas tinham ido em direção à saída atrás do palco, mas era possível que uma ou mais delas tivessem se trancado no escritório da dona do bar em vez de irem embora.

— Talvez.

Ele assentiu de novo.

— Tenho que levar o corpo para a van. Vai ficar bem sozinha?

— Já disse que estou bem.

Charlie colocou as mãos no balcão.

Ela se sentia um pouco tonta, mas só isso.

Vince concordou com a cabeça, como se não acreditasse nela, mas também não tivesse tempo para discutir.

Charlie saiu de trás do bar, contornando o vidro devagar e com cuidado. Pedaços já tinham grudado em seus Crocs; aquilo fez com que as solas ficassem desiguais em contato com o chão e produzissem um som dissonante, como sapatos de sapateado.

Sapatinhos de cristal.

Com cautela, ela foi até uma mesa. Ainda havia uma vela de chá acesa sobre ela, a cera estava líquida e o vidro tinha escurecido.

Foi quando a Praga se libertou e foi direto para cima de Charlie.

O ônix era útil de duas maneiras na hora de parar sombras ativadas. O material as enfraquecia e então as forçava a se tornarem sólidas, de modo que uma faca com ônix podia cortá-las independentemente do quanto parecessem translúcidas. Mas Charlie não tinha ônix e o que mais machucava sombras era a luz mais brilhante: o fogo.

Charlie pegou a vela, não se importando com a cera quente se derramando em seu pulso ou o vidro queimando seus dedos. Ela a levou até a Praga, jogando a chama direto nela. A sombra pegou fogo e ardeu como um pincel seco.

Por um momento, Charlie apenas observou a vela de chá quebrada, com a cera derramada. Seus dedos queimados.

Enquanto isso, Vince a encarava.

— Bem pensado — observou ele.

Charlie deixou o peso do corpo recair em uma cadeira próxima. Assentiu.

Vince ergueu o cadáver sobre o ombro, como se fosse um cervo morto ou algo assim, e se dirigiu para as portas duplas do Rapture.

Ele foi a primeira pessoa que você matou? As palavras estavam na ponta da língua. Charlie as engoliu. Seu trabalho era limpar cenas de crime. Ela queria acreditar que aquilo tenha lhe dado alguma perspectiva quando se tratava de lidar com os mortos, era a razão para Vince estar tão calmo. Mas *matar* alguém era outra coisa.

O irmão de seu ex-namorado, aquele que acabou atirando nela, tinha sido preso por roubar uma loja de bebidas. Ele havia contado a ela sobre como depois de matar pela primeira vez, a mente das pessoas não funciona mais direito. Elas dão *tilt*, é pane no sistema. Logo, mesmo se forem meticulosas em geral, mesmo se tiverem planejado tudo, começam a fazer besteira. Fazem coisas sem sentido, como tranquilamente deixar a polícia entrar quando o cômodo inteiro está coberto de sangue. Ou alugar um carro de fuga no próprio nome.

Vince não estava agindo assim. Ele tinha feito aquilo antes.

E um passado envolvendo assassinato não era o único segredo que ele estivera guardando, dada a maneira como havia falado da sombra daquele sombrista. Ele sabia muito mais sobre aquele mundo do que alguma vez deixara transparecer. Por mais que Charlie estivesse escondendo coisas dele, Vince estivera escondendo muito mais dela.

Charlie olhou para o short de ciclista ridículo que estava usando, para a saia elástica, encharcada de bebida. Gotas de sangue estavam brotando em suas panturrilhas, onde cacos de vidro a atingiram, e, quando olhou para as costas das mãos, ficou surpresa ao descobrir que também estavam sangrando.

Era difícil culpar Vince, no entanto. Quaisquer que fossem seus segredos, ela ainda podia contar com ele. Ele estava se livrando de um cadáver por ela. Não dava para ser mais leal do que aquilo.

Uma pequena risada escapou da boca de Charlie, um risinho estranho.

Focou o olhar nas tábuas do assoalho e na própria sombra. Ela piscou duas vezes, esperando sua visão ficar nítida. A sombra pareceu ondular. Será que Hermes tinha feito algo com ela?

Intrigada, Charlie se inclinou e encostou a mão na sombra no chão. A sombra repetiu o movimento, como de costume. Ao se afastar, Charlie deixou uma pequena mancha de sangue dos cortes nos dedos ali.

Bem naquele momento o telefone fixo atrás do bar começou a tocar, fazendo-a se sobressaltar.

Ela cambaleou de volta para o bar.

— Sim?

— Querida — disse Odette, soando exatamente como uma aspirante a atriz do passado. — Ouvi um estrondo terrível e então tudo ficou silencioso.

— Você ainda está no escritório? — perguntou Charlie, envergonhada por sua voz não soar tão estável quanto ela pretendia. — Ele se foi, mas deixou uma verdadeira bagunça. Você não devia ter ficado.

A ligação foi encerrada. Um momento depois, ela ouviu a porta ser destrancada. Odette retornou ao bar na mesma hora que Vince entrou pelas portas duplas.

— A polícia finalmente chegou? Liguei para eles há um tempão.

Ela olhou para os dois e para o bar, absorvendo a destruição do lugar e a presença de Vincent com uma expressão um tanto atordoada.

— Ninguém aqui além de nós. — De forma abrupta, Charlie percebeu que ela não estava bem, afinal de contas.

Suas mãos estavam tremendo. Ela pensou que talvez precisasse se sentar. Pensou que talvez não conseguisse chegar a uma cadeira a tempo.

Odette continuou:

— Você conhecia aquele homem? Tentei pegar a arma do cofre nos fundos, mas não conseguia lembrar a combinação.

Charlie se ajoelhou no chão, forçando-se a respirar fundo algumas vezes. Era o que ela fazia quando estava tendo um ataque de pânico. E ela suspeitava de que aquele fosse ser um *senhor* ataque de pânico.

— Quê?

— *Aquele homem.* — Odette franziu a testa para ela. — Ele parecia achar que conhecia você. E talvez você devesse sair do chão. Uma cadeira provavelmente seria mais confortável. Mais limpa, com certeza.

— Ele achava que eu conhecia uma pessoa, mas não conheço. Não conhecia. — Talvez fosse a mente de Charlie que tivesse dado *tilt*. — Aqui embaixo está bom para mim.

Odette se sentou em um banco no bar. Ela olhou para a parede de bebidas quebrada e deu um longo suspiro.

— Não entendo mais o mundo. Acho que estou ficando velha.

Charlie balançou a cabeça.

— Nunca.

— Você viu o que aquele homem fez? Com sua... — Odette olhou para as portas duplas, do jeito que estivera olhando quando a magia rolou em sua direção. — Com o salão de sombras do Balthazar, vi a parte maravilhosa do sombrismo, mas não o lado terrível.

— É — murmurou Charlie, baixinho.

— Foi *horrível*. — Odette olhou para Vince, depois para Charlie. — Acha que isso tem algo a ver com o Balthazar?

— O homem estava procurando um cara que foi expulso na outra noite — respondeu ela depois de um momento.

— Mas por que perguntar para você? — indagou Odette, o que era uma pergunta inteiramente razoável.

Charlie abriu a boca, tentando encontrar alguma explicação que fizesse sentido quando Vince a interrompeu.

— Você tem um kit de primeiros socorros em algum lugar? Ela está sangrando.

— Ah, sim. No meu escritório — informou Odette, levantando-se do banco.

— Apenas me diga onde... — começou Charlie, mas Odette a interrompeu.

— Não diga bobagens. Fique aqui.

Ela foi para os fundos do bar outra vez.

Charlie suspirou e fez questão de não olhar para a própria sombra, que podia ou não estar se movendo. E aquilo podia ou não significar alguma coisa.

— Estou *bem*.

— Eu sei.

Vince se agachou ao lado de Charlie e passou as mãos levemente pelos braços dela, verificando se havia cortes. Seus dedos eram gentis. Gentis, como quando ele a beijava. Não com a pressão violenta e brutal que fez contra uma mandíbula.

— Vince. — chamou ela.

Ele pegou a mão dela e sorriu como qualquer namorado gentil, alguém que não acreditava que tivesse sido ouvido falando sobre magia. Que esperava que ela não soubesse ou não se importasse muito com o fato de ele ser um assassino.

Odette voltou com o kit e o celular encostado na bochecha.

— Você sabe que se eu tivesse ligado de um maldito restaurante Fridays, alguém teria sido enviado *imediatamente*. — Ela jogou uma bolsa vermelha com o símbolo do caduceu ao lado de Vince sem a menor cerimônia. — Acha que o dinheiro dos meus impostos não vale porque tem um chicote pintado na minha placa?

Vince vasculhou a bolsa, tirou um pedaço de gaze e molhou com água e sabão da pia do bar.

— Tem alguns pedaços de vidro que eu quero tirar.

— É melhor você ir — sussurrou Charlie para ele. — Agora.

Havia um corpo na van dele.

Parecia impossível que a polícia ignorasse aquela prova.

— Só um segundo.

Ele limpou um pouco de sangue.

Vince encontrou no kit o que Charlie achava que talvez fossem pinças de sobrancelha. Ela se perguntou se também havia delineador de emergência. Conhecendo Odette, era bem possível.

O vidro saiu com facilidade. Ao ver o caco, o azul brilhante de uma garrafa de gim Bombay Sapphire, Charlie se sentiu um pouco tonta. Parte dela queria ter tomado uma dose de alguma coisa antes de ele ter começado, mas a última coisa de que precisava naquele momento era ficar lenta.

— Se a polícia não estiver aqui em dez minutos, vou acordar o prefeito — ronronou Odette ao telefone. — Grave minhas palavras.

Charlie não fazia ideia se Odette conhecia o prefeito ou não; não era impossível.

— Vejo você em casa — disse Vince.

Ele não parou de enfaixar a perna dela, com as mãos firmes e seguras, como se já tivesse feito aquilo antes também, não apenas o assassinato.

Charlie respirou fundo, soltou o ar. A noite inteira tinha parecido uma longa queda no poço. E talvez ela ainda estivesse caindo.

— Isso, vai. Você tem que ir.

Vince se levantou, colocou a mão no ombro dela e se dirigiu para a porta dos fundos.

— Aonde vai o seu rapaz? — perguntou Odette.

Ela estava atrás do bar, vasculhando as gavetas, tirando guardanapos extras e agitadores de bebida temáticos.

— Ele quer evitar a polícia local. — Charlie se levantou. — Você está atrás de quê?

Odette ergueu as sobrancelhas tatuadas, mas quando ficou óbvio que Charlie não diria mais nada sobre Vince, ela desistiu.

— Um antigo maço de cigarros de cravo. Sei que coloquei uns aqui, talvez cinco anos atrás? Dez? Preciso de alguma coisa. Minhas mãos estão tremendo. Talvez eu devesse comer um *gummy*.

— Talvez — concordou Charlie.

— Quer um? — perguntou Odette.

Ela ficou tentada, mas fez que não com a cabeça. Tinha desistido de beber uma dose, então não parecia ter sentido ingerir uma coisa com menos eficácia imediata.

Odette tirou uma garrafa plástica da bolsa, abriu-a e enfiou um punhado de *gummies* de THC na boca. Em cerca de meia hora, estaria inconsciente ou bem chapada.

— Tudo bem se você não mencionar o Vince? — perguntou Charlie.

— Quem sabe — respondeu Odette. — Mas eu gostaria que você me dissesse que tipo de problema ele está evitando.

— Não sei — retrucou Charlie, inventando toda uma história de fundo enquanto falava. — Ele disse que é da época da infância. Todos nós temos nossas questões. O que está no passado não importa agora.

— Ah, querida. — Odette colocou a mão no braço dela, dando-lhe um aperto carinhoso. — O passado é a *única* coisa que importa.

A polícia chegou quinze minutos depois, as sirenes tocando como se estivessem com pressa desde o começo, em vez de terem aparecido cinquenta e cinco minutos após serem chamados. Odette os deixou entrar. Um detetive chamado Juarez anotou o depoimento de Charlie, que revelava que um homem havia entrado e destruído o lugar. Ele reservou seu revirar de olhos para quando Odette explicou que não havia câmeras porque ela acreditava na privacidade de seus clientes. Ninguém disse nada sobre sombras ou magia.

O detetive Juarez disse a elas que escreveria um relatório e que um fotógrafo e alguém da perícia iriam ao bar no dia seguinte para documentar os danos. Em seguida, entregou seu cartão a Odette e disse que entraria em contato. Na opinião dela, Charlie duvidava de que Odette fosse ter notícias dele de novo.

11
ALGUMA ESTRELA MAIS BRILHANTE

Charlie entrou no Corolla e ligou o carro, deixando o ar quente do aquecedor a envolver. No banco do passageiro havia uma bolsa com o vestido brilhante e a peruca que ela levara para entrar e sair do hotel cassino. Sua chance com Adam e o manuscrito já era.

O relógio no painel marcava 2h30. Seu telefone descartável tinha uma capa rachada e três mensagens raivosas, culminando em um aviso perturbador que dizia que se ela estivesse dando um golpe nele, ele a encheria de porrada. Ela deu uma desculpa sobre o carro ter enguiçado, mas não houve confirmação de entrega. Provavelmente tinha bloqueado o número dela.

Nesse meio-tempo, Vince estava esperando por ela em casa.

Charlie encostou a cabeça no volante e respirou fundo.

Pelo menos o carro tinha ligado. Ela dirigiu pelos poucos quarteirões até em casa, pegando o caminho mais longo para evitar passar pelo beco onde tinha visto o cadáver de Paul Ecco duas noites antes.

A van de Vince não estava lá quando Charlie entrou na garagem.

Óbvio que não estava. Ele estava descartando o corpo e quem sabia quanto tempo aquilo levava ou no que implicava. Não ajudando em nada, o cérebro de Charlie forneceu imagens de filmes: blocos de concreto amarrados aos pés, banhos de ácido, picadores de madeira.

Ao sair do carro, com os membros rígidos e trêmulos, ela se lembrou de como fora a sensação de voltar para casa depois de um golpe. Ela retornava de um assalto planejado com cuidado e executado de forma frenética para um mundo ao qual não parecia mais pertencer. Como naquela época, parecia surreal andar pelo mesmo pequeno jardim da frente que precisava ser aparado, pela mesma varanda com uma lanterna da Target suja e fora da tomada jogada de lado.

Ao abrir a porta, a exaustão tomou conta dela enquanto a adrenalina se esvaía.

Posey estava de pé ao fogão, dourando carne moída e cebolas. Ela olhou quando a porta de tela bateu atrás de Charlie e arquejou.

— O que aconteceu com você?

— Alguém entrou no Rapture procurando um cara. Aquele de quem te falei, com a sombra aos pedaços. Ele me deu uns sacodes.

Posey colocou a mão na cintura.

— Só uns?

Charlie se obrigou a dar de ombros.

— Podia ter sido pior. O que está cozinhando?

— Espaguete à bolonhesa. O que importa? Quer me contar o que realmente está acontecendo?

Ela tinha que responder alguma coisa. E precisava de um minuto ou dois para descobrir como reiniciar o próprio cérebro.

— Depois de um banho. Estou encharcada de álcool; é nojento e está fazendo os cortes arderem horrores.

Posey empurrou a espátula de metal pela carne com violência.

— Onde está o Vince? Achei que ele ia te pegar.

— Mandei o Vince buscar uma coisa. Band-Aid.

Uma mentira capenga, dada a hora, mas eles tinham se tornado uma espécie de família notívaga.

Morcegos, com seu trabalho noturno e seus banquetes noturnos e suas compras noturnas. Quando Vince voltasse de mãos vazias, Posey já teria a questão premente da magia com que se preocupar.

Sua irmã estava visivelmente se controlando para não começar outro discurso sobre como havia algo errado com Vince no departamento de almas quando Charlie escapou para o banheiro.

Posey sabia de seu passado como ladra. Charlie havia levado alguns livros para casa para ela, cópias digitais que eram um pouco suspeitas, mas ainda assim interessantes, e, certa vez, um pequeno volume de anotações sobre magia das sombras bem básico do início da era industrial. O que Charlie havia evitado, porém, fora contar a Posey sobre as coisas assustadoras. As vezes em que quase foi pega. Os golpes que deram errado. As formas como sombristas tinham usado a magia uns contra os outros e contra pessoas sem sombras ativadas.

Tinha sido mais fácil retratar toda a sua carreira como uma diversão. Uma série de aventuras. E se Charlie conseguisse apenas se recompor, tinha certeza de que poderia fazer aquilo soar pouco sério também.

O pequeno banheiro compartilhado continha uma única pia e uma banheira. Uma cortina da loja de um dólar, manchada de sabão seco, pendia de ganchos de plástico em volta dela. Charlie abriu a torneira o mais quente possível.

Quando o cômodo começou a se encher de vapor, ela tirou as roupas com cuidado. Mesmo tendo feito o possível para tirar a sujeira do cabelo e da saia, ela encontrou pequenos cacos de vidro visíveis na pele. Amassando o tecido do short de ciclista e molhando-o, ela tentou tirar as últimas lascas. Ao terminar, enrolou todas as roupas e as enfiou na pequena lata de lixo de metal, esmagando um monte de lenços amassados. Charlie nunca mais queria usar nada daquilo.

Ela sentiu um poderoso estremecimento quando a água quente atingiu sua pele. O odor de álcool subiu em uma nuvem. Imagens da noite tomaram conta dela: a chuva de garrafas, a sensação de relâmpagos estalando em sua pele quando a sombra a atingiu, Vince refletido nos espelhos brilhantes, segurando o homem barbudo contra o peito, a escuridão espessa indo na direção dela, o sabor elétrico da sombra na língua. Ela pensou na constelação de nomes: Paul Ecco, o Hierofante, Hermes, Edmund Carver, Lionel Salt. Pensou em sombras diaceradas e ossos brancos salientes.

Charlie se obrigou a esguichar um pouco do sabonete de hortelã Dr. Bronner nas mãos e se esfregar, enxaguando o cabelo duas vezes e esfregando a toalha sobre a pele com tanto vigor que ficou rosada e sensível. O sabonete ardia. Alguns dos curativos que Vince aplicara já estavam saindo, girando pela água da banheira até serem detidos pelo ralo.

Vince, que estivera escondendo muita coisa. Uma pontada de raiva passou por ela com o pensamento de que, entre todas as pessoas, ele estivera enganando Charlie.

Ela deveria ter notado. Ele tinha estado livre demais de amarras, mesmo para alguém que abandonara uma vida. Ninguém é uma folha em branco, uma tábula rasa, sem inimigos ou amigos. Ninguém conhece uma pessoa e gosta tanto dela logo de cara a ponto de estar disposto a morar com ela e a irmã sem noção, disposto a pagar *metade* do aluguel, embora ocupasse um terço do espaço.

Ele tinha dito que queria seu nome fora do contrato por causa de algum problema com pagamento de crédito. A mesma razão pela qual tinha um celular pré-pago. Vince trabalhava sem carteira assinada para seu empregador. Mas não era melhor assim, por que aí ele trazia todo o salário para casa? Tudo fazia sentido separadamente, mas, quando somado, causava um tremendo frio na barriga.

Ele salvou sua vida.

Quaisquer que fossem os segredos que guardava, ela não podia negar o que Vince havia feito. Estava feliz por Hermes estar morto e por ela estar viva.

Será que Vince tinha sido um sombrista? Havia duas maneiras de saber. Se você direcionasse uma luz de duas direções diferentes para uma pessoa normal, a sombra dela se dividiria. Mas uma sombra ativada permaneceria inteira. A segunda maneira era a língua partida, comum à maioria dos sombristas.

A língua de Vince era inteira e não havia como testar se sua sombra se dividia porque ele já não tinha uma. Mas se não era um sombrista, então quem ele era? O que havia deixado para trás?

Enrolando uma toalha em volta de si, ela saiu descalça, pingando no piso. Enquanto vestia um robe, a luz de faróis invadiu o quarto e depois se esvaiu. Vince estava entrando na garagem. Mas quando ela voltou para a mesa, ele não estava lá, embora a comida estivesse, espaguete fumegando no prato.

Ela encheu uma tigela e se sentou, girando o garfo no macarrão e no molho vermelho.

— Charlie — chamou Posey.

— Quê?

Havia algo na voz de sua irmã que a fez olhar para cima em alerta.

O olhar de Posey estava focado no linóleo.

— Há algo errado com sua sombra — afirmou Posey em voz baixa.

Charlie olhou para baixo. Não havia ondulação, mas a sombra tinha adquirido um ligeiro atraso entre os movimentos que fazia e os reflexos de resposta. De todas as outras maneiras, sua sombra seguia seus movimentos de forma exata, mas Charlie tinha a sensação perturbadora de que a sombra os estava imitando.

— Você sabe o que está acontecendo com ela? — perguntou Charlie, pensando em um artigo que tinha visto.

"Dez maneiras de despertar sua sombra", de acordo com o *BuzzFeed*. Coloque um saco na cabeça. Segure a respiração debaixo da água. Bata na mão com um martelo. Uma coisa que não fora mencionada: ser atacada por outra sombra.

Posey franziu a testa como se aquele fosse o começo de uma piada particularmente cruel. E seria, se Charlie conseguisse o que Posey mais queria. Ninguém sabia por que algumas sombras eram ativadas enquanto isso nunca ocorria com outras. O trauma parecia ser um componente, mas não um método infalível. Mas, se Charlie tivesse magia, bem, era difícil ir além da ideia de que sua irmã a odiaria.

— Vai me contar o que aconteceu? — perguntou Posey, fazendo questão de mudar de assunto.

Charlie suspirou.

— O cara fez a sombra dele mudar de forma. Ela ficou sólida. Derrubou as coisas. *Me* derrubou.

— Ele era de uma das gangues? — questionou Posey.

Charlie pensou em Salt e balançou a cabeça.

— Acho que ele estava trabalhando para alguém que age sozinho.

Sua irmã parecia não acreditar.

— Pegou alguma coisa dele?

— Ainda não. — Charlie se levantou, levando o prato meio vazio até a pia. Ao fazer aquilo, ela viu que a van branca estava na garagem, estacionada, com as luzes apagadas. Parecia que não havia ninguém estava lá dentro. Ela se lembrou do brilho dos faróis. — O Vince voltou?

Posey deu de ombros como se nada pudesse ser menos interessante.

— Não sei. Voltou?

— Vou ver se ele está bem.

Charlie enfiou os pés em um par de botas de trabalho que Vince tinha deixado perto da porta, com as solas incrustadas de sujeira. Eram grandes demais e seus pés deslizavam nelas, mas ela considerou que poderia cambalear devagar.

— Ele está bem. Por que não estaria? — perguntou Posey, levantando-se. — Vou falar com alguns amigos. Temos uma conversa hoje à noite.

— Você não pode contar para *ninguém* o que eu te disse — advertiu Charlie.

— Não preciso dizer que aconteceu com minha irmã — destaca Posey, exasperada, como se a ideia de não contar às pessoas fosse absurda.

— *Ninguém* — insistiu Charlie.

— Como quiser — retrucou Posey, levantando o celular para gravar um vídeo da sombra de Charlie. Ao ver a expressão da irmã, ela suspirou de modo dramático. — Só estou tentando descobrir o que tem de errado com a sua sombra.

Charlie estivera esperando que Posey no mínimo levantasse a possibilidade de que a sombra tivesse sido ativada. O fato de ela não ter feito aquilo foi um alívio, e, se Charlie sentiu um pouco de decepção, a ignorou com facilidade.

Ela saiu de casa, com a batida da porta de tela cortando os pensamentos sobre o assunto. Seus pés dançavam nas botas grandes demais de Vince conforme ela andava para a lateral da casa, envolvendo-se mais no robe para se proteger da brisa gelada.

Ela encontrou Vince sentado nos degraus dos fundos, olhando para as estrelas.

Ele parecia ter perdido a jaqueta. Estava com os braços cruzados sobre os joelhos, a testa apoiada nos pulsos, a camiseta apertada nos ombros. A lâmpada com sensor de movimento sobre a porta dos fundos emitia um leve brilho dourado, ornamentando-o com a luz. Mariposas circulavam, formando pequenas sombras em seu corpo sem sombra. Ele devia estar sentado lá havia um tempo.

Quando ele se virou, seu rosto estava cuidadosamente inexpressivo, como se o tivesse composto daquele jeito para ela.

Charlie colocou a mão na pele gelada de seu braço e ele respirou fundo.

— Você *tá* bem? — perguntou ela, e Vince assentiu.

Com o coração apertado, ela se deu conta do quanto gostava dele. Devia ter percebido na casa de Barb, quando ficara tão incomodada com Suzie. Ou quando continuou verificando a foto na carteira dele. Ou em qualquer momento anterior àquele, quando ela havia percebido que sabia tão pouco sobre ele.

Ele inclinou a cabeça para cima.

— Você acha que as estrelas têm sombra?

Charlie seguiu seu olhar. Eles estavam perto o suficiente de Springfield para que a poluição leve embaçasse o céu noturno, mas as galáxias ainda brilhavam acima deles. A lua havia marchado quase até o fim de sua noite, pronta para cambalear na própria cama com o amanhecer.

— Acho que sim, se houver alguma estrela mais brilhante — opinou ela, pensando no momento em que estivera deitada no sofá meses atrás enquanto um homem de voz grave explicava o universo na televisão e Charlie tentava se convencer a se candidatar a um novo emprego. — Como o tipo que está prestes a se tornar um buraco negro. Elas não explodem primeiro?

Vince assentiu.

— Quasares. Explodem quando estão morrendo. Acho que isso projetaria uma sombra em qualquer outra estrela próxima.

Ela pensou na coisa lutando e se contorcendo presa ao homem barbudo. Pensou em como a noite de Vince tinha dado errado, indo de uma tentativa de boa ação ao descarte de um corpo. Só porque tinha mentido para ela, não significava que Charlie não entendesse como as últimas horas deviam ter sido terríveis. Mesmo que tenha parecido calmo, mesmo que tivesse matado antes, aquilo não significava que ele estava bem. Talvez ela não fosse a única pessoa fingindo estar bem. Estendendo a mão, ela segurou a dele.

Vince se encolheu um pouco, como se ela o tivesse surpreendido.

— Aquele cara podia ter me matado. — Era difícil para Charlie julgar quanto tempo havia ficado inconsciente, mas tinha sido bastante. — Então, se está se sentindo culpado, pare.

— Não é isso que estou sentindo — contrapôs Vince.

Ela olhou para ele, tentando interpretar sua expressão. Incomodava-a não conseguir.

— Você deveria entrar — disse Charlie. — Está frio e a Posey fez espaguete.

Ele olhou de viés para ela e Charlie ficou tentada a pressioná-lo por respostas, a dizer que tinha ouvido o que ele dissera a Hermes no Rapture. Exigir que Vince lhe contasse todos os seus segredos.

"Você deixou sua sombra se alimentar por tempo demais esta noite. Não sobrou muito de você."

Ele virou seus olhos cinza vazios para ela.

— Estou com raiva — revelou ele. — Ainda estou com tanta raiva.

Surpresa, Charlie começou a abrir a boca e depois a fechou outra vez.

— Ontem à noite, depois que você adormeceu, não consegui parar de olhar a curva da sua bochecha. O emaranhado do seu cabelo escuro. O esmalte preto lascado nos dedos do seu pé, contraídos por causa de algum sonho que você estava tendo. A maneira como a agitação do sono fez você soltar o lençol de baixo. Olhei para você e tive uma sensação tão intensa que me deixou tonto e meio enjoado. — Seu olhar estava focado no gramado meio prateado. — Não é bom se sentir assim.

O coração de Charlie disparou. Ele nunca tinha falado com ela daquele jeito. Charlie não achava que alguém já tivesse falado com ela daquele jeito.

— Vince.

— Quando vi você esta noite... o que ele tinha feito, o que estava *fazendo*, eu queria matá-lo. Fiquei furioso e não deixei de ficar furioso. Não me sinto culpado. Queria que ele estivesse vivo para que eu pudesse matá-lo de novo.

Espantada, Charlie ficou sem fôlego. Vince não ficava bravo. Não falava de seus sentimentos. Não se sentava sozinho no escuro, falando de sombras e estrelas.

Ele se virou para ela.

— Finja que não falei nada disso. Se puder, finja que esta noite nunca aconteceu, Charlie.

Ela deu um sorrisinho, tentando recuperar seu estado de espírito.

— Então o que estamos fazendo aqui fora no frio?

— O que você quiser — respondeu ele e a beijou.

Um beijo desesperado, sua boca dolorosamente severa. Nada como o jeito que ele a tinha beijado antes. O corpo de Charlie reagiu, sentindo um choque agudo de desejo inesperado. Os lábios de Vince se moveram por sua bochecha até o pescoço, e ela engoliu um gemido. As unhas dela afundaram no músculo dos braços dele.

Ela o queria, bem ali, nos degraus de concreto. Apesar de tudo o que havia acontecido naquela noite. Talvez, de um jeito terrível, alguma parte dela o quisesse por causa daquilo.

Nada nele foi cuidadoso quando seu corpo se curvou sobre o dela. Tudo o que ela vestia era um robe, fácil de abrir.

— Preciso... — começou ele, hesitando. — Você deve estar...

Machucada. Cansada. Incomodada.

Ela o beijou antes que ele pudesse terminar o pensamento.

Uma das mãos de Vince acariciou as costelas dela, seu dedo traçando a marca do velho ferimento de bala antes de ir para a coxa. Separando as pernas. Seu desejo era cru, vulnerável. Como se ele tivesse mostrado a ela algo verdadeiro sobre si mesmo pela primeira vez.

Ela enfiou os dedos no cabelo de Vince. Mordeu o lábio dele.

A raiva confundia seu corpo, fazendo seu desejo queimar ainda mais, tornando tudo mais rápido, mais pungente e mais quente. Melhor. A fome dele era uma resposta à ferocidade dela. Ofuscando a noite, o medo, o frio e tudo mais.

Com os pensamentos se dissipando, o olhar de Charlie focou no revestimento de alumínio da casa. Ela observou conforme sua sombra arqueava as costas e se levantava da escada em um ângulo impossível. Sem a sombra de Vince, era como estar nas garras de um amante demônio. Possuída. Indo ao alcance de alguém que não estava lá.

12
O PASSADO

Halls, chamavam-na no ensino fundamental, tipo "você pegou sua bala Halls?" Perguntado entre os meninos, ridicularizado pelas meninas. Havia alguma glória naquilo, ser considerada a garota com toda a experiência, especialmente quando na verdade Charlie não tinha de fato nenhuma. Mas era principalmente humilhante, seu corpo atraindo os meninos e os repelindo ao mesmo tempo. Aquilo tornava as tarefas de grupo estressantes. Era só juntar as mesas e Matt Panchak passava a maior parte do tempo deslizando o tênis por sua perna, entendendo a falta de reclamação como desejo.

Não importava ter estudado no jardim de infância com ele.

Não importava que certa vez, durante o futebol na aula de educação física, ele levara uma bolada na barriga tão forte que vomitara e fora você quem o acompanhara até a enfermaria.

Não, naquele momento você era um par de pernas e peitos, com a capacidade de eliminar todas as inseguranças dele. A Vênus na meia concha.

Na aula de ginástica, enquanto ela se trocava, Doreen Kowalski perguntava a Charlie todo tipo de coisa como quando ela havia menstruado, se depilava as axilas e seu tamanho de sutiã. A princípio, ela se perguntou se Doreen queria ser sua amiga, mas assim que Charlie respondeu, Doreen correu de volta para seu grupinho, rindo.

Elas não entendiam que as alças do sutiã incomodavam os ombros e os aros machucavam as costelas, e que os sutiãs que cabiam nela pareciam os que uma enfermeira matrona usaria em um antigo filme de guerra. Não havia como fazê-las entender.

Charlie passou a colocar um delineador mais escuro e vestir roupas mais largas e botas mais pesadas.

Rand também não parecia saber o que fazer com ela. Quando ele a recrutara aos doze anos, ela já parecia mais velha do que sua idade. Na época em que estava começando o ensino médio, seu corpo a fazia passar por uma mulher adulta.

Não ajudava o fato de Charlie ter se tornado um pouco boa demais em todas as coisas erradas. Tinha um faro para identificar onde poderia haver uma janela ou porta destrancada ao se aproximar das casas. Seus furtos eram tão hábeis que Rand não a deixava chegar perto dele. E quando desempenhava um papel, ela desaparecia nele.

Rand gostava da ideia de passar conhecimento para uma criança com algum talento natural, mas não queria que ela fosse melhor do que ele. E definitivamente não a queria como concorrente.

— Você e eu, somos iguais — lembrava ele de novo e de novo, para o caso de ela esquecer. — Nós fingimos, para que outras pessoas gostem da gente. Mas não gostariam de nós se nos conhecessem, não é? É por isso que temos que nos unir.

Às vezes, depois de ela se sair particularmente bem em um trabalho, ele ficava de mau humor. Rand a chamava de forma condescendente de "Pequena Senhorita Charlatona", repassava todos os erros que ela havia cometido e a pagava menos do que o merecido pelo serviço.

Mas se a habilidade crescente de Charlie o frustrava, ele também sem dúvida gostava de ter alguém com quem pudesse reclamar, se gabar ou esbravejar. A consequência natural da criminalidade era que ele tinha que ser discreto sobre aquilo e Rand não era uma pessoa discreta por natureza.

Às vezes, ele podia ser divertido. Rand a levava para o Moose Lodge em Chicopee, onde um bando de golpistas velhos bebia, e a deixava ficar sentada bebendo café queimado com muito leite enquanto eles a entretinham com histórias. Ela conheceu ladrões e falsários. Aprendeu a contar cartas com Willie Lead, que lhe contou sobre Leticia, sua falecida esposa e, segundo ele, a maior criminosa a roubar uma loja de bebidas.

— Foi o câncer na garganta que a pegou no final — comentou ele com tristeza. — A polícia nunca nem chegou perto.

O Moose Lodge foi onde Charlie começou como bartender, aos catorze anos, servindo doses quando ninguém mais queria fazer aquilo, preparando drinques de acordo com instruções altamente idiossincráticas.

— Basta passar a garrafa de vermute sobre o gim — dizia Benny. — É assim que se faz um martíni direito.

Seu esquema era caçar viúvas ricas, e ele sempre estava bem-vestido fazendo aquilo, mesmo que seu hálito estivesse muitas vezes perfumado com álcool.

Willie discordava com veemência, gritando que o vermute deveria ser um quarto inteiro da bebida, e que Benny era um bêbado que tinha destruído seu bom gosto, se é que algum dia o tivera.

— Então sou um bêbado! — gritava Benny em resposta. — Se você não pode confiar em um bêbado para falar de bebidas, em quem pode confiar?

Charlie gostava deles. Ela contou sobre sua avó e a espingarda, e o detalhe de que seu avô estivera sentado na poltrona quando fora executado os fez uivar de rir. Willie prometeu que um dia eles levariam Charlie ao Instituto Correcional Central do Norte em Gardner para visitar a grande dama, mas nunca fizeram aquilo.

Estar com eles fazia Charlie sentir que talvez não houvesse nada de errado com ela. Não importava que não se encaixasse na escola ou que seu corpo continuasse mudando. Não tinha problema que os pais de sua melhor amiga haviam olhado uma vez para Charlie e a acusado de ser um pedaço de mau caminho. Quando até a própria Laura, que a conhecia desde os oito anos, começou a agir de forma estranha. Tudo bem ela ter desistido de esperar que sua mãe notasse que havia algo estranho em Rand viver levando a filha dela em passeios. Todas aquelas pessoas que a julgavam ou não se importavam com ela eram alvos. A última risada seria dela.

— Você tem que ser como um tubarão neste negócio — explicou Benny, com sua voz suave e o cabelo penteado para trás. — Sinta o cheiro de sangue na água. Cumprimente a vida com uma dentada. E não importa o que aconteça, nunca pare de nadar.

Charlie aceitou aquele conselho e o dinheiro de seu último trabalho com Rand e fez uma tatuagem. Ela queria uma, mas também queria saber se conseguiria enganar uma loja para que fizessem a tatuagem, mesmo que ainda faltassem três anos para completar dezoito anos.

O processo envolveu algumas conversas rápidas e o roubo de um selo de cartório, mas ela conseguiu. Sua primeira tatuagem. Ainda doía um pouco quando ela se mexia. Na parte interna do braço estava a palavra "fearless", que representava "destemida", em letra cursiva, exceto que a pessoa que a tinha tatuado espacejou de forma estranha, então parecia dizer "fear less", significando "não tema".

Aquilo a lembrava do que ela queria ser e que seu corpo lhe pertencia. Charlie poderia escrever por toda parte se quisesse.

Com o passar dos anos, à medida que o sombrismo emergia na consciência mundial, Rand foi ficando cada vez mais fascinado por aquilo. Ele estivera dando golpes com base no ocultismo havia anos, como aquele em que Charlie tivera que fingir ser uma criança fantasma. Embora realmente gostasse de como um pequeno truque podia impressionar velhinhas ricas de verdade, com magia real, ele pressentia oportunidades maiores.

Willie não ficou impressionado e deixou aquilo explícito para todos no Moose Lodge.

— Quando eu era criança, havia um cara, Uri Geller, que conseguia dobrar colheres com a mente. Adivinha o que conseguiu com isso? Nada. Quem precisa de uma colher torta?

Benny conhecia um cara, no entanto, e Rand voltou da reunião animado. Ele disse a Charlie que aquela pessoa havia prometido muito dinheiro se eles adquirissem algo para ele.

— O cara nem deve saber como o livro que ele tem é valioso. É um velho rico, não um sombrista. Só precisamos da história certa.

— Se o cara que está nos contratando é um verdadeiro sombrista e o alvo não é, por que o sombrista não faz o próprio roubo? — perguntou Charlie. — Por que não envia sua sombra para pegar o livro?

— Por causa do ônix — afirmou Rand, como se aquilo devesse ter sido óbvio. — Ele deixa as sombras sólidas para que não possam passar por rachaduras e tal.

Charlie estava cética.

— Se o velhote sabe disso, deve saber que seu livro é valioso.

— A gente consegue fazer isso — garantiu Rand a ela. — Se fizermos, ele disse que tem mais serviços. Se formos ousados, vamos ficar ricos, tenho certeza.

Charlie revirou os olhos. Rand sonhava com um grande golpe da mesma forma que a mãe de Charlie sonhava com o amor. Era o que lhe permitiria viver a vida de conforto à qual ele achava ter direito e a qual ele estava sempre a ponto de conseguir. Sempre uma miragem, sempre logo depois da próxima duna.

— O nome do nosso cliente é Knight, mas isso é tudo o que vou te contar — informou Rand. — E, contanto que a gente pegue o livro, ele disse que estamos livres para roubar o que quisermos do Tio Patinhas.

Charlie não gostou daquilo. Em geral, eles trabalhavam por conta própria. Um cliente poderia criar problemas.

— Consegui arranjar uma reunião na casa desse cara, Lionel Salt. Dinheiro de família vindo da produção para a área de medicina. É aí que está a grana alta... fazer a bugiganga que se encaixa na coisinha cirúrgica. Informei a ele que eu e minha filha somos ocultistas e nos comunicamos com o mundo invisível, o que inclui demônios. E esses demônios vão ajudá-lo a ativar sua sombra. — Rand parecia calmo, mas insistia em torcer a ponta do bigode.

— Lionel Salt? — perguntou ela. — O cara com o carro?

Mesmo naqueles tempos, ela estivera ciente de seu veículo Phantom preto fosco, discutido em detalhes apaixonados por metade dos colegas de classe.

— Sim, ele — confirmou Rand como se não fosse nada.

Charlie franziu a testa.

— Esse cara vai pensar que somos ridículos. Demônios?

Mas Rand não seria desencorajado.

— Crentes querem crer. Ele quer ativar a própria sombra, certo? Todos eles querem. Podemos lhe dar esperança.

E foi daquele jeito que Charlie se viu no banco do passageiro do carro de Rand, praticando revirar os olhos com força suficiente para que apenas o branco aparecesse. Não era uma técnica fácil de executar sem fechar os olhos, mas era mais assustadora.

Se ela soubesse fazer aquilo quando estivera "canalizando" Alonso, tinha quase certeza de que sua mãe teria deixado Travis após a primeira visita. Parecia real a tal ponto.

Charlie queria que tudo desse certo no trabalho (ou que enquanto estivesse na casa conseguisse pegar algo que valesse o suficiente) para comprar uma jaqueta de couro em que ela estava de olho. Ela a tinha visto em um brechó por 175 dólares e, embora achasse que pudesse convencer o dono da loja a vendê-la por menos, ainda custaria muito.

— Você se lembra do plano? — perguntou Rand a ela pela milionésima vez ao dirigirem para lá.

Ela se lembrava. Rand se passaria por seu pai e explicaria que Charlie (que, obviamente, usaria um nome diferente) havia começado a falar com seres não visíveis alguns anos antes. As pessoas queriam tratar aquilo como um distúrbio mental, mas ele percebera que sua filha tinha talento para falar com o mundo sobrenatural, incluindo o infernal. E assim havia cultivado seus talentos.

Rand queria que o homem ficasse com um pouco de nojo dele. As pessoas acreditam que quando alguém está fazendo algo terrível, a recompensa deve ser real.

Tudo o que Charlie precisava fazer era fornecer o efeito especial. Tinha apenas que ser uma garota inibida e quieta até seus olhos se revirarem e ela vomitar suco de beterraba em tudo. Finalmente, ela daria a eles "o presente do diabo".

Os ricos acreditavam que tinham sorte e que qualquer boa sorte que ainda não tivessem poderia ser comprada. Eles já tinham tanto que a decepção se tornava inconcebível.

— Você deveria me ensinar a dirigir — afirmou ela, olhando para a rodovia e as luzes brilhando sobre o rio Connecticut.

Rand bufou.

— Você não tem idade suficiente.

— Quer dizer que é *ilegal*? — Ela deu de ombros. — Só faltava essa.

Ele fez um barulho irritado, resmungando.

— Acho que posso. Tenho tempo na próxima semana. Nunca se sabe quando pode ser útil.

Eles pegaram a saída, indo da cidade para os subúrbios e depois passando por extensões de bosques mais além, onde as mansões haviam ficado aninhadas quando Springfield era um centro de produção.

Charlie roeu a unha, olhando pela janela. Sentindo-se um pouco enjoada por causa da combinação de suco de beterraba e nervosismo.

Ela viu a mansão surgindo quando Rand virou na entrada. Charlie nunca tinha visto um lugar como aquele. Era como um museu ou um lugar saído de um conto de fadas onde princesas amaldiçoadas dormiam.

— Isso é uma má ideia — murmurou ela, mas Rand a ignorou.

Ele saiu e abriu a porta para Charlie.

— Medo de palco — comentou ele. — Quer um gole de uísque?

— Tenho quinze anos — lembrou ela.

— Ah? — murmurou ele, imitando a voz dela. — É ilegal?

A porta da frente se abriu. Um homenzinho ruivo estava ali, estreitando os olhos para eles. Charlie percebeu que não fazia ideia de como era Lionel Salt.

— Posso ajudá-lo a carregar algo para dentro, senhor? — perguntou ele, deixando óbvio que era um mordomo ou algo assim.

— Não temos *adereços* — respondeu Rand, como se a própria ideia ofendesse.

Charlie havia entrado na personagem e por aquela razão não revirou os olhos.

Lá dentro, vários homens idosos estavam sentados em cadeiras de couro verde em uma grande biblioteca. O verdadeiro Lionel Salt era um homem idoso de cabelos brancos. Havia uma bengala com ponta de prata encostada ao lado dele. Um de seus amigos parecia ter a idade próxima a dele, enquanto o outro era talvez vinte anos mais jovem. Rand se apresentou a todos, então indicou Charlie, como se ela fosse uma espécie de lêmure treinada e não uma pessoa. De maneira discreta, ela tentou ler os títulos dos livros.

Aquele que eles deveriam pegar tinha a lombada vermelha e se chamava *O livro de Amor Pettit*. Mas, dando uma olhada nas prateleiras, ela não o viu. Charlie percebeu uma seção interessante que tinha alguns livros com "grimoire" no título. Aquilo parecia promissor.

O plano deveria ser assim: Rand preparava as coisas. Charlie fazia sua performance. Se o livro estivesse no cômodo, Rand o pegaria. Se não estivesse, ele a usaria para distraí-los e dava uma desculpa para vasculhar os outros cômodos no primeiro andar. A pessoa que o contratara havia garantido a eles que tinha visto o livro lá.

Charlie cumpria seu papel. Tímida. Reservada. Quando fosse possuída, pretendia realmente extravasar.

Eles foram convidados a se sentar. O homem ruivo anotou os pedidos de bebida. Rand falou sobre várias teorias mágicas diferentes, com um copo de uísque na mão, enquanto Charlie bebia sua água.

— Já ouviu o ditado "nenhum homem pode pular a própria sombra"? — perguntou Salt.

Rand não tinha ouvido.

— É um ditado alemão. Significa que todos têm seus limites.

— Mas você não acredita nisso — afirmou Rand.

— Não — concordou Lionel. — Sempre acreditei que havia um segredo para o universo. Um caminho pelo qual o homem pode alcançar a divindade. E esse caminho é por meio das sombras. Você afirma que pode despertar a minha.

Sentindo que o momento era aquele, Rand se levantou.

— Vamos começar, então?

— Ah, sim, vamos — confirmou um dos outros homens.

Ele sorriu de um jeito que Charlie não gostou.

— Como vocês estão cientes, cavalheiros — começou Rand —, o mundo está cheio de estranhezas quase ilimitadas para quem as procura. Não somos apenas crentes. Não somos os *fiéis*, tomando o trabalho como garantido. Somos aventureiros, exploradores da escuridão. Então, vocês vão entender quando eu disser como fiquei surpreso ao perceber os talentos da minha própria filha. Ela pode se tornar um recipiente vazio e permitir que todos os tipos de seres de grande sabedoria e poder falem por meio dela.

Dois dos homens trocaram um olhar.

Charlie mordeu o interior da bochecha. Havia algo implícito na conversa que corroía seus instintos. Ela queria encontrar uma maneira de chamar a atenção de Rand, mas o uísque e a conversa pareciam ter subido à cabeça dele.

— Isso é fascinante — comentou um deles, em um tom entediado que desmentia suas palavras. — Que tipo de revelações ela costuma fazer? A localização de tesouros enterrados? Ações da bolsa de valores?

Alguns deles riram. Rand franziu a testa, enfim percebendo que os havia perdido. Mas ele não parecia assustado, não parecia sentir o mesmo perigo que Charlie sentia.

— Nunca sei dizer o que aparecerá, mas garanto que será para um propósito maior. Se você busca uma sombra ativada, então será guiada para revelar isso. Mas talvez eu esteja enganado. Talvez estejam meramente brincando com isso, afinal.

— Traga um demônio — comandou um deles. — Que tal isso? Quero falar com um ser do inferno.

— Tem certeza? — perguntou Rand.

Os homens ficaram em silêncio, sorrindo uns para os outros.

O olhar de Charlie foi para um canto da sala onde uma sombra se alongava no tapete. Ela não a tinha notado antes, mas uma vez que percebeu, não conseguia mais desviar o olhar. Não havia nada que pudesse estar projetando a sombra ali.

— Minha querida Lexi — começou Rand. — Está pronta?

Charlie arrastou o olhar de volta para ele e respirou fundo.

— Não gosto de fazer isso.

Era a verdade, mas também fazia parte de seu papel.

— Eu sei, minha querida — afirmou Rand, dando um tapinha no topo de sua cabeça.

Então ele parou e franziu a testa, como se tivesse se perdido no discurso.

As palmas da mão dela estavam começando a suar. Nervosismo, pensou ela.

— Eu... — murmurou ele. Seu rosto estava corado. — Vocês...

Não, não era nervosismo. Algo estava errado. Sua barriga doía.

Um dos homens se virou para Salt com um sorriso malicioso.

— Funcionou mais rápido do que imaginei. Eu estava esperando ver o espetáculo.

— Muito feio tentar me enganar — comentou Salt, sorrindo enquanto balançava o dedo na direção de Charlie.

Então ele se virou para seus amigos.

As bebidas. Tinha algo na água. Algo no uísque de Rand.

Charlie cobriu a boca, abaixando a cabeça do jeito que havia planejado durante a possessão, e enfiou o dedo no fundo da garganta, pressionando contra o palato duro. Engasgando-se uma vez, ela se lançou para longe da cadeira e fez seu corpo tremer exatamente como teria feito se estivesse fingindo estar possuída. Então vomitou suco de beterraba por todo o tapete caro.

Ela ouviu gritos quando os homens pularam para trás, mas Charlie caiu para a frente, mantendo os olhos fechados e o corpo imóvel. Não se permitiu se mover, apesar de a bochecha estar pressionada no vômito.

— Ela está morrendo? — perguntou um deles.

— Você deu demais para ela. — A voz de outro homem. Leve aversão.

Ela ouviu o ranger de dobradiças na direção das estantes. O cheiro de papel mofado. O giro das rodas de um cofre. Uma confusão de vozes masculinas.

"Não se preocupe com ela. Pegue o homem."

"Tem uma experiência que quero tentar. Vamos ver como a sombra dele reage à *exsanguinação*."

"Se a menina morrer, ainda podemos colher a dela."

Então os pensamentos dela se transformaram em nada.

Deitada no tapete, Charlie voltou a si. O tecido embaixo dela ainda estava úmido com bile e suco de beterraba. Não podia ter passado muito tempo.

— Alguém está vindo. Não se mexa. — Uma voz atrás dela, a voz de um menino.

Ela se perguntou se ele realmente estava lá ou se era o eco de um sonho que Charlie estivera tendo antes de acordar.

Ela lutou contra a tentação de se virar. Após um momento, ouviu passos no corredor, o barulho de solas duras batendo no chão de pedra. Tentando desacelerar a respiração, Charlie permaneceu imóvel até passarem.

Depois que desapareceram, ela se esforçou para se levantar. Sua cabeça rodava. O que quer que tivesse tomado, ainda não estava fora de seu organismo.

— Não olhe para trás — comandou a voz.

Ela parou.

— Se você não olhar para mim, vou te guiar para fora desta casa.

— E se eu olhar? — sussurrou ela.

— Aí você vai estar por conta própria. Eles acreditam que você está deitada em uma poça de seu sangue, então não estão preocupados com você no momento — explicou ele. — Talvez consiga escapar.

— E o cara com quem eu vim? Posso chegar até ele?

Houve uma longa pausa.

— Ele não pode mais ser ajudado.

O entendimento daquilo atingiu Charlie, mas ela não estava pensando direito o suficiente para aceitá-lo. Ela se levantou devagar e se equilibrou se segurando na estante. Um dos volumes, um livro fino com uma lombada vermelha gravada em chamas douradas, estava estranhamente posicionado de lado. *Inferno*, dizia o título.

Ela olhou até perceber que não era um livro, mas uma alavanca.

De pé, ela viu que uma parede de prateleiras havia se movido para dentro, uma porta para uma sala escondida deixada aberta. Mesmo no estado em que estava, ela não pôde deixar de olhar para o interior. Era outra biblioteca, mas aquela continha livros nitidamente mais antigos e de aparência mais valiosa. Uma pintura a óleo sinistra estava pendurada na parede aos fundos: um *trompe l'oeil* mostrando uma cabra preta em uma mesa de madeira, com o estômago cortado e as entranhas brilhantes penduradas, e uma taça e um arranjo de romãs ao lado. Com tanto vermelho, o artista se esforçara para separar as sementes brilhantes do sangue.

Charlie observou o quadro, em particular a maneira estranha como estava pendurado. Mais longe da parede de um lado do que do outro, como se fosse uma porta. Seria onde o cofre estaria, atrás da pintura.

Ela deu um passo à frente, passando a soleira, e analisou as prateleiras. Ali estava, outro volume com a lombada vermelha. *O livro do Amor Pettit*.

Sua mão foi até ele, então ela hesitou.

— Você se importa?

Charlie sentiu como se estivesse em um conto de fadas, com regras de contos de fadas. *Não olhe*. Mas aquilo também significava que ela não deveria roubar?

— Não cabe a mim me importar ou não me importar — respondeu a voz.

A resposta foi o suficiente para Charlie tirar o livro da prateleira e colocá-lo na mochila, então pendurá-la nos ombros.

— Vire dois passos para a esquerda. — A voz veio diretamente de trás dela, perto o bastante para que os cabelos de sua nuca se arrepiassem, embora ela não sentisse o calor de sua respiração. — Você vai atravessar as portas da sala de jantar. Ninguém entra lá, então você deve conseguir caminhar até a escada dos empregados na área de passagem do lado de fora da cozinha sem que ninguém te veja.

— E então?

— *Siga sem olhar para trás.*

A sensação ainda era como estar em um sonho, andando pela casa apenas com a voz atrás dela. Em direção a um corredor onde os olhos de vidro brilhantes das cabeças fixadas dos animais olhavam para ela. Gazela. Íbex.

Rinoceronte. Em seguida passando por um salão onde Charlie viu uma garota loira folheando uma revista. A menina não olhou para cima quando Charlie passou por ela no escuro. Quando chegou à passagem, ouviu um dos empregados da casa ao telefone, pedindo alcachofras e espinafre orgânico. Havia um rádio ligado, tocando uma canção de Nina Simone sobre correr para o diabo, "all on that day".

— E agora? — sussurrou ela.

Por um longo momento não houve resposta. Charlie começou a se virar, pensando em Orfeu levando a namorada para fora do submundo. Regras de contos de fadas. Ela parou.

Estando ali ou não, o garoto a tinha mandado por aquele caminho por um motivo. Não disse para ela ir para a cozinha, pois tinha gente lá. Ele mencionou especificamente as escadas. Ela subiu, virando em um longo corredor. Charlie se lembrou da última vez que estivera em uma casa grande como aquela, como havia uma segunda escada mais elaborada na entrada principal. Talvez a ideia dele fosse que ela chegasse à porta da frente daquela maneira, enquanto os afazeres da casa seguiam no andar de baixo.

Ou talvez Charlie estivesse tão drogada que o tivesse imaginado por completo.

Ela caminhou pelo corredor, com a bolsa apertada contra o peito. Na direção do salão abaixo, ouviu a voz de uma garota.

— Isso não é justo! Quero pegá-lo emprestado.

E a voz de um menino, talvez a que ela ouvira antes.

— Ele não gosta de você.

A garota riu.

— Isso não é verdade. Jogamos jogos que ele nunca jogaria com você.

E então Charlie estava descendo as escadas. Sua cabeça foi ficando tonta de novo na descida, mas ela conseguiu. Charlie abriu a tranca de metal e empurrou. A porta se abriu, depois bateu atrás dela.

Alto o suficiente para que não fosse possível o som passar despercebido.

Charlie começou a correr.

Havia apenas bosques ao redor da propriedade, então ela mergulhou neles, sem se importar com os galhos puxando suas roupas. Não se importando com a cabeça latejando e a náusea revirando seu estômago.

Ela correu para a noite, colidindo com arbustos de espinheiro-cerval que rasgavam sua pele, tropeçando em samambaias. Atrás dela, Charlie ouviu gritos, mas estavam muito distantes. Lanternas cortavam a noite. Ela continuou, sentindo a cabeça girar.

Seguindo sem parar no escuro, a lua e as estrelas girando acima dela, até chegar a uma clareira. Um homem negro de meia-idade, vestindo boné e casaco pesado, pareceu assustado ao vê-la sair do mato.

— Vai assustar as corujas — ralhou ele, de forma severa.

Então seus olhos se arregalaram quando ele viu a aparência da menina.

Havia galhos em seus cabelos, arranhões na pele e suco de beterraba seco por toda a boca.

— Corra. Você tem que correr — avisou ela, respirando com dificuldade. — As pessoas do palácio estão me caçando.

Ele balançou a cabeça e tirou um telefone do bolso.

— Ah, não, mocinha, não quero esse tipo de problema hoje.

— As pessoas do palácio. Estão vindo — repetiu ela, antes de desmoronar no chão aos pés dele.

Três dias depois, o carro de Rand foi encontrado. Seu corpo estava lá dentro e ele parecia ter cometido suicídio cortando os pulsos, embora a perícia não pudesse explicar a pouca quantidade de sangue presente. A polícia encontrou o corpo decomposto de uma adolescente no porta-malas. A garota estivera desaparecida havia quase três anos.

Uma semana depois, Benny ligou para a casa de Charlie. Ela conseguiu o livro? Porque o comprador ainda estava interessado.

— Como um tubarão — comentou ele com admiração quando ela disse que sim. — Dentes primeiro.

Knight Singh a encontrou no estacionamento atrás de uma Dunkin' Donuts. Tinha um carro prata elegante, usava uma jaqueta de lã estilosa com gola alta e pagou dois mil pelo livro.

— Tenho mais trabalho se quiser — ofereceu ele, olhando para ela por cima dos óculos escuros.

Charlie jurou que um dia voltaria para a mansão de Salt e se vingaria daqueles escrotos. Mas jurou apenas para si, assim não decepcionaria ninguém quando não o fizesse.

13
ANJOS IMPOSSÍVEIS

Confusa com a luz do final da manhã que invadia o quarto, Charlie piscou. Seus cortes ainda doíam, seu quadril estava machucado por causa da queda e seu cabelo estava um emaranhado de Medusa por ter estado meio congelado e por depois ela ter dormido com ele molhado. Charlie se levantou do colchão. Na parede, viu a própria sombra, exatamente como sempre tinha sido.

"Finja que esta noite nunca aconteceu, Charlie."

Pelo dourado escuro cobria os braços de Vince, brilhava nos cílios de seus olhos fechados. Ela observou seu peito subir e descer e a curva de seus dedos bruscos como se estivesse sob um feitiço.

Ele se virou no sono.

— Adeline — murmurou ele no travesseiro. — Adeline, *não*.

Charlie se afastou, magoada. Aquela era a garota cuja fotografia estava em sua carteira? E o que ele estava tentando impedir?

Finja que esta noite nunca aconteceu. Charlie vinha fingindo desde o início do relacionamento deles, fingindo que o passado dela ficara para trás e que ela não se importava com o futuro. E ele havia deixado, porque estivera fingindo também.

Ela se ajoelhou ao lado dele no colchão e sussurrou:

— *Voulez-vous plus de café?* — A mesma frase que havia procurado em seu telefone duas manhãs atrás.

Vince enterrou o rosto mais fundo no travesseiro, como se a respiração dela fizesse cócegas em sua pele. Charlie se sentiu tola. Estava quase na porta quando ele murmurou baixinho, ainda meio sonhando:

— *Je voudrais un café noir, merci.*

Ela pensou que aquilo provavelmente significava que ele queria sim um café, obrigado. Também significava que ela estava ferrada.

Existem muitos tipos diferentes de mentiras. Mentirinhas para lubrificar a sociedade. Decepções, para evitar consequências. Representações falsas que servem para esconder a verdade, por causa da preocupação de que a outra pessoa não entenda, ou não goste de você, ou porque o que você fez é ruim e você tem vergonha. E também há as mentiras que você conta porque tudo sobre você é uma mentira.

A acusação de Posey de que ele entendia francês tinha sido engraçada, porque não contar uma coisa a alguém não era o mesmo que a esconder. Talvez ele tenha passado um ano no exterior, ou tenha um lado francês na família, ou tenha baixado o Duolingo e realmente se esforçado.

Mas, quando ela falara com ele em francês, ele fingira não entender uma palavra.

Esconder uma facilidade com assassinatos era preocupante, mas compreensível. Esconder um histórico com magia das sombras poderia ter uma explicação razoável.

Mas esconder algo que não deveria ter importância fazia Charlie se perguntar se alguma coisa que ela sabia sobre ele era real.

Charlie entrou no banheiro, trancou a porta e se sentou na beirada da banheira. Ela apoiou a cabeça nas mãos.

O fato de Vince ser um mentiroso e um assassino provava que seus instintos eram infalivelmente ruins, assim como os de sua mãe e sua avó. Sim, a história deles havia começado como um caso de uma noite, mas Vince parecera um cara confiável e responsável. Um pouco bom demais para ela, talvez, e alguém que provavelmente não ficaria muito tempo com ela, mas ainda fora uma prova de que Charlie estivera fazendo escolhas responsáveis. De que havia esperança de viver uma vida correta.

Mas lá estava ela, envolvida com ainda mais merda do que antes.

Charlie Hall, atraída por problemas como uma formiga pela cola de uma armadilha. A pior parte era que, considerando que a coisa certa a fazer era largá-lo, logo ela ficara mais fascinada por ele. Uma vez que ele se tornara um quebra-cabeça em forma de homem, apenas esperando para ser decifrado.

Mas se era impossível para *ela* fingir o tempo todo, o mesmo se aplicava a *ele*. Vince havia deixado pistas. E se ela não gostava do que tinha descoberto, bem, já estava ciente de que ele partiria seu coração mesmo. Aquele era o legado da família Hall. Sempre havia sido uma questão de quando.

Passe um pouco de batom e depile as pernas, disse a si mesma. *Pare e pense direito*. Vince não era seu único problema. Se Hermes tivesse contado a alguém para onde estivera indo na noite anterior, talvez não fosse a última pessoa a ir procurá-la. E Balthazar havia dito alguma coisa para ele, Charlie tinha quase certeza daquilo. Apostaria dinheiro no fato de que eles haviam conversado sobre ela.

Ela pegou toalha e sabonete, então ligou a água da banheira. Lavou as axilas e as partes íntimas. Ensaboou as pernas. Algumas das casquinhas recentes saíram com a lâmina não afiada, fazendo com que os arranhões voltassem a sangrar.

Ela pensou naquela frase: "As sombras são como as formas dos mortos em Homero, precisando de sangue para serem ativadas."

Ela pensou em Hermes. "Sabe com o que eu alimento essa coisa? Sangue. Talvez o seu."

E se...?

Charlie esfregou o dedo indicador no sangue da perna. Havia o suficiente brotando para que fosse jogado para sua sombra. Ao observar, a sombra pareceu ondular, como se estremecesse. Nada atingiu o piso.

Ela piscou algumas vezes, tentando focar o olhar no chão. Talvez apenas não conseguisse ver o sangue porque era um respingo muito pequeno. Ou talvez de fato tivesse alimentado a sombra.

Mas com certeza se tivesse sido ativada, algo mais aconteceria. Haveria algum sinal inconfundível.

Deixando de lado a pergunta, ela vestiu uma camisa e um moletom que encontrou na área de serviço, amarrou o cabelo em um coque solto no topo da cabeça e foi preparar o café.

Havia três mensagens de texto em seu celular não descartável. Uma era de Doreen, exigindo que Charlie lhe desse uma atualização sobre o motivo de tanta demora e ameaçando mudar o histórico de Posey para pior em vez de melhor se ela não levasse Adam para casa. Outra era de Odette, enviada a todos os funcionários do Rapture, informando que o bar estava fechado até que um corretor de seguros pudesse ir lá para verificar os danos após uma tentativa de assalto. Ela estimava que levaria de três a quatro dias.

Depois havia uma mensagem privada de Odette:

Você contou a alguém o que vimos?

Charlie não tinha certeza sobre o que era aquilo. Ela mandou uma mensagem de volta:

Não, e você?

Não houve resposta.

Charlie não gostava de ser desconfiada, mas se perguntava por que Odette queria saber aquilo. Enquanto adicionava café, canela e água à cafeteira, ela se perguntava se Odette conhecia Salt.

Se Balthazar tinha conversado com Hermes, era hora de ter uma conversa com Charlie também.

Ela já estivera na casa dele uma vez, um antigo quartel de bombeiros feito de tijolos com vista para o canal em Holyoke. Na época, ele estava dando uma festa e não a tinha convidado para entrar.

Boa sorte com isso desta vez.

Charlie vestiu o casaco, pegou as chaves e foi dar uma volta de carro.

O dia estava nublado, pesado com a ameaça de chuva. Ela já podia sentir o cheiro ao sair do carro e ir para a lateral do prédio de tijolos, seguindo até a entrada. O lugar não era notável, a ponto de parecer abandonado, mas ela percebeu que, pelo menos, uma luz estava acesa lá dentro.

Aquela parte de Holyoke ainda tinha algumas velhas fábricas abandonadas, que não haviam sido transformadas em espaços de trabalho industriais baratos para artistas e outras pessoas com negócios que precisavam de um lugar grande e bagunçado ou pelo menos não se importavam com isso. Havia prédios com apartamentos a alguns quarteirões e algumas casas com gramados raquíticos.

Ela bateu na porta pintada de preto, ignorando as palavras escritas em estêncil: "VÁ EMBORA."

Quando nenhum som surgiu lá dentro, ela bateu de novo.

— Não viu a placa? — gritou alguém do interior.

Charlie chutou a porta com o pé.

— Sabe o que é uma pistola de fechadura? Tenho uma no porta-malas do carro que vai arrombar sua porta em segundos. Pode ou não danificar o mecanismo, mas ainda entrarei de qualquer jeito.

Balthazar abriu a porta. Ele estava vestindo um roupão vermelho, com o cabelo despenteado, e parecia pronto para ir à guerra com a pessoa responsável por acordá-lo. Ele piscou algumas vezes, nitidamente atordoado por ser ela.

— Você quase me matou ontem à noite — anunciou Charlie.

— Ora, ora, caralho. Olá, querida.

Ela passou por ele e entrou no quartel de bombeiros.

— Surpreso que eu ainda esteja entre os vivos?

— Maravilhado. Entre, estava indo fazer um café. — Seu tom a deixou ciente de que ele estava irritado com a intromissão, mas não o suficiente para que aquilo importasse. Ele mostrou para ela as escadas e então subiu um andar, entrando em uma cozinha surpreendentemente ensolarada e com algumas plantas murchando em vasos. Em uma das bocas do fogão estava a maior cafeteira italiana que Charlie já vira. — Eu disse para o velho Aspirinas: "essa garota é mais do que aparenta". E então Joey, *ele* disse que eu estava apenas sendo sentimental, que você era uma cabeça-oca...

— Me poupe — interrompeu Charlie, antes que ele começasse de verdade. — Quero informação.

— Sente-se — ofereceu ele, indicando uma mesa de café cujo um dos cantos parecia ter sido incendiado em algum momento no passado.

Os formulários de corrida do Raynham Park da semana anterior serviam de toalha de mesa.

— Quero saber do livro que Paul Ecco tentou vender para você.

— Escutando a conversa alheia, é? — Ele pegou um pote do Café Bustelo e jogou o pó de qualquer jeito na armação de metal, depois encheu o fundo com água. Balthazar a colocou no fogão e acendeu, de modo que as chamas azuis lamberam o fundo da cafeteira. — Você era boa. A maioria das pessoas que acredita que pode fazer esse tipo de trabalho não pode. Mas você deixou bem evidente que saiu desta vida.

Rand tinha dito a ela que certas pessoas nasciam para o mundo de assaltos, mentiras e roubos, e que Charlie era uma delas. Suas mãos ficaram firmes, seus dedos rápidos e sua boca pronta para falar um monte de merda. Ela fora boa. E gostara daquilo. Aquele era o problema.

— Vi o corpo do Paul naquela noite, a caminho de casa — contou ela. — Parecia que tinha sido destroçado. Então, tudo bem, eu queria saber quem podia ter feito algo assim. Mas aí um babaca entra e age como se eu soubesse onde o Paul conseguiu a página. Então fiquei mesmo *muito* curiosa, especialmente sobre quem me dedurou.

— Que injustiça — retrucou Balthazar, todo inocente. — Não é minha culpa se você fareja confusão. Tudo o que fiz foi responder a algumas perguntas para uma parte interessada.

Ele se virou para pegar uma lata de leite condensado, mas não antes que ela visse a forma como seus lábios estavam contraídos. Entre os criminosos, e os adjacentes ao crime, pode haver um senso flexível de moralidade, mas havia uma coisa em que todos os golpistas concordavam: nada de dedo-duro.

— Omitindo a parte em que o Paul tentou vender a página para *você*? — lembrou Charlie. Ela se perguntou quanto tempo levaria até que a notícia de que Hermes tinha sumido se espalhasse. Valia a pena lembrá-lo que, se ela caísse, poderia levá-lo junto. — O que é tão importante nesse livro em particular?

— Chama-se *Liber Noctem* — contou Balthazar com uma voz entediada. — De forma coloquial, é *O livro das Pragas* porque supostamente tem rituais específicos sobre elas. Alguns sombristas acham que esta é a chave para a imortalidade, poder viver a eternidade como a própria Praga. Mas o que quer que esteja lá, é um objeto verdadeiramente magnífico. Páginas de metal, carimbadas em vez de impressas. Arrematado em leilão por aquele cavalheiro particularmente perverso, Lionel Salt. Rico como um Médici e com o mesmo tipo de interesses.

Charlie crispou os lábios.

— Você o conhece? — perguntou Balthazar.

— Óbvio que não — respondeu Charlie. — Mas foi ele quem enviou o Hermes.

Balthazar colocou duas canecas grandes na mesa, enchendo generosamente cada uma com leite condensado pegajoso. Ele derramou o café em cima e entregou uma caneca para ela, então se sentou, alisando o próprio roupão.

— O neto do Salt supostamente roubou o *Liber Noctem* e fugiu. Ed Carter, acho que era o nome dele. Carver? De qualquer forma, o neto se envolveu em algum tipo de assassinato-suicídio, mas deve ter vendido o livro antes, porque não apareceu com o restante das coisas dele. Salt está tão interessado em recuperar o livro que tem uma oferta permanente de cinquenta mil para quem o devolver, sem fazer perguntas.

Edmund Carver. Aquele era o nome sobre o qual Hermes havia perguntado a ela. Mas não tinha falado como se o garoto estivesse morto.

— Vendeu para Paul Ecco? — perguntou Charlie.

Balthazar balançou a cabeça.

— É mais provável que tenha sido para outra pessoa, que então vendeu uma única página para Paul Ecco.

— Por que não a coisa toda, então? — questionou Charlie. — Cinquenta mil não é pouco.

Balthazar abriu as mãos de maneira expressiva, concordando com ela.

— Talvez alguém que quisesse chamar a atenção de Salt. Jogar uma isca.

Charlie deu um gole do café. Era doce o suficiente para fazê-la estremecer e forte o suficiente para que ela ficasse feliz por ser tão doce.

— Para fazer o Salt pagar mais?

— Quando o *Liber Noctem* desapareceu pela primeira vez, ele contratou um dos meus. O cara novo — revelou Balthazar.

Charlie ergueu as sobrancelhas.

— Adam?

— Sim, ele. Mas meu cara não deu certo. Não encontrou nada. O velho também não pareceu muito surpreso. — Balthazar deu de ombros e deu um longo gole de sua caneca.

— Humm.

Incomodava-a que alguém soubesse que Paul Ecco estivera tentando revender a página logo depois de ter sido expulso do Rapture; parecia rápido demais para um boato se espalhar. E não apenas a presença do Hierofante, mas a brutalidade do assassinato a fez pensar que algo não humano tinha feito aquilo. Uma Praga teria motivos para rasgar uma sombra em frangalhos quando matasse. A força para rasgar uma caixa torácica.

Por que uma Praga estaria procurando o *Liber Noctem*?

E quem estava com a merda do livro?

Se Salt havia contratado Adam para procurar o livro, seria possível que ele tivesse encontrado o esconderijo de Edmund Carver e estivesse escondendo o exemplar?

Óbvio que foram perguntas como aquelas que fizeram com que o bar de Odette fosse destruído e Charlie, quase morta. Ela pensou que tinha abandonado o sonho de vingança contra Salt anos atrás e deveria esquecê-lo naquele momento. Era impossível e infantil.

— *Você* poderia pegar o trabalho — sugeriu Balthazar. — Quer sair dessa vida para sempre? Saia com estilo. Vamos, Charlatona, você poderia roubar o fôlego de um corpo, o ódio de um coração, a lua do céu.

— Bajulação não faz seu estilo. — Cinquenta mil dólares era muito dinheiro, mas não era uma fração do que Salt merecia pagar. — Vou pensar no assunto.

Balthazar sorriu como se ela já tivesse concordado.

— Agora sim. Sabia que você mudaria de ideia.

Ao caminhar até seu carro, Charlie notou um homem do outro lado da rua. Talvez ela não tivesse olhado uma segunda vez se ele estivesse em movimento, ou até mesmo com um celular na mão, como qualquer um. Mas aquele cara estava totalmente parado, com as mãos, e até mesmo os braços, enfiadas nos bolsos do casaco, olhando para o quartel.

À luz do dia, ela podia ver que o Hierofante era um homem jovem, mas seus olhos ardiam com alguma coisa antiga.

Se ele estava caçando Pragas, então o que estava fazendo na casa de Balthazar? Ela não conseguia esquecer a maneira como ele havia caminhado em sua direção no beco, com o que parecera um propósito sinistro.

Charlie estremeceu, entrou no Corolla e pisou fundo. Ao sair, ela viu a cabeça dele virar devagar, e seu olhar seguir o carro. Então sua sombra se transformou em grandes asas atrás dele, levantando-o no ar. Ele pairava no céu azul, um anjo impossível, com o casaco esvoaçando ao redor.

Ela quase caiu em uma vala, com o coração martelando. No primeiro sinal de parada, Charlie olhou para trás de novo; ele não parecia tê-la seguido.

De volta a casa, Charlie estava cheia de energia nervosa e muita cafeína. Ela lavou os pratos sujos de macarrão à bolonhesa na pia. Limpou os balcões. E quando aquilo não foi suficiente, começou a limpar toda a geladeira. Não apenas sua higienização usual, jogando fora as coisas mais ofensivas, como um pepino esquecido que tinha amolecido de um lado e sido colonizado por mofo, um pedacinho de queijo que havia ficado branco e duro e que ninguém comeria, um recipiente lacrado cheio de macarrão acinzentado inchado de forma alarmante. Daquela vez ela tirou tudo, inclusive os condimentos, e limpou as prateleiras com toalhas embebidas em alvejante diluído.

— Precisa de ajuda? — perguntou Vince, vindo do quarto e pegando a cafeteira.

Ela se assustou com a voz dele.

Parecia ser o mesmo homem com quem ela vivia por meses. O cabelo loiro despenteado do sono. Barba por fazer ao longo da mandíbula. Conforme ele andava pela cozinha sem mencionar a noite anterior, parecia impossível acreditar que ele havia quebrado o pescoço de um cara e depois transado com ela em uns degraus rachados sob o luar.

E mentido.

E mentido e mentido e mentido...

— Posso pegar emprestado algumas coisas de limpeza da sua van? — perguntou Charlie.

Ele hesitou.

— Eu pego para...

— Ótimo — respondeu ela, interrompendo-o alegremente.

Se ele não a queria fuçando sua van, provavelmente era porque tinha algo mais a esconder. Talvez Charlie encontrasse uma cabeça rolando na parte de trás.

Ou talvez estivesse apenas sendo legal, oferecendo-se para pegar as coisas para ela.

Ou talvez o corpo de Hermes estivesse em pedaços embrulhados em plástico e ele quisesse poupá-la da imagem.

Charlie se virou para a geladeira com vigor renovado. Ela esfregou o eletrodoméstico como se pudesse apagar todo o seu desejo por Vince, toda a sua tolice.

Vince entregou a ela o material de limpeza e saiu para limpar as calhas, com a caneca na mão. *E esconder a cabeça*, a mente de Charlie supriu, piorando as coisas.

Posey se levantou ainda mais tarde do que de costume, por volta das quatro da tarde. Parecia acabada quando cambaleou até a cozinha e encheu uma tigela de cereal com todo o café restante, colocando-a em seguida no micro-ondas.

Charlie tinha namorado um colega ladrão por alguns meses, antes de ele fugir da cidade com um par de brincos que ela havia conseguido convencê-lo de serem cravejados de diamantes. Ele dissera a ela que, quando tinha começado a invadir casas, havia imaginado que as pessoas ricas guardavam suas coisas realmente caras em cofres, mas havia descoberto que as pessoas em geral mantinham as coisas onde pudessem vê-las. Pessoas ricas mantinham uma chave debaixo do capacho como todo mundo, porque também as perdiam. Eles acabavam trancando certidões de nascimento e de casamento e documentos legais em vez de objetos de valor. As joias ficavam no armário do quarto principal, mesmo as melhores, porque as pessoas queriam usá-las. Laptops estavam em mesas ou sofás. TV na parede. Bebida cara no carrinho de bar. Armas na primeira gaveta da mesa de cabeceira.

As pessoas gostam de manter suas coisas por perto, incluindo seus segredos. O que faz você se sentir seguro quando vai dormir à noite? Conseguir verificar e ver que seus segredos ainda estão escondidos.

Se havia algo para Charlie encontrar, havia uma boa chance de Vince mantê-lo no quarto.

Uma vez que ela teve aquela ideia, a coisa grudou na mente como carrapicho.

Ela precisava tirar Vince de casa, e logo, antes que a tentação dominasse seu bom senso e ela vasculhasse as coisas dele quando ele provavelmente a pegaria no ato.

Uma hora depois, Vince entrou, com as mãos cheias de fuligem. Àquela altura, ela tinha sua história pronta.

— Katelynn quer que eu a encontre para um café hoje à noite — comentou Charlie, tentando soar despreocupada.

Ele lavou as mãos na pia, com sabonete até os cotovelos.

— A tatuadora. Com o primo comedor de traças.

— Isso — confirmou ela, nervosa. Charlie não os tinha notado conversando na festa. — Estou pensando em fazer uma nova.

— Ah, é? — perguntou ele, enxugando as mãos em seu jeans preto.

A expressão no rosto, o leve sorriso, o interesse aparentemente genuíno e nenhum julgamento pelo problema da noite anterior a deixaram nervosa também. Ele realmente parecia se importar com ela. Havia matado alguém para salvá-la.

Ela queria confiar nele.

— Vince. — Charlie pegou a mão dele e olhou em seus olhos cinza-claro. — Como você perdeu sua sombra? De verdade desta vez.

Seu olhar desviou dela.

— Não perdi. Eu... — Ele parou, então começou de novo: — Eu não entendia o perigo que corríamos.

Vince não estava necessariamente mentindo. A verdade era muitas vezes complicada e difícil de explicar.

— Que perigo?

Ele balançou a cabeça e pegou o balde de compostagem, que tinha sido comprado por Posey, on-line, em um esforço para que eles fossem melhores ambientalistas, naquele momento cheio de restos de pepino e outras sobras da geladeira, além de um monte de borra de café.

— Isso não é uma resposta — esbravejou ela atrás dele.

Mas o que quer que estivesse procurando, Charlie não conseguiu tirar dele. Ele apenas saiu para despejar o composto em um estranho reservatório de minhocas que nem um deles tinha certeza de que estava funcionando. Com todos os grãos de café que despejavam, a única coisa de que Charlie tinha certeza era que aquelas minhocas estavam *ligadas*. Se um pássaro comesse uma, voaria direto para o sol.

Quando voltou, Vince estava com o celular no ouvido. Havia sido chamado para um trabalho. Um duplo homicídio residencial.

— Posso ficar se você quiser — ofertou ele, afastando o telefone da boca.

Ao fundo, ela podia ouvir o chefe dele gritando com alguém. Antes de ouvi-lo, ela tinha ficado na dúvida se Vince havia fingido a ligação apenas para desconversar.

Ela balançou a cabeça.

— Vou sair mesmo. Katelynn, lembra?

Ele pegou o casaco. Beijou-a na boca e depois no canto da mandíbula. Um beijo que obviamente significava *alguma coisa*, mas se era um pedido de desculpas ou uma promessa, Charlie não tinha certeza.

Depois que ele saiu, ela observou a porta do quarto. Se não tivesse sido chamado para trabalhar, poderia ter lhe dado respostas. E Charlie sabia que qualquer colunista de jornal aconselharia que ela esperasse, respeitasse a privacidade dele e perguntasse mais quando Vince voltasse.

Ela aguentou quinze minutos antes de se levantar e fazer uma cena se alongando.

— Bem, vou tirar um cochilo rápido antes de sair.

— Espera — pediu Posey. — Eu estava esperando Vince sair. Tem uma coisa que preciso falar com você.

Charlie não queria mais ouvir sobre DMT e como era absolutamente necessário roubar um pouco para o retiro de Posey no estilo "vamos testar em nós mesmos na floresta".

— Não vou demorar.

No quarto, com a porta bem fechada, Charlie olhou em volta. Lençóis emaranhados. Roupas e sapatos espalhados pelo chão. Uma cômoda cheia de livros de bolso amarelados e potes de maquiagem e um vaso cheio de recibos.

Quando olhou para as próprias mãos, ficou surpresa ao ver que tremiam.

Charlie arrancou a roupa de cama e empurrou o colchão contra a parede. Era pesado e oscilava, mas ela o levantou. As coisas ficavam escondidas debaixo da cama nos filmes. O que significava que as pessoas que assistiam a filmes escondiam coisas debaixo da cama.

Mas, embaixo do colchão, tudo o que encontrou foi uma calcinha que havia perdido, um lenço de papel amassado, além de algo nojento, felpudo e achatado que devia ser uma das bolas de pelo de Lucipurrr.

Ela pensou em sua mãe, procurando provas de traição nas gavetas, nos bolsos. Tentando de maneira impossível provar uma negativa. Sem esperar nada, mas sabendo que nada significava apenas que não estava procurando o suficiente. Charlie jurou que jamais terminaria daquele jeito.

No entanto, ali estava ela.

Charlie foi para a parte de Vince da cômoda, pondo as mãos lá no fundo, depois pegando tudo e revirando as gavetas. Vince era organizado, nunca deixava as roupas no chão, nunca deixava cabelo na pia, então foi uma surpresa encontrar camisas e jeans jogados ao acaso. Ela esperava que não fosse uma bagunça organizada, porque nunca conseguiria recriá-la. Se ele deixasse cinco meias enroladas em uma ordem específica para detectar bisbilhotices, ela estava ferrada.

Mas não encontrou nada de interesse. Nada incriminador.

Ela foi para o armário em seguida. A maioria das coisas ali era dela, mas ele tinha um casaco de inverno e um par de botas jogados no fundo do lado esquerdo. Charlie enfiou as mãos nos bolsos e tirou dois recibos. Um do posto de gasolina, outro da compra de leite, pão e ovos. Ambos pagas em dinheiro.

Olhando para a escuridão, ela notou uma mala preta que parecia vazia no chão, atrás das botas. Ela a puxou para fora e abriu.

No fundo, encontrou um disco de metal do tamanho de uma moeda e uma carteira de motorista. Charlie virou a bolsa e jogou tudo no chão, mas nada mais caiu.

Ela pegou o pequeno disco de metal. Era grosso e mais pesado do que ela esperava, quase como uma bateria de relógio, mas sem nenhuma marca. Parte de alguma coisa eletrônica? Uma peça de jogo? Ela o enfiou no bolso.

Então olhou para a carteira de motorista. A foto era de um Vincent mais jovem, com um sorriso aberto, com o cabelo aparado e produtos aplicados nele, uma camisa de colarinho apenas visível na parte inferior da imagem. Havia um endereço em Springfield, com o número do apartamento. E sobre a ilustração da capital do estado, um nome totalmente diferente.

Edmund Vincent Carver.

Por um momento de vertigem, ela pensou que estava olhando para uma identidade falsa. Mas a carteira tinha bordas uniformes, e a rigidez do material parecia correta, e, quando ela a segurou contra a luz, a imagem metalizada de segurança brilhou, revelando-se sobre a foto.

O neto de Lionel Salt. Aquele que tinha roubado o *Liber Noctem*. Aquele que supostamente estava morto.

O herdeiro de Lionel Salt, deitado ao lado dela no escuro.

Charlie estava com dificuldade para recuperar o fôlego. Tinha certeza de que aquilo era um ataque de pânico total e que, se continuasse respirando de forma tão rápida e superficial, machucaria os pulmões.

Ela pegou o celular e tirou uma foto da carteira de motorista, chocada ao descobrir que conseguia fazer aquilo. Tudo parecia estar acontecendo muito rápido. Mas ainda se obrigou a ir até o laptop e abrir o mecanismo de busca. Ela digitou "Edmund Carver" e "Springfield".

O primeiro resultado foi um artigo do verão passado, publicado no *The Republican*:

> SPRINGFIELD — Os restos carbonizados de dois corpos foram encontrados em um carro a duas quadras do cassino MGM no centro da cidade nas primeiras horas da manhã de segunda-feira.

A polícia identificou um dos corpos como pertencente a Edmund "Remy" Carver, 27, membro da alta sociedade e neto de Lionel Salt. O outro era Rose Allaband, 23, que foi dada como desaparecida ao deixar seu apartamento em Worcester quatro meses antes. As primeiras análises forenses sugerem um assassinato-suicídio.

A polícia não está procurando outros suspeitos no momento.

O coração de Charlie acelerou.

Mais alguns cliques e ela encontrou a foto de Vince com uma dúzia de outros jovens de ombros largos da equipe de esgrima da Universidade de Nova York. Ele vestia um macacão branco com gola, estava de braços cruzados, o cabelo mais curto do que na carteira de motorista, com a cor desbotada perto do couro cabeludo nas laterais. Parecia estar fantasiado, exceto pela maneira como sorria para a câmera, como se acreditasse que o mundo era feito para pessoas como ele.

Vince não sorria daquele jeito.

Óbvio, naquela época ele se chamava *Remy* e era rico e feliz. Não havia matado alguém ou fingido a própria morte. Não estava trabalhando por baixo dos panos limpando cadáveres ou morando com uma garota sem grana para ter um lugar onde dormir.

Charlie se lembrou do suor escorrendo entre suas omoplatas no bar lotado na noite em que se conheceram, o gosto de gim-tônica feito com álcool barato porque ela quisera ficar bêbada sem gastar muito, sua amiga indo embora cedo e como Vince tinha se prostrado como uma parede entre ela e a ameaça de ser empurrada contra a porta corta-fogo.

Se soubesse que ele era podre de rico, ela o teria levado para casa enquanto se sentia autodestrutiva e inconsequente? Sem chance. Com certeza também nunca teria acreditado nele. Teria pensado que era a pior cantada do mundo. *Ah, o neto de um bilionário, é? Bem, eu só fico com multibilionários. Que pena.*

Mas se ele a tivesse convencido? Nunca. Não um cara que havia se formado em uma universidade de prestígio, um cara com um fundo fiduciário e um futuro pela frente. Sem chance de ela o ter levado de volta para sua casa alugada, para que ele pudesse zombar de como ela vivia, para que pudesse desprezá-la por seu trabalho, sua falta de estudo e todas as suas escolhas.

E se ela soubesse que ele era parente de Salt, teria quebrado uma garrafa na cabeça dele.

Charlie tentou se concentrar, imaginar o que *ele* estava pensando naquela noite. Provavelmente estivera preocupado com *não* ter um futuro, certo? Tinha roubado o *Liber Noctem* e então alguma coisa dera errado. Algo a ver com a garota? Algo que havia resultado em dois cadáveres e uma necessidade de fingir a própria morte?

De alguma forma, ele conseguira aquela carteira de motorista falsa de Minnesota, uma falsificação boa o suficiente para Charlie não a questionar. Bem, ela nunca tinha visto uma carteira de motorista verdadeira de Minnesota, ou tirado a dele da capa de plástico para inspecioná-la, e ela também supunha que pouquíssimas outras pessoas haviam feito aquilo. Mas ele não tinha cartão de crédito nem crédito em si. Não tinha número de segurança social. Apenas um trabalho horrível limpando quartos de hotel por baixo dos panos.

Entra em cena Charlie. Provavelmente ele a viu bebendo sozinha e imaginou que era um alvo fácil. Uma garota triste, pronta para levá-lo direto para a cama. Desesperada o suficiente para não fazer muitas perguntas. Era aquilo que bons golpistas faziam. Não precisavam convencer você de nada, porque você estava muito ocupado convencendo a si mesmo.

Então, quase um ano depois, Vince entra no Rapture e encontra o assassino contratado do avô ali. Se Hermes o vir, ele estará mais encrencado do que nunca. Logo é fim de jogo para Hermes. Ele não tinha feito aquilo para salvar Charlie.

Ela se sentiu um pouco atônita, um pouco tonta.

— Você pretendia deixar... — Posey se encostou no batente da porta, com a mão ainda na maçaneta. Seus olhos se arregalaram um pouco ao ver o colchão encostado na parede, as gavetas reviradas, então seu olhar foi para Charlie sentada no chão. — Você sabia que deixou trinta dólares em notas de um naquelas roupas que jogou no lixo?

— Merda — murmurou Charlie.

Suas gorjetas da noite. Ela estava perdendo a cabeça. De verdade.

Posey entrou no quarto para lhe entregar o dinheiro, depois olhou em volta outra vez.

— O que está acontecendo? Porque você não parece estar cochilando.

— Não, não estou cochilando — admitiu Charlie.

Posey soltou um grande suspiro.

— Vou fazer um *ramen* e outro café. Você tem dez minutos para terminar o que está fazendo, então vamos ter uma conversa.

Assim que sua irmã se foi, Charlie voltou para a internet. Ela digitou "Edmund Carver" de novo. Fotografias de blogs de colunas sociais apareceram, dele em festas. Nada dos últimos quatro anos, mas, antes daquilo, notícias de sua participação em inaugurações e bailes.

Ela encontrou um artigo sobre uma festa de gala da Sociedade de Legado Francês que mostrava uma foto dele com uma mulher loira identificada na legenda como Adeline Salt. Ela usava um vestido branco de seda que parecia particularmente caro em seu corpo bronzeado e torneado e provavelmente esculpido de maneira minuciosa.

Na foto, Vince — *Edmund* — estava com um braço sobre o ombro dela e uma taça de champanhe na mão. Ele estava no meio de uma risada, a luz batendo nele de modo que sua sombra pairava sobre os dois.

Charlie conhecia a garota. Era a da foto na carteira de Vince. A filha de Salt, o que faria dela tia de Edmund, embora parecessem ter a mesma idade.

Adeline. A garota que ele chamou enquanto dormia.

Várias pessoas haviam postado na seção de comentários do artigo do jornal.

Este é o problema de celebrar o 1% parasita. Tudo bem se ele for um assassino, desde que conheça as pessoas certas.

Não acredito nas acusações contra Remy, e qualquer pessoa que o conhece também não acreditaria. Ele estava sempre disposto a fazer de tudo para ajudar as pessoas, desde ficar encharcado ajudando a equipe a montar uma barraca depois de uma tempestade ameaçar dar fim a uma festa nos Hamptons, até se deitar na calçada imunda para recuperar a bolsa de uma pessoa desconhecida que havia caído pela grade. Nunca vou me esquecer de sair de fininho do almoço do Jardim do Conservatório no Central Park para passear pelo parque com ele. Este é o Edmund que escolho lembrar.

Talvez eu seja uma pessoa ruim, mas estou feliz por ele estar morto. Gostaria que ele tivesse morrido antes que pudesse tirar a vida de uma garota inocente. É nojento que alguém o defenda quanto mais "escolha se lembrar" dele como algo além do que ele era: um sociopata.

Charlie ouviu a irmã colocar algo na pia e soube que tinha apenas mais alguns momentos antes de ter que falar com Posey. Mas havia mais uma coisa que ela queria fazer. Ela digitou o nome Lionel Salt no Google, algo que não fazia havia anos.

Havia um perfil sobre sua propriedade em West Springfield, aparentemente comprada por US$ 8,9 milhões em 2001, além de alguns links com seu nome ligados a processos judiciais em andamento. Assim que viu uma fotografia da casa, as palmas das mãos de Charlie começaram a suar.

Era exatamente igual ao palácio do qual ela se lembrava.

14
UM ENXAME DE MOSCAS PRETAS

Posey estava comendo *ramen* misturado com uma tonelada de molho de pimenta e alho quando Charlie saiu do quarto.

Vestindo legging e uma camisa grande, Posey havia puxado o cabelo castanho em uma única trança. Normal, exceto que ela também estava de delineador, brilho labial e botas de zíper até a panturrilha. Ela estava planejando ir a algum lugar. Charlie só esperava que não fosse um laboratório.

— Ok, então você queria falar comigo sem o Vince por perto — afirmou Charlie, forçando-se a se concentrar na conversa e não em tudo que ela havia descoberto. — Por quê?

Posey mexeu na comida na tigela.

— Não vai me contar por que revirou o quarto?

Talvez ela devesse fazer uma leitura de tarô, como todos os bobocas por aí. Talvez precisasse ouvir outra pessoa dizer isto: *ele não presta*.

— Fale o que você tem a dizer primeiro.

— Está bem. Então, ontem à noite, eu estava conversando com esse cara...

De repente Charlie desejou ter falado muito menos na noite anterior.

— Você me disse que não faria isso.

— Parei de discutir com você — apontou Posey. — Nunca concordei em fazer o que você disse.

Com um telefonema bobo, Charlie quase havia acabado morta. O que aconteceria se Salt de alguma forma ouvisse a história de Posey e a ligasse a Hermes?

— Fui cuidadosa — insistiu Posey.

— Apague. Não importa o que você tenha falado, *apague*.

Charlie procurou o laptop de Posey como se pudesse jogá-lo no lago Nashawannuck e de alguma forma remover da internet o que ela havia postado.

— Não foi on-line — insistiu Posey. — Era um bate-papo criptografado em que tudo é deletado depois de lido.

Charlie se sentou à mesa. Sua cabeça estava latejando. Os acontecimentos das últimas vinte e quatro horas foram demais. Ela queria entrar em um buraco e talvez participar de alguma terapia de grito.

— Esqueça de tudo isso por um minuto — pediu Posey. — Porque não é disso que quero falar com você.

— *Porra* — proferiu Charlie, sem qualquer resposta mais articulada.

— Tem um estudante de pós-graduação na UMass. Madurai Malhar Iyer. Ele está trabalhando em uma tese de doutorado sobre a ativação de sombras. O cara que me contou sobre ele estava tentando convencer o Malhar a falar com ele há séculos, mas o Malhar só ignorava.

Charlie tinha a sensação de que sabia o que estava por vir e que odiaria.

— Eu sabia que você não concordaria em conhecer o cara, então escrevi para ele e disse que todas as coisas que aconteceram com você aconteceram comigo. Só que...

Charlie apenas a encarou.

— Só que eu não posso ir sozinha — concluiu Posey.

— Por que não?

— Porque não aconteceu comigo — retrucou Posey, como se aquilo devesse ter sido óbvio.

Charlie enfiou um garfo no *ramen* de sua irmã e deixou o chili quente queimar sua boca ao comer.

— Isso parece ser um problemão *para você*.

— Falei para ele que poderíamos encontrá-lo na biblioteca da UMass hoje à noite para conversar — explicou Posey com a voz cadenciada como quem quer perguntar alguma coisa sem perguntar. — Hoje à noite — repetiu ela.

— Não... *não* — respondeu Charlie, levantando as mãos. — Não vou de jeito nenhum. Sem chance.

Posey estreitou os olhos.

— Ocupada com alguma coisa? Planejando saquear a sala?

Charlie se levantou.

— A noite passada foi muito ruim e eu definitivamente não quero discutir isso com um estranho hoje.

— Você mentiu sobre encontrar a Katelynn. Sei disso. Estava procurando alguma coisa e não queria que o Vince estivesse aqui quando fizesse isso. — A ameaça estava implícita, mesmo assim funcionou.

Elas ficaram se encarando. De modo inconsciente, as mãos de Charlie se fecharam em punhos com tanta força que as unhas cravaram na pele.

— Não faça isso.

— Não tenho carro. Pelo menos me leva lá — pediu Posey. — *Por favor*.

Charlie soltou um gemido e foi para o quarto.

— Aonde você está indo? — gritou Posey atrás dela.

— Vou pegar meu casaco.

Ela passou por Lucipurrr, que balançava o rabo, olhando para uma das paredes perto do banheiro. Às vezes dava para ouvir os ratos arranhando, e aquilo tirava a gata do sério. Ela supunha que estivessem todos fora do sério naqueles dias.

De volta ao quarto, Charlie tentou colocá-lo em ordem, trocando os lençóis no colchão para lhe dar o álibi da limpeza se alguma coisa estivesse fora do lugar.

Conforme saíam da garagem, os pensamentos de Charlie estavam uma confusão entre lembranças do assassinato de Rand cometido por Salt e a facilidade com que Vince havia encoberto um assassinato na noite anterior. Ele tinha matado para seu avô? Tinha matado aquela garota que fora encontrada morta no carro para Salt? Ele a tinha matado para si mesmo?

Vince tinha sido cuidadoso, meticuloso e irritantemente competente, mas não parecia gostar de assassinato nem estar ansioso a fazê-lo de novo. Ela não conseguia imaginá-lo machucando alguém por diversão.

Mas sem dúvida não era como se ela pudesse facilmente imaginá-lo em pé no tipo festa de gala que ela só tinha visto na televisão, vestindo uma roupa que provavelmente custava mais do que seu carro e bebendo Champanhe que podia ser escrita com o C maiúsculo porque vinha da região correta da França. Era possível que Charlie tivesse uma imaginação extremamente restrita.

— Então me fale sobre esse cara, Malhar — pediu Charlie para se distrair.

A irmã deu de ombros.

— Não sei muito. Ele parecia legal no bate-papo.

— Sem ofensa, Posey, mas tem muitos estudantes de pós-graduação no Vale, e eles são apenas isso, *estudantes*. O que te faz pensar que esse cara tem muito mais informações do que você? Digo, você passa todas as noites on-line fazendo pesquisa. Provavelmente já leu um milhão de relatos de sombras ativadas.

A carranca de Posey se aprofundou.

— Mas não *faço* pesquisa. As pessoas podem inventar histórias ou exagerar para chamar atenção. Os vídeos podem ser falsos. Posso saber muito, mas muitas coisas que eu pensei que fossem reais acabaram não funcionando. Enquanto isso, ele está autenticando as informações que recebe. Ele tem provas. — Posey se mexeu de maneira desconfortável no assento. Possivelmente porque os assentos estavam, como tudo no Corolla, meio arrebentados. — Falando nisso...

— Quê?

Posey fez uma careta.

— Talvez eu tenha exagerado algumas coisas também...

— Para conseguir a atenção dele. — Charlie olhou pela janela para o céu que escurecia. — Acho que você conseguiu.

Depois daquilo, Posey ficou em silêncio até elas cruzarem a ponte Calvin Coolidge Memorial.

A Universidade de Massachusetts surgiu como uma cidade surpresa no meio do nada, completa com um estádio de futebol, prédios altos, engarrafamentos e um Stonehenge em miniatura. Se você pegasse o caminho errado em uma feira de agricultores locais, acabava cercado por um enxame de estudantes, chegando todos os anos como gafanhotos, sedentos por cerveja e chá de bolhas. Os alunos eram a alma do Vale, e, por mais que Charlie se ressentisse, ela sabia que precisava deles tanto quanto qualquer outra pessoa se quisesse continuar servindo bebidas.

E logo Posey seria um deles e seguiria com eles para um futuro cheio de possibilidades. Pelo menos, aquela era a intenção.

Charlie parou o carro em um estacionamento enorme, marcado com algumas letras que podiam ou não significar que ela estava no lugar certo.

Ao saírem, Charlie mais uma vez lamentou o fato de sua jaqueta de couro não esquentar nada. O sol estava baixo e vermelho ao longe. Elas podiam ver a fazenda de raios em Sunderland, colhendo energia com estalos e golpes sinistros.

— Você *tá* bem? — perguntou Charlie.

— Realmente não consigo imaginar vir aqui todos os dias — confessou Posey.

As duas ficaram ali por alguns segundos até Charlie lembrar a Posey que era ela quem estava com as coordenadas. Ela franziu a testa para o celular por um tempo.

— Acho que temos que ir em direção àquele lago.

Elas se perderam duas vezes, vagando pelo campus, passando por grupos de estudantes de botas UGG e calças de pijama. Uma mulher negra com um delineador perfeito estava sentada do lado de fora do centro estudantil, lendo uma tradução feminista de *Beowulf*. Um menino branco tentou entregar a Charlie um panfleto para um festival de anime. Três caras de moletom de time passaram correndo.

Vince tinha ido para uma faculdade como aquela, assistido a palestras, aprendido esgrima. Uma universidade mais cara, que deveria jogá-lo de novo no mundo pronto para governar os menos afortunados.

Ele tinha tido tudo. Dinheiro. Privilégio. Poder.

Pela primeira vez, Charlie se perguntou o que poderia tê-lo feito fugir.

Madurai Malhar Iyer as esperava no saguão da biblioteca. Ele era um cara alto, jovem, de pele marrom, usava óculos de aro de metal e uma blusa de flanela por cima de uma camiseta, esguio de um jeito que demonstrava que ele passava tanto tempo estudando que até se esquecia de comer.

— Sou a Posey — disse ela. — E esta é minha irmã, Charlie.

Malhar as registrou como convidadas e as conduziu a uma sala de estudos nos fundos.

— Obrigado por concordar em me encontrar tão rápido — disse ele enquanto caminhavam, passando pelas estantes.

Posey assentiu, obviamente um pouco envergonhada. Ela queria impressioná-lo, percebeu Charlie.

Malhar passou a bolsa sobre o ombro e a colocou em cima da mesa, retirando de lá o laptop e um caderno. Várias canetas caíram e uma maçã rolou em seguida.

— Vocês querem alguma coisa? Tem uma máquina de café, mas não é muito boa. O chocolate quente é OK, mas alguém me disse que achou uma barata boiando no copo uma vez.

Posey torceu o nariz.

— Estou bem.

— Vou aceitar o café com barata — afirmou Charlie.

A energia do café doce de Balthazar estava começando a diminuir e ela precisava de alguma coisa para continuar.

— Vou pegar para você — anunciou ele e então hesitou. — Tenho certeza de que é OK. Quer dizer, muitas pessoas bebem o café.

Ele voltou com três copos. Dois cafés e um chocolate quente. Ela supôs que ele se sentiu obrigado a beber também, como um anfitrião que toma o primeiro gole de vinho para mostrar aos convidados que não está envenenado.

— Então — murmurou ele, pigarreando. — Posey, gostaria que você contasse sua história outra vez e gostaria de gravá-la. Tudo bem?

Posey endireitou a postura.

— Foi com a minha irmã, na verdade. Eu te contei que aconteceu comigo porque ela não tinha certeza se queria falar sobre isso. Mas eu a convenci de que era importante.

O olhar dele foi para Charlie. Ela deu de ombros.

— Então é você que tem a sombra ativada? — Malhar estava confuso.

Charlie não o culpava. Ela se virou para Posey.

— A o *quê*?

Posey pareceu envergonhada.

— É, *sim*. Ou pelo menos é alguma coisa. Você sabe o quanto ela estava estranha ontem à noite.

— Vou matar você — afirmou Charlie, levantando-se. — Assassinar você. Ninguém me culparia. Não posso acreditar que deixei você me arrastar até aqui...

Malhar ergueu as mãos, impedindo a violência.

— Poderíamos fazer alguns testes.

Posey havia comentado no carro que tinha exagerado na história, mesmo assim Charlie não tinha previsto aquilo.

— De jeito nenhum. Vamos embora já. Ela está desperdiçando seu tempo. Tudo o que ela quer é que você diga como despertar a sombra dela. Ela diria qualquer coisa se achasse que o convenceria a fazer isso.

— Espere — interferiu Posey, pegando o braço de Charlie. — Deixe que ele olhe. Conte a história.

Charlie afastou a mão de Posey. Ela queria derrubar o café. Queria jogar uma cadeira.

E, no entanto, outra parte dela se perguntava: sua sombra poderia ser mágica? Não valia a pena deixar sua irmã se safar com um golpe extremamente irritante se algumas das informações que conseguissem fossem de fato úteis?

— Tudo bem — cedeu Charlie, jogando-se de volta na cadeira. — Vá em frente. Teste minha sombra. Sei lá. Mas quando perceber que tudo isso é besteira, não diga que não avisei.

Malhar ergueu o celular.

— Então está tudo bem se eu gravar?

— Não. Com certeza não está — retrucou Charlie.

— Qual *é?* — contrapôs Posey.

— Vocês não terão que dizer seus nomes na gravação — argumentou Malhar. — Vou manter suas identidades em segredo nas minhas anotações. Isso é apenas para eu repassar o material e me certificar de que tenho tudo certo. Ninguém mais vai ouvir isso.

Charlie olhou para ele, então para Posey.

— OK. Nada de nomes.

Apertando um botão, ele colocou o celular entre eles.

— Pronto, está gravando. Vamos decifrar isso juntos. Primeiro, me conte um pouco sobre você. Idade. Qualquer outro detalhe que pareça importante.

— Tenho vinte e oito anos. — Nada do restante era coisa que Charlie gravaria. — Não tem muito mais para saber.

— E você? — Ele se virou para Posey.

— Eu?

Ela estivera cutucando a pele ao redor da unha do polegar com nervosismo. Posey mordeu a ponta e então pareceu notar o que estava fazendo. Ela cruzou as mãos sobre a mesa.

— Você também vai falar na gravação. — Ele sorriu de forma tranquilizadora.

Posey levantou um pouco a voz, como se temesse que a gravação não capturasse as palavras.

— Tenho vinte e cinco. Sou irmã dela e leio cartas de tarô para as pessoas na internet.

— Sério? — perguntou Malhar.

Ela assentiu, inclinando a cabeça.

— Posso fazer uma leitura para você.

— É, talvez eu esteja precisando. — Ele parecia estar se arrependendo daquela noite por completo. — Deixe-me explicar um pouco sobre o projeto do qual vocês farão parte. Começou como uma etnografia, um estudo cultural sobre sombristas. Sabe, um mergulho profundo nessa comunidade. Parecia importante quando ainda havia pessoas por aí com memória viva de que isso fosse um segredo e outras que só sabiam disto principalmente vendo sombras ativadas em revistas.

"Mas quanto mais eu conversava com as pessoas, mais me interessava por sombras ativadas e sua etnografia própria. Fiquei surpreso com o modo como sombras eram vistas de diferentes maneiras em diferentes épocas e entre diferentes grupos. O que não se encaixava no conceito original da tese. Então, hum, minha tese expandiu. Comecei a coletar referências históricas e comparar com relatos modernos. E aí eu precisava de mais entrevistas. Tenho passado muito tempo defendendo meu trabalho para meus professores. E meus colegas. E meus pais."

— Eles deveriam estar felizes por você estar fazendo isso — afirmou Charlie. — A Universidade de Massachusetts não está interessada em, tipo, fundar uma escola de magia e bruxaria algum dia?

Malhar bufou.

— Têm físicos fazendo experiências com sombras afóticas. E folcloristas coletando histórias. Biólogos costurando sombras de gatos a camundongos. Mas eu que deveria ser um etnógrafo todo mundo parece achar que estou envolvido demais com isso.

— Ah — murmurou Charlie. — *Você* é quem está interessado em fundar a escola de magia e bruxaria.

Ele balançou a cabeça, mas estava sorrindo.

— Você sabe que vou editar qualquer coisa vergonhosa que eu disser da transcrição, não é?

— E se eu disser algo que *eu* quero manter em sigilo? — perguntou Charlie.

— Vou parar a gravação durante o comentário que você quiser fazer e recomeçar quando terminarmos — explicou ele. — Tem alguma coisa que você queira dizer e que não quer gravar?

— Talvez — respondeu ela.

Malhar esperou que ela dissesse mais, e, quando ela não disse, assentiu de forma encorajadora, como se estivesse acostumado a entrevistar pessoas esquisitas e desconfiadas. Enfim, ele pigarreou.

— Você pode me dar um relato do que levou à mudança em sua sombra?

Charlie tomou um gole do café, tentando descobrir como contar a história de uma forma que não voltasse para atazaná-la.

— Um homem apareceu no meu trabalho e usou sua sombra para me agredir. A sombra era como um nevoeiro, então algo que era como um boneco de papel recortado de uma pessoa misturado com um buraco negro. Uma forma feita da falta de luz. Podia ficar sólida o suficiente para derrubar algumas garrafas de bebida. E ela...

Charlie parou com a lembrança da coisa inundando seus pulmões, o desamparo daquele momento. Ela bebeu o restante do café em um gole, esperando que o amargor a ajudasse. Infelizmente, estava sem graça e aguado até o fim.

— Então a sombra desceu pela minha garganta. Parecia espessa e pesada, como se eu tivesse engolido uma nuvem de tempestade. Eu não conseguia respirar. — Ela olhou para o esmalte lascado no polegar para não ter que olhar para nem um deles. — Fiquei inconsciente, mas não por muito tempo.

Ela se lembrou de ouvir a voz de Vince ao acordar. A suavidade ao falar com Hermes. A suavidade na voz ao falar com ela nos degraus: "Queria que ele estivesse vivo para que eu pudesse matá-lo de novo."

— Só explique melhor algumas coisas — pediu Malhar. — Você pode me dizer a que distância a sombra conseguiu se mover do corpo da pessoa?

— Provavelmente por volta sete metros — respondeu Charlie, feliz por se concentrar nos detalhes técnicos em vez de como ela havia se sentido. — Mas em geral menos de três.

Ele passou por uma série de perguntas como aquela. Quantas vezes ficou sólida, quão sólida havia ficado. Havia parecido ligada ao sombrista. Se o sombrista parecia tenso de alguma forma ou se tinha parado para fornecer sangue a ela. Se Charlie tinha sangrado, e, caso tivesse, se a sombra havia parecido distraída ou interessada no sangue.

Ele fez uma anotação.

— E a sombra falou em algum momento?

Charlie balançou a cabeça, surpresa com a pergunta. *Pragas* falavam, ou pelo menos algumas falavam. As muito poderosas, como Rowdy Joss, responsável pelo Massacre de Boxford, ou Xiang Zheng, que ditara muitas observações sobre o mundo para os estudiosos por volta de 220 d.C. e fora considerado um fantasma. A maioria das Pragas era menos inteligente que os animais, um pouco de mau-caratismo tirado de suas lembranças humanas, misturado com a falta de sanidade que afligia a maioria deles.

Mas *sombras* ainda estavam amarradas. Não podiam falar, pelo menos não por conta própria. Bem, ela achava que não podiam.

Posey devia estar se perguntando a mesma coisa.

— Elas podem falar?

Malhar hesitou, não como se estivesse tentando decidir responder, mas como se estivesse tentando decidir como colocar o que estava prestes a dizer.

— Não sei o que vocês sabem sobre a mecânica da troca de energia que existe entre o sombrista e a sombra.

Posey franziu a testa. Ela não gostava de admitir o que não sabia, mas Charlie sabia que aquela era uma das coisas sobre as quais ela gostaria de ter respostas definitivas.

— Conte — pediu Charlie.

— O ser humano médio, em repouso, produz energia suficiente para alimentar uma lâmpada. Para carregar um telefone. E, se corrermos, produzimos o suficiente para alimentar um fogão elétrico. — Ele balançou a cabeça. — Não estou sendo preciso. De acordo com a primeira lei da termodinâmica, a energia não pode ser criada nem destruída. Então não *produzimos* a energia. Nós a convertemos a partir de comida e água.

Posey assentiu ao ouvir a explicação.

— Essa é a energia que é passada para as sombras. Elas são um pouco como um parasita. O corpo produz energia em excesso de qualquer maneira, e o parasita mágico a drena. Quanto mais energia armazena, mais poderoso se torna.

— E é assim que você faz com que a sombra faça coisas — observou Posey.

— Percebi que você tem a língua partida — comentou Malhar —, então tenho certeza de que já ouviu falar da consciência bifurcada. Os sombristas treinam os cérebros para conseguirem controlar suas sombras ao mesmo tempo que controlam os próprios corpos. Pessoas ambidestras têm uma vantagem. Se você vir um sombrista sem a língua partida, é provável que seja ambidestro.

— Certo — afirmou Posey, impaciente.

Para ela, aquilo era básico.

— O problema é que uma sombra ativada, por si só, não armazena muita energia. Então, digamos que um sombrista queira fazer alguma coisa que exija mais energia do que sua sombra tem… ele pode abrir um canal com a sombra, deixando-a extrair energia dele. Mas se deixar o canal aberto por muito tempo, o sombrista morre. É aí que entra a alma bifurcada.

"Se um sombrista colocar um pouco de *si* em sua sombra, pode criar uma entidade separada que retém energia. A sombra se torna um espelho, um eu refletido, um segundo eu, um eu invertido. Mas quanto mais poderosa sua sombra se torna, mais ela controla o sombrista."

— Pragas — concluiu Charlie.

Malhar assentiu.

— Quando o sombrista morre, sim. Mas acredito que estejam conscientes muito antes disso.

Ocorreu a Charlie que Malhar dissera que estava estudando a etnografia das *sombras*, e de repente ela entendeu por que seus orientadores podiam ter pensado que ele estivesse envolvido demais. Será que ele estava esperando entrevistar uma sombra? Será que tinha entrevistado uma?

— Hum, bem, vamos para a parte do teste — sugeriu ele, talvez vendo a expressão no rosto dela. — Tem três coisas que eu gostaria de tentar, mas vou ter que configurar algo antes.

— Você vai filmar? — perguntou Charlie.

— Faz parte do teste — explicou ele, com cautela.

Charlie franziu a testa quando ele pegou um suporte e conectou um fio de seu laptop no telefone.

— Nem pense em mostrar nossos rostos.

Ele assentiu, distraído, ao pegar os anéis de luz. Em seguida, pegou uma lanceta para furar o dedo em embalagem plástica.

— Charlie, você se importa de ficar de pé? — perguntou ele, depois de ter colocado o equipamento onde queria.

Ela se levantou.

— Agora, alguma das duas pode me dizer o que observaram que as fez acreditar que a sombra poderia ter sido afetada pela experiência?

— Ela se moveu de maneira estranha — contou Posey. — Não como se estivesse controlando a sombra ou algo assim, mas estranha.

Ele se virou para Charlie.

— Você a alimentou com sangue?

— Fui cortada naquela noite — revelou ela. — E aí, hoje no banheiro, tirei uma casquinha. Então não sei. Pode ser.

Posey parecia se sentir traída por estar ouvindo aquilo pela primeira vez, mas, considerando que nada daquilo estaria acontecendo se ela não tivesse traído a confiança da irmã, Charlie se recusava a se sentir mal.

— Você estaria disposta a furar o dedo agora? — perguntou Malhar. — Na frente da câmera.

— Sim.

Charlie pegou a lanceta e abriu o pacote. Ela espetou a ponta no dedo e viu uma gota repentina de vermelho aparecer.

Todos observaram em silêncio. Nada aconteceu. Finalmente Charlie lambeu o dedo.

— OK, isso não funcionou. Acabou?

Ela não tinha certeza de como se sentir. Não achava que queria ser uma sombrista, ainda assim parecia como reprovar em um teste.

— Pode tentar fazê-la se mover? — perguntou Malhar, embora devesse saber que era inútil.

Charlie se concentrou. Ela era pelo menos um pouco ambidestra, mas seu cérebro não parecia particularmente bifurcado.

— Está tentando? — perguntou Posey.

Charlie lançou um olhar para a irmã.

— OK, o último — disse Malhar.

Ele acendeu as luzes.

A primeira luz fez a sombra dela se elevar na parede à esquerda.

Então houve a segunda. Aquilo deveria tê-la dobrado de tamanho, mas nada aconteceu.

Charlie olhou, sem querer acreditar no que estava vendo.

— Ela é...?

Malhar assentiu e, quando falou, sua voz era um sussurro.

— Você tem uma sombra ativada. Ainda não está totalmente pronta, mas mais um ou dois dias de alimentação com sangue e estará. Acho que nunca vi uma nesta fase.

Charlie olhou para a própria sombra se elevando acima dela, seu coração batendo rápido. Fazia parte dela, ela sabia, mas não podia deixar de sentir um pouco de medo da sombra.

— O que eu faço?

— Você poderia parar de alimentá-la — sugeriu Malhar. — Isso faria a sombra parar de se desenvolver.

Ela assentiu.

— Mas você não faria isso — interferiu Posey, como se a opção em si fosse um insulto.

Charlie pegou o terceiro copo esquecido e bebeu mais um pouco de café aguado e morno.

— Ou você poderia se tornar uma sombrista. — Malhar começou a desmontar as luzes com um sorriso. — Algumas pessoas ficam desconfortáveis com a ideia de sombras ativadas. Existem até grupos marginais que acreditam que estamos sendo enganados quanto à natureza delas.

Posey bufou.

— Ele está falando das pessoas que pensam que as sombras são *demônios*.

Ele assentiu.

— Ou alienígenas. Elas acham que nossas mentes estão interpretando mal o que nossos olhos estão vendo, porque a verdade é horrível demais para a mente humana compreender.

— Mas Charlie não perdeu a cabeça — afirmou Posey.

Charlie não tinha muita certeza daquilo.

— OK, então o que *são* sombras ativadas?

— Em teoria? Você provavelmente já ouviu falar de *matéria* escura: o material que impede a gravidade de destruir nossa galáxia. Tem que estar lá, ou todos os outros cálculos matemáticos desmoronam, mas ninguém pode provar isso. E, bem, a *energia* escura é ainda mais teórica do que isso.

"A energia escura foi usada para explicar fantasmas, mas é mais adequada para sombras. De alguma forma, poderíamos considerá-las fantasmas dos vivos. E assim como os fantasmas parecem ser ecos de acontecimentos traumáticos, diz-se que as sombras afóticas são formadas a partir do trauma. Alguns professores aqui acreditam que sombras afóticas, como fantasmas, reencenam lembranças em vez de ter vida de verdade. O que é mentira, a propósito."

— Afótica? — repetiu Charlie.

— Que cresce na ausência de luz — explicou Malhar, em tom de desculpa. — O termo pegou no meio acadêmico.

— Então o trauma *é* o que ativa as sombras? — Posey estava um pouco sem fôlego, uma vez que chegaram à parte da conversa em que ela estava mais interessada.

Malhar franziu a testa.

— Parece ser, mas traumas são muito individuais. Existem alguns vídeos muito perturbadores de pessoas fazendo coisas extremas e irresponsáveis para despertar suas sombras. Mas é improvável que isso funcione porque eles não carregam peso emocional. Trauma é mais do que dor.

Charlie lançou um olhar para a irmã.

— Então, nada de ayahuasca?

Malhar caiu na gargalhada.

Posey, presa entre o constrangimento e a raiva, ficou em silêncio.

— Melhor a gente ir — afirmou Charlie, tentando não sentir muita satisfação com o momento.

Malhar pegou o celular da mesa.

— Eu gostaria que você falasse comigo de novo, para que eu possa monitorar o progresso da sua sombra. Espero que saiba que pode confiar em mim.

— Posso fazer uma pergunta em off? — perguntou Charlie.

Ele parou a gravação, franzindo a testa.

— Com certeza.

— Você já ouviu falar de um livro chamado *Liber Noctem*?

Ele ergueu as sobrancelhas.

— *O livro das Pragas*?

Ela assentiu.

— Ouvi sobre o leilão — respondeu ele. — Houve muitas alegações sem noção… que foi escrito por uma Praga, uma que "capturou o sopro da vida". Eu adoraria dar uma olhada nele. É um dos livros que todo mundo quer estudar, como *O tratado de Lúcifer*, ou *Codex Antumbra*, ou *Fushi-no-Kage*.

— Você acha que alguma das alegações é verdadeira?

Ele deu de ombros.

— Tipo que foi escrito por uma Praga? Isso seria fascinante. Quase todos os livros sobre magia das sombras são escritos do ponto de vista do sombrista, mas como seria do ponto de vista de uma sombra que estaria se tornando consciente e aprendendo a seguir os próprios desejos?

Charlie não tinha certeza se queria saber, mas estava entendendo por que uma Praga poderia querer lê-lo.

Minutos depois, Charlie e Posey atravessaram o gramado em direção ao estacionamento. Grupos de estudantes passavam por elas.

— Realmente achou que minha sombra estava ativando? — perguntou Charlie.

Posey balançou a cabeça.

— Você achou?

— Óbvio que não. — Charlie enfiou as mãos bem fundo nos bolsos da jaqueta de couro. — Eu teria falado para você.

Posey bufou, como se não tivesse tanta certeza.

— Você se encaixa aqui — comentou Charlie, olhando ao redor.

Sua irmã não respondeu.

— Estou falando sério — disse ela. — Você é como essas pessoas.

Posey chutou algumas folhas molhadas.

— Estamos com as contas atrasadas e, como você costuma me lembrar, só conseguimos pagar a casa porque o Vince paga parte do aluguel. A universidade é uma despesa estúpida. E, além disso, tudo vai ser diferente agora. Você é um deles. Em um ano, quando for uma sombria, podemos fazer o que quisermos. Mesmo que o que você queira seja que eu tenha um diploma inútil.

Charlie fez uma careta para o chão, para sua sombra. Ela nunca havia considerado um futuro em que ela fosse uma das pessoas com poder. Seria bom acreditar que aquilo significava que ela poderia dar a Posey algo que a faria feliz. Mas desde que eram crianças, Charlie parecia conseguir tudo que Posey queria. A atenção da mãe. Dinheiro no bolso. E naquele momento, magia de verdade.

No entanto, mesmo que coisas boas estivessem por vir, primeiro ela teria que lidar com Vince, que a tinha traído, que era um mentiroso com um livro escondido, uma conexão com Salt e com a violência. Saber os segredos de Vince era como ter a barriga cheia de moscas. Se abrisse a boca, ela não achava que poderia impedi-las de se derramarem para fora como um enxame nojento.

15
O PASSADO

Com Rand morto, Charlie passou algumas semanas à toa. Na escola, ela saía com os amigos. Tinha mais tempo para ir à casa deles e a festas nos fins de semana.

Durante anos, ela havia dito a si mesma que era ele quem a forçava a participar de seus esquemas. Mas sem eles, Charlie se via inquieta. Parecia precisar de mais intensidade do que as pessoas ao redor, precisava de uma dose maior de adrenalina antes de sentir qualquer coisa.

Seis meses depois que Rand foi enterrado, Charlie se viu de volta no Moose Lodge. Benny riu quando a viu entrar pela porta.

— Ah, que isso, querida — murmurou ele. — Aqui não é seu lugar. Não quero que o inspetor da escola venha atrás da gente.

Ela largou a mochila em uma das mesas e caminhou até os fundos do bar. Verificou a máquina de gelo, que produzia gelos que se fundiam e exigiam o uso vigoroso do picador. Ela lhe preparou um martíni do jeito que ele gostava: vodca gelada em um copo com guarnição de várias azeitonas para aplacar a intensidade.

— Quero fazer um serviço sozinha — afirmou ela enquanto empurrava a bebida para Benny. — E não quero trabalhar para o Knight.

Ele franziu a testa para ela.

— Os sombrios são os que estão contratando nos dias de hoje.

— OK — concordou ela, embora suas palmas tivessem começado a suar. — Só não para ele.

Ele deu de ombros.

— O sobrinho do Willie, Stephen, começou a roubar sombras. Diz que é dinheiro fácil. Diz que pode cortar uma sombra do jeito que você cortaria a alça de uma bolsa; tudo que precisa é de uma daquelas facas de ônix.

— Como assim? Você assalta as pessoas? — Ela fez uma careta, tendo adquirido de Rand uma antipatia por crimes que não exigiam nenhum talento real.

— Ele está recebendo duzentos e cinquenta por ataque — contou Benny. — Vinte vezes isso se for uma daquelas com magia, mas isso é perigoso.

Charlie assentiu, pensativa.

Ele olhou para ela com ceticismo.

— Mas você quer um trabalho de verdade.

Ela endireitou os ombros.

— O que é?

— O tipo de coisa que um de nós poderia ter tentado em nosso auge, sabe? Você conhece a Casa Arthur Thompson?

— Óbvio — respondeu Charlie.

Ela havia ido lá com a turma da escola no nono ano.

— Tem um grupo de jovens sombristas que juntou um dinheiro e quer que alguém invada a Casa e roube uma única página de um dos cadernos em um armário trancado. Supostamente tem algo a ver com o uso de sombras como energia absorvível para alterar outras sombras e esse blá-blá-blá chato de magia. Acha que consegue?

Arthur Thompson tinha inventado a coleta de eletricidade de tempestades e fundado a primeira fazenda de raios cerca de trinta anos antes. Ele fora famoso por aquilo, antes do Massacre de Boxford. Era por aquilo que ele deveria ser lembrado, de acordo com os professores de Charlie, que queriam preservar o legado de uma lenda local diante do interesse das crianças pelo horror.

Além do interesse por raios, Arthur Thompson se interessara por magia das sombras. Sendo um homem da ciência, quando descobrira um estande na feira do condado dirigido por um grupo de fundamentalistas que acreditavam que o sombrismo era obra do diabo, ele e dois amigos pararam para argumentar.

Para encurtar a história, todos foram baleados, Arthur morreu e sua sombra se tornou uma Praga que matou mais de cem pessoas. Mas sua casa foi preservada do jeito que ele a havia deixado, incluindo sua oficina com todas suas anotações.

— Quanto paga? — perguntou Charlie.

Benny bufou.

— Quinhentos.

Ela olhou para ele, tentando descobrir de quanto era a parte dele.

— Isso não parece muito. Esse é o preço de duas sombras roubadas.

Ele deu de ombros.

— É, você provavelmente devia ficar com uma tarefa mais fácil.
Charlie pegou o serviço.

Charlie sempre havia se sentido como um ouriço-do-mar cheio de espinhos, mas se ela queria ser o tipo de golpista que Rand tinha sido, teria que aperfeiçoar seu charme. Uma coisa era seguir os sinais dele e outra era ser responsável por tudo.

Ela praticou com o básico. O golpe do troco, em que você compra um pacote de chiclete com uma nota de vinte, depois tenta fazer com que a pessoa no caixa lhe dê uma nota de dez por nove dólares enquanto embolsa o troco, depois se "corrige" e entrega uma nota de dez, recebendo os vinte de volta. Era uma enrolação, mas exigia que ela levasse alguém na conversa e parecesse honesta.

Em seguida, o golpe do produto falso, que era particularmente eficaz para um adolescente. Charlie fingia encontrar um anel na rua que parecia de ouro, ou algo de valor similar, então perguntava a um transeunte se era dele. Muitas vezes ela nem precisava sugerir que lhe dessem uma nota de vinte e tirassem o anel das mãos dela; tinham tanta certeza de que estavam dando um golpe em Charlie que eles mesmos faziam aquilo.

O truque a ajudou a descobrir o quanto sorrir, o quanto ser tímida, o quanto parecer ansiosa. E ela ganhou sessenta dólares, o que já era alguma coisa.

Naquele sábado, Charlie se preparou para fazer o primeiro trabalho sem Rand.

Um telefonema para a Casa Arthur Thompson lhe forneceu a primeira informação de que precisava. Ela descobriu quais grupos estariam visitando a casa na segunda-feira, então foi ao brechó mais próximo da escola católica que o funcionário do museu havia mencionado. Lá, conseguiu encontrar um uniforme escolar. Parecia um pouco comido por traças e a saia tinha uma bainha extra curta feita pela última dona, mas o traje completo custou apenas doze dólares, incluindo a camisa branca.

Em casa, ela experimentou diferentes penteados no cabelo. Tranças a fizeram se sentir como se estivesse vestindo uma fantasia, mas quando puxou o cabelo para trás em um rabo de cavalo alto, colocou meias pretas, brilho labial e um chiclete na boca, ficou perfeito.

Seria fácil entrar; afinal, era um museu, e visitantes eram bem-vindos. Mas seria bem mais difícil entrar em um escritório trancado e depois em um armário trancado sem que ninguém percebesse. E bem mais difícil cortar uma página de um livro e sair com ela antes de ser parada.

Na segunda-feira, Charlie colocou o plano em prática. Disse para a mãe que dormiria na casa de Laura, depois falsificou um atestado médico para a escola. Então pegou o ônibus para Northampton. De uma distância discreta, ela observou a turma entrar, marcou quinze minutos e apareceu.

— Estou atrasada — anunciou ela à mulher na recepção, parecendo tão em pânico quanto conseguia. — Me desculpe. Minha mãe teve que me deixar, e vou ficar muito encrencada. Eles estão aqui, certo? Posso entrar?

A mulher hesitou, mas apenas por um momento.

— Entre. Depressa.

Charlie passou correndo e se juntou a eles, aliviada que a primeira parte havia acabado. Ela encontrou a turma, mas ficou longe até que entrassem no escritório de Arthur Thompson. Então ela se meteu no meio da horda de estudantes e deslizou para dentro. Aquela era a parte importante, porque a porta tinha alarme, e apenas um grupo podia entrar por vez.

O professor, um padre de aparência bastante jovem com sotaque do Leste Europeu, pigarreou.

— Agora, vamos ouvir com os ouvidos, não com a boca.

Charlie seguiu para atrás de uma estante de livros.

Uma pessoa que trabalhava no museu começou a falar sobre a infância de Arthur Thompson, os desafios de Harvard nos anos 1980, como ele levara um choque forte do protótipo do mecanismo de coleta de raios que o levou a passar seis semanas no hospital.

— Foi quando a sombra dele se tornou mágica? — perguntou uma das meninas.

O padre a reprovou com o olhar, mas quem guiava assentiu.

— Em geral acredita-se que seja esse o caso, porque ele foi atrás da magia das sombras depois disso. Ele se juntou a alguns dos primeiros bate-papos e até desenvolveu cálculos sobre a troca de energia entre o sombrista e a sombra.

— E aí o que aconteceu com ele? — perguntou um menino lá atrás.

— Você não fez a leitura, Tobias? — ralhou o padre.

— Não, quero dizer com a sombra — explicou o garoto. — Rowdy Joss, era como se chamava quando era uma Praga, né? Tipo, ele foi caçado?

— Nada disto estava na leitura — contrapôs o padre. — E não precisamos desperdiçar o tempo da equipe.

— Eu vi o vídeo — comentou o garoto. — Na internet.

A pessoa da equipe do museu sorriu, embora o sorriso tivesse se tornado um pouco tenso.

— Ninguém sabe o que aconteceu com a sombra do Arthur após o Massacre de Boxford. Houve alguma especulação de que a transferência de energia criou perda de memória ou que a sombra ficou confusa. Mas lembre-se de que Rowdy Joss não era Arthur. Arthur morreu no Massacre de Boxford, uma vítima como todas as outras naquele dia.

Charlie ouviu a conversa seguir o padrão familiar, enquanto o professor e a equipe do museu lutavam bravamente para retomar o assunto principal. Quinze minutos depois, a turma saiu, deixando Charlie escondida atrás da estante. Ela esperou até que a sala estivesse vazia para sair e rastejar para baixo da enorme mesa de Arthur Thompson.

Ela observou pés se movimentando, então se deu conta de que deveria ter ido com o último grupo e não com o antepenúltimo. Mas não era como se tivesse que se preocupar muito em não fazer barulho ou se mexer ou qualquer coisa assim. Havia som por todo lado, uma cacofonia de risadinhas, chiclete mascado e explicações de guias.

Então o último grupo saiu. Na outra sala, ela ouviu a equipe do museu, duas pessoas, conversando. Uma delas riu. Então, para seu desespero, o zumbido do aspirador começou.

Mas não foi levado para o escritório e desapareceu após alguns minutos.

Charlie deu um suspiro de alívio.

Ela escutou conforme as fechaduras foram trancadas e os alarmes ligados. Lá fora, a noite havia caído. Charlie se arrastou para fora, mais nervosa do que achou que estaria. Apesar de todas as casas pelas quais tinha passado, aquilo parecia diferente. O menor som a deixava sobressaltada.

Respirando algumas vezes para se acalmar, Charlie usou o celular para iluminar o suficiente para que pudesse arrombar a fechadura do armário. Levou três tentativas antes que seus dedos enfim estivessem firmes o bastante para abrir a porta.

Lá dentro, ela encontrou o caderno que eles queriam, era um dos que estavam expostos. Charlie folheou até encontrar uma página escrita "Troca de energia das sombras", então tirou uma navalha da mochila.

Mas, ao se preparar para cortar, sentiu-se culpada. Parecia errado cortar um livro. Quando era Rand fazendo as coisas, ela nunca tivera que pensar em questões *morais*. Ele era um cara mau, eles estavam fazendo coisas ruins, e acabava ali.

Charlie comeu uma barra de granola da mochila, olhando para o armário.

Andou pela sala, observando as fotos. Esboços originais da fazenda de raios feitos por Arthur Thompson. Uma carta de felicitações do governador. E, em um canto, uma carta de alguém alegando ser uma Praga em uma caligrafia cheia de laços e firulas.

Para A. Thompson na cidade de Northampton.
  Você tem tentado entrar em contato comigo e peço que desista. Sim, existem seres antigos nas sombras, mas é melhor nos deixar em paz.
  Não tenho interesse que me estudem. Minha origem pode ter sido a partir da sua espécie, mas não sou mais como vocês.
      Escrito no dia 23 de abril por Cleophes de York

Ela franziu a testa, se perguntando se a Praga de Arthur Thompson ainda estava pelo mundo, escrevendo cartas.

Por fim, Charlie pegou o telefone e tirou uma foto da página do caderno. Tinha a mesma informação e se era aquilo que eles queriam, deveria ser suficiente. Ao fazer aquilo, ela teve a sensação de que estava fazendo besteira, mas não conseguiu cortar a página.

Então foi até as janelas, esperando que houvesse uma saída, mas tinham alarme. Charlie se sentou na cadeira, girou-a um pouco. Jogou um jogo no celular. Rastejou de volta para debaixo da mesa e cochilou.

E aí viu algo na janela. Uma sombra no canto da sala, deslizando para longe da parede. Charlie se encolheu ainda mais e tentou não respirar.

A sombra cruzou a sala, parando em uma faixa de ladrilhos pretos que cruzava o chão. Ao passar, tornou-se mais sólida. Por um momento, assumiu feições, como as do sombrio a controlando. Ela seguiu adiante, para além dos ladrilhos de ônix, e chegou ao armário. Escorregou pelo buraco da fechadura e a porta do armário se abriu.

Então a sombra se tornou sólida outra vez, como se alguém moldasse a noite em forma humana. Era provável que precisasse assumir tal forma para carregar o livro. O coração de Charlie estava disparando, e ela prendeu a respiração de novo quando a sombra passou por ela. A sombra deixou o livro enfiado em um canto da sala, em uma cesta de plantas arquitetônicas enroladas que poderiam ser réplicas.

Quando escorregou pela janela, Charlie percebeu por que não havia levado o livro. Assim como Charlie, não podia levá-lo pela janela ou pela porta. Mas podia realocar o livro para que o sombrista pudesse entrar no dia seguinte e enfiá-lo na bolsa e sair sem que ninguém percebesse.

Estava quase amanhecendo quando Charlie concluiu que a sombra não estava esperando lá fora, logo ela foi até a cesta para olhar o livro.

E fez uma careta. Era o volume exato do qual ela deveria cortar a página. Então, tardiamente, com uma sensação de alegria perversa, Charlie abriu o livro e pegou a navalha.

Quem quer que fosse o sombrista que estivesse tentando pegar o livro ficaria muito surpreso quando conseguisse. Ela esperava que ficasse furioso. Charlie sentiu um desejo repentino e selvagem de assinar seu trabalho e lutou contra aquilo.

Quando a primeira turma chegou no dia seguinte, Charlie estava se sentindo feliz da vida com a vitória e precisando desesperadamente fazer xixi. Quando o grupo deixou a sala, Charlie saiu debaixo da mesa e foi para atrás das estantes. Mais uma turma. Mais uma palestra. E ela estaria fora dali.

O próximo grupo entrou no escritório. Charlie sorriu para um menino que se moveu para ficar perto dela. Ela limpou o canto da boca e então franziu a testa para ele.

— Você tem uma coisa... — comentou ela.

Ele passou a mão onde Charlie tinha apontado e ela estendeu a mão para limpar para ele.

— Aqui — disse ela. — Pronto.

Charlie conseguiu ficar fora da vista dos professores até a hora de sair. Então tentou sair com os outros, de cabeça baixa. Logo na porta, ouviu uma voz.

— Ei — chamou uma professora. — Você não está nesta turma.

Ela se virou com expressão de culpa e batom borrado. Viu o olhar da professora dirigir-se ao menino cuja boca ela lambuzara com o batom.

— Keith! — exclamou a professora.

Então Charlie passou pela porta, e estava fora do museu, com o que ela esperava ser uma desculpa crível para fugir dali.

Benny marcou a reunião dela para o fim do dia, no estacionamento atrás de um café no meio da cidade.

Três sombrios de vinte e poucos anos apareceram. Uma tinha uma caneta vape na boca. Outro carregava um skate. Eles a olharam como se nunca fossem ter contratado Charlie se tivessem percebido o quão jovem ela era.

— Aqui estão seus trezentos — disse a sombria com a caneta vape, gesticulando, despreocupada.

Charlie abriu a boca para reclamar e outra pessoa do trio interrompeu, sorrindo:

— É pegar ou largar.

— Largar — respondeu Charlie.

— Para quem você vai vender a página, se não for para a gente? — questionou o menino. — Acha que alguém vai te dar um preço melhor?

Charlie se perguntou se havia sido um deles que tinha enviado a sombra para a Casa Arthur Thompson, deixando os outros de fora. Ou se era alguém com quem um deles havia falado, tentando roubar o negócio.

Ela supunha que poderia contar para o trio. Mas não gostava deles o suficiente.

— Seiscentos, ou ponho fogo na página. E o preço vai subir cada vez que vocês negociarem.

Eles se entreolharam.

— De jeito nenhum.

— Setecentos — informou Charlie.

Um deles riu, e Charlie pegou um isqueiro do fundo da bolsa. Acendeu.

— Vai se foder — disse a pessoa com o skate.

Charlie incendiou a página. A chama se alastrou depressa, virando cinzas em segundos enquanto os três gritavam. As cinzas voaram, formas pretas circulando no vento como sombras.

Ela sorriu com desprezo para os sombrios, lutando contra uma onda de exaustão pela noite acordada, a frustração de perder quando estivera tão certa de que havia vencido e a certeza de que aquilo nunca teria acontecido com Rand.

— Você sabe o que fez? — reclamou a moça com a caneta vape.

— Me certifiquei de que ninguém nunca mais vai me passar a perna — retrucou Charlie e foi embora, mantendo a cabeça erguida e os ombros retos.

Naquela noite, ela colocou a foto que havia tirado on-line. Às vezes ainda via a imagem sendo repassada. Charlie sempre conseguia distinguir que era dela porque um canto de seu dedo estava visível na borda da fotografia.

16
LAMBER SUAS FERIDAS

Quando Vince chegou a casa, Charlie fingiu estar dormindo, respirando de forma profunda, com o rosto enfiado no travesseiro, pressionando o nariz no tecido. Ele ficou parado na porta, olhando por tempo suficiente para os cabelos da nuca dela se arrepiarem.

Ela sabia que teria que o confrontar, mas não naquele momento. Não quando estava exausta e a raiva que deveria estar sentindo de alguma forma tinha se esvaído, deixando-a pesada com a tristeza. Charlie não queria que Vince fosse neto de Lionel Salt, não queria ter que se perguntar até onde ele iria para proteger sua identidade. Se tinha assassinado Hermes por reconhecê-lo como Edmund Carver, aquilo significava que a mataria também?

Ele não pode perceber que eu sei, lembrou a si mesma. *Pelo menos ainda não.* Mesmo assim, ela imaginava Vince se deitando ao lado dela, pegando o travesseiro e a sufocando.

Imaginava-o escondendo uma faca da própria cozinha de Charlie atrás das costas enquanto se aproximava da cama. Ela se distraiu ao lembrar que tinha comprado aquelas facas na TJ Maxx e sempre precisavam ser afiadas. A última vez que havia cortado uma abóbora, realmente tivera que serrar. Seria uma forma horrível de morrer.

E dada a rapidez com que Vince havia se livrado do último corpo, não teria problemas para se livrar do dela também. Charlie não duvidava de que ele tivesse todos os solventes certos para limpar as coisas tão bem que uma equipe forense teria dificuldade em encontrar provas.

Ela estremeceu de medo e mordeu a bochecha para se manter imóvel.

Aquela velha história sobre assassinos lhe ocorreu: *um cara quieto, que ficava na dele.* Aquilo realmente descrevia Vincent.

Ela ficou parada enquanto ele dobrava as calças e colocava a camisa no cesto de roupa suja. Não se mexeu conforme Vince pôs o relógio na cômoda e conectou o celular ao carregador.

Talvez ela devesse tirar vantagem daquilo. Morando com ele, seria bastante fácil incapacitá-lo. Tranquilizantes para cavalos. Intoxicação alimentar. Sugerir amarrá-lo à cama para transar. Então ela poderia interrogá-lo. Forçá-lo a admitir tudo. Fazer todas as perguntas que sempre quis.

E, no entanto, o que ela desejava era que ele se deitasse na cama e colocasse a mão em seu ombro, para dizer que sabia que ela estava acordada. Para dizer que a amava desesperadamente e que queria confessar todas as coisas que escondera e todas as razões para ter feito aquilo. Era um desejo infantil, um desejo de que o mundo não fosse como era, de que as pessoas agissem de maneiras que simplesmente não agiam. Era o desejo de uma otária, pronta para ser roubada de tudo o que tinha.

Vincent Damiano não é uma pessoa real. Ela estivera tão ocupada tentando garantir que Vince não a visse por trás de suas máscaras que não havia percebido que ele *só* tinha máscara.

Buraco na cabeça, no coração ou no bolso. A maldição da família Hall.

Por fim, ele saiu do quarto, apagando a luz. Ela ficou deitada sozinha no escuro, com os olhos abertos. Lá fora, as luzes da rua brilhavam. Atrás das casas dos vizinhos, o antigo prédio do moinho se erguia, escuro também, com a lua como uma brilhante moeda de prata acima.

Quando a luz vermelha do amanhecer sangrou no horizonte ela finalmente adormeceu.

Charlie acordou no início da tarde, sozinha.

Ela cambaleou para fora da cama, então enfiou a cabeça no quarto da irmã para se certificar de que Vince não tinha perdido a sanidade e a cortado ao meio ou algo do tipo. Posey estava dormindo, com um braço jogado sobre seu MacBook velho.

Charlie vestiu um robe, foi até a cozinha e se serviu de uma caneca de café amargo e morno. Ela pôs uma faca no bolso do robe. Então esperou, com o estômago revirado.

Era hora de ter a conversa.

Vinte minutos depois, Vince voltou com duas sacolas de compras. Charlie não podia deixar de ver o espaço da casa por meio de seus olhos de menino rico. Todas as coisas desgastadas. Todas as manchas de gordura. Tudo caindo aos pedaços.

Ele olhou uma vez para sua expressão e colocou as sacolas no balcão, sem fazer nenhum movimento para guardar as coisas.

— Aconteceu alguma coisa?

— Você mentiu — afirmou Charlie, olhando nos olhos claros dele.

Vince ainda não estava na defensiva, mas parecia cauteloso.

— Eu...

— Tentando descobrir de qual mentira estou falando? Deve ser difícil quando existem tantas — retrucou ela. — *Edmund Carver.*

— Não me chame assim.

— Porque você prefere *Remy*? Ou porque tem medo de que alguém ouça? — Ela havia imaginado que seria terrível confrontá-lo, mas foi *ótimo* ver a maldade dentro dela ser extravasada enfim. — Foi difícil dormir em um colchão no chão e não nos seus lençóis de um bilhão de fios?

Ele balançou a cabeça.

— Juro para você, não foi assim.

Mas ao olhar para ele, tudo o que viu foi o Edmund Vincent Carver das colunas sociais, o desdém nos olhos cor de fumaça. Apenas um pouco de pomada capilar, a cabeça erguida, e ele seria um desconhecido. Se ao menos ela o tivesse observado mais de perto, teria percebido: reparando naquele relógio Vacheron Constantin a vinte passos de distância, conhecendo as casas de veraneio dos ricos, amando a porra das fofocas pelo amor de Deus. Sem falar na habilidade de matar pessoas e acreditar que não haveria consequências.

— Ah, você *jura*. Bem, então *deve* ser verdade — retrucou ela, com rispidez na voz.

— Eu queria recomeçar. — A voz de Vince permaneceu calma. — Sem nenhuma parte da minha antiga vida. Não queria que você me visse do jeito que eu costumava ser.

— Essa é uma fala bonita. Mas não explica o fato de que você deveria estar morto — contrapôs Charlie. — Ou como todo mundo está procurando um livro que você roubou, incluindo o cara que tentou me matar. Pena que você não guardou isso na mala escondida na parte detrás do armário do nosso quarto, junto com a sua verdadeira carteira de motorista.

— Você mexeu nas minhas coisas? — A súbita falta de emoção na voz dele foi enervante.

Mas Charlie seguiu adiante, toda a sua dor finalmente se transformando em raiva.

— Isso mesmo. Encontrei a carteira de motorista. E aí encontrei o artigo do jornal sobre como você assassinou uma garota e depois a si mesmo — contou ela. — Você quer que eu me sinta mal por invadir sua privacidade?

— Sim — respondeu ele, esfregando a mão no rosto. — Um pouco. Não sei.

— Sabe o que mais? Ouvi tudo o que você disse para o Hermes. Tudo. Foi quando soube que você estava mentindo. E agora sei por que você matou o cara, porque ele te reconheceu.

Vince balançou a cabeça de novo, como se pudesse se livrar das palavras dela.

— Vai em frente — continuou ela. — Pode negar. Me diz que você não é uma pessoa de mentira em um relacionamento de mentira.

— É isso que você realmente pensa? — Seus olhos estavam com um brilho de fúria que ela nunca tinha visto antes. Lampejando de raiva.

Aquilo a fez hesitar.

— O que eu deveria pensar? Quantas pessoas você matou por causa de Lionel Salt?

— Muitas — confessou ele e fechou os olhos.

Ela o encarou, horrorizada.

— A menina?

Vince balançou a cabeça.

— Não, a Rose, não.

— E o homem que encontraram no carro? O corpo que você deixou todo mundo pensar que era seu? — A voz dela estava tão fria quanto ela podia querer, e implacável.

— Eu não conseguia me fazer parar... — começou ele.

— ... de matar? — completou ela. — Minha mão escorregou e por um acaso tinha um machado nela! De novo. Ups!

— Vou embora — anunciou ele de maneira brusca e se virou para o corredor em direção ao quarto deles.

— Prefere ir embora a responder? — gritou ela atrás dele.

Vince continuou andando, sua mão deslocando para a parede em um ponto, como se precisasse se segurar. Óbvio que ele iria embora. Óbvio que só estava lá enquanto ela era fácil, enquanto tudo era fácil.

A gata o seguiu, chicoteando o rabo de maneira acusatória.

Charlie o seguiu também.

— OK, onde está o *Liber Noctem*? Que tal isso? Todos querem saber. O Hermes queria.

— Por quê? Para que você possa roubar o livro de mim? — perguntou ele, escancarando uma gaveta.

— De preferência — respondeu Charlie da porta, observando-o começar a colocar roupas em uma mala. — Com certeza me daria muito dinheiro.

Ele parou de fazer as malas.

— O Salt está jogando um jogo e alguém está jogando com ele. Eles querem fazer de todos nós peões. A pior coisa que alguém pode fazer é encontrar esse livro.

— OK, explique — pediu ela. — Me diz o que está acontecendo.

— Não posso — retrucou ele.

— Você não quer — corrigiu ela. — Você nunca me quis, não é? Só queria um lugar para se esconder e lamber suas feridas. Nunca me amou.

Parecia que ela o tinha esbofeteado. Então algo em sua expressão mudou, tornou-se uma casa trancada à noite, com alarmes acionados.

— O que você sabe sobre amor? — perguntou ele, colocando a mala no ombro. — Não fui o único que mentiu.

Charlie abriu a boca, mas de todas as coisas que ela estava pronta para responder, aquela não era uma delas.

— Talvez eu não tenha te contado tudo sobre mim, mas isso não é o mesmo que fingir ser alguém...

— *Você está certa* — gritou ele, interrompendo-a. Foi assustador vê-lo se descontrolar depois de tantos meses de contenção, e havia algo em seus olhos que a fez se perguntar se ele também estava com medo. — Eu não podia te dar o que você precisava. Escondi coisas de você. Mesmo que você não soubesse o que havia de errado, você sabia que não tinha o suficiente de mim. Eu gostaria de poder dizer que sinto muito, que queria ser sincero o tempo todo, mas não queria. *Nunca* quis ser sincero. Só queria que o que eu te contei fosse a verdade.

— Me conte mesmo assim — gritou ela de volta, recusando-se a recuar. — Seja sincero agora. Você me deve isso pelo menos.

— Não devo — disse ele. — Não vou ser.

— Tudo bem, então você que se foda. Pode fugir. É isso que você faz, não é? Vai encontrar outra garota estúpida para enganar.

A gata pulou e subiu até a metade do tornozelo de Charlie e mordeu sua panturrilha três vezes seguidas.

— Ai! Merda! — gritou ela quando Lucipurrr saltou para longe, correndo para o outro cômodo. — Qual a porra do seu problema, gata?

Vince sorriu, erguendo as sobrancelhas, e Charlie riu. Um momento depois, ela estava furiosa consigo mesma por rir, e com a gata, por ser uma babaca demoníaca, mas não tinha conseguido evitar. E, naquele instante, ela se perguntou se talvez tivesse estado errada ao pensar que não conhecia Vince, que talvez houvesse alguma verdade mais verdadeira por trás das mentiras.

Ainda havia um leve sorriso no rosto de Vince quando ele se afastou, com a mala no ombro.

— Não é o que você pensa — comentou Vince, da entrada do corredor.

Ele não se virou, então ela não podia nem tentar interpretar sua expressão. O humor havia deixado sua voz, no entanto.

— Ah, é? — respondeu ela. — Então por que você está indo embora?

— Porque é pior.

Alguns minutos depois, ela ouviu a porta telada bater.

Charlie teve que pressionar as unhas na palma da mão para se forçar a não correr atrás dele. Então o motor da van ligou. Depois veio o som de pneus no asfalto detonado da entrada da garagem.

Ela chutou a cômoda. O móvel machucou mais seus pés descalços do que ela conseguiu machucar o compensado. Charlie chutou de novo.

Não só havia algo tão profundamente errado com ela que o cara que ela tinha certeza ser uma boa pessoa havia se revelado um assassino que tinha forjado a própria morte, além de ser o neto de uma pessoa que ela odiava, como *até mesmo aquele cara* a tinha deixado.

Ela era um poço envenenado mesmo.

Charlie chutou a cômoda pela terceira vez só para garantir.

E, ainda assim, ela não voltaria atrás sobre tudo que descobrira. Ainda teria roubado o recibo. Ligado para a livraria. Sussurrado um francês ruim. Vasculhado as coisas dele. Aquele era o problema dela. Charlie Hall, nunca satisfeita a menos que todas as carcaças fossem reviradas e todas as larvas reveladas.

Não, ela não pensaria nas últimas quarenta e oito horas. Roubaria Adam e depois o entregaria para Doreen, exatamente como havia planejado. Pelo menos Charlie poderia atormentar o namorado terrível de outra pessoa, considerando que ela não tinha mais um.

Charlie lembrou vagamente de que ela não deveria querer fazer coisas como aquela, mas aquilo havia sido quando ela estivera tentando ser boa.

As atribulações a tinham encontrado mais uma vez e ela estava pronta para recebê-las de novo. E se Adam tivesse o *Liber Noctem*, se por acaso ele o tivesse tirado de Vince, melhor ainda.

Vingar-se de *todos*. Aquilo preencheria seu tempo. Aquilo a manteria ocupada. Evitaria que ela sentisse seus sentimentos.

Se ela não podia ser responsável, cuidadosa, boa ou amada, se estava condenada a ser um fósforo pegando fogo, então era melhor Charlie voltar a encontrar coisas para queimar.

17
NÃO PERTURBE

Uma coisa maravilhosa sobre os assaltos era toda a atenção que absorviam.
 Quando você ia roubar algo ou dar um golpe em alguém, não podia parar para pensar em sua sombra ativada, se deveria alimentá-la com sangue ou fazê-la adormecer de novo ao passar fome. Não podia parar para pensar nas últimas palavras de Vince, ou no jeito que ele havia olhado para você ao chegar da loja, com as sacolas ainda nos braços.
 O que você sabe sobre amor?
 Não podia parar para pensar que havia deixado a comida no balcão e ela provavelmente estava apodrecendo.
 Não, tinha que deixar de lado qualquer dor ou problema ou tristeza que tivesse. Adiar todos os sentimentos até que o trabalho fosse feito.
 Doía admitir que Rand estivera certo sobre ela, todos aqueles anos antes. Charlie havia entrado no roubo como um tigre na água, encontrando ali uma trégua do calor.
 Balthazar também estivera certo. Aquela era a única coisa em que ela já havia sido boa.

☾

No estacionamento do lado de fora do hotel MGM, Charlie se preparou o mais rápido que pôde. Primer sobre a pálpebra, uma sombra marrom-escura esfumaçada na dobra. Ela passou delineador líquido na linha dos cílios, usou lápis branco na linha de água inferior e lápis preto delineando o restante do olho. Ela encerrou com rímel, aos montes, passado nos cílios três, quatro vezes. Em seguida, cílios falsos colados em cima.

Piscando para si mesma no espelho retrovisor, Charlie passou uma base dois tons mais claros que sua pele, espalhando com os dedos, fez um contorno sob as maçãs do rosto e ao longo dos lados do nariz com um pincel, então esfumou mais e acrescentou blush e iluminador. Ao terminar, o nariz parecia mais estreito e as bochechas mais cheias, mudando o rosto. Enfim, ela colocou a peruca, prendeu e escovou um pouco o cabelo ruivo com os dedos até que parecesse o mais natural possível.

Quando se olhou no espelho, Charlie Hall havia desaparecido. Foi um alívio maior do que ela gostava de admitir.

O hotel do MGM Springfield ficava a cerca de vinte minutos de Easthampton. O cassino havia sido aberto alguns anos antes, com a promessa de que traria dinheiro para uma cidade que carecia muito dele. Apesar de inúmeros editoriais no jornal local sobre como aquilo provavelmente pioraria as coisas para os moradores em vez de melhorar, nada poderia parar as rodas da indústria uma vez que estivessem em movimento.

O resultado foi um armazém de caça-níqueis do tamanho de um estádio de futebol, completo com luzes piscantes, tapete multicolorido e drinques quase a noite toda. Mas quando Charlie entrou no hotel, ficou surpresa ao descobrir que era tanto industrial quanto aconchegante.

Estantes de livros cobriam as paredes de tijolo, com uma biblioteca suspensa sobre a recepção. Havia blocos de impressão tipográfica enormes pendurados atrás da recepção, e os sofás eram de couro marrom, do tipo que você esperaria encontrar no escritório de um professor e nele tirar um cochilo. O lugar todo tinha um clima que misturava Vegas com uma estação de trem, o que não incomodava Charlie nem um pouco.

Uma olhada ao redor, porém, e ela soube que ali havia a mesma clientela de qualquer outro hotel-cassino, pessoas que estavam lá para festejar com amigos ou se afastar de suas vidas por algumas horas, cercadas por golpistas esperando sugar qualquer ganho. Aquilo também não a incomodava.

Um casamento vespertino devia ter acabado de terminar em um dos salões de festa, porque crianças corriam com vestidos brancos, os cabelos trançados enfeitados com flores. Alguns indivíduos elegantes usando lantejoulas e ternos — incluindo duas mulheres com chapéus magníficos — estavam no bar, conversando.

Charlie se sentou em uma das cadeiras da biblioteca, longe o suficiente das pessoas para não ser ouvida, e ligou para o quarto de Adam. Tocou cinco vezes antes de ir para a caixa postal. Ele não estava lá.

Então ela verificou com discrição as posições das câmeras de segurança e entrou no elevador. Quando fez aquilo, as palavras de Vince tomaram sua mente.

"Eu gostaria de poder dizer que sinto muito, que queria ser sincero o tempo todo, mas não queria. Nunca quis ser sincero. Só queria que o que eu te contei fosse a verdade."

Ela própria havia pensado alguma variação daquilo antes e nunca tinha o admitido para ninguém.

No elevador, Charlie tomou cuidado para não encarar os outros passageiros — um entregador de pizza e duas garotas com cabelos molhados e toalhas, vindo da piscina — enquanto demonstrava um comportamento de benevolência entediante e levemente dissipada. Ela saiu no oitavo andar e seguiu as placas, contando até chegar ao quarto 455.

Havia um aviso de "Não perturbe" pendurado na maçaneta da porta. Charlie o removeu e o enfiou no bolso do casaco. Por precaução, ela bateu. Não houve som lá dentro.

Ficava cada vez melhor.

Charlie estava bem ciente de que havia perdido a chance de duas noites atrás de entrar e sair rápido. Aquilo seria um pouco mais complicado. Ainda assim, era uma porta entre ela e o sucesso.

Charlie conhecia uma mulher que tinha entrado cambaleando e de lingerie em um saguão, com um balde de gelo, fedendo a bebida e alegando ter se trancado fora de seu quarto. Ela havia conseguido uma "chave substituta", mas Charlie não sabia se conseguiria fazer aquilo, nem tinha certeza de que queria ser tão memorável. Seu esquema atual era menos chamativo, mas tinha muito menos potencial de humilhação.

Em todos os hotéis, exceto os mais chiques das cidades grandes, há um cômodo com uma máquina de gelo e, com sorte, uma de refrigerante. Nunca há câmera nessa área. Ela entrou em um desses no oitavo andar e ligou para a recepção de lá.

— Olá — cumprimentou ela. — Você poderia me transferir para a governança?

— Só um segundo — disse uma voz masculina.

O telefone tocou duas vezes e foi atendido. Uma mulher daquela vez, que resmungou uma saudação.

— Aqui é a Shirley do 450 — anunciou Charlie, fazendo um forte sotaque de Long Island. — Você pode enviar alguém para limpar o quarto?

A mulher disse que sim. No momento em que Charlie desligou, uma emoção antecipatória acelerou seu pulso, não muito diferente daquela causada por uma dose de café expresso. Era a pior forma de curar uma autoestima ferida: testar sua coragem e inteligência contra o universo.

O universo sempre vencia, mas talvez não naquele dia.

Em seu momento de maior depressão, Charlie tinha feito terapia e admitido uma lista muito abreviada de problemas. Ela foi instruída a praticar "atenção plena", que envolvia "estar presente no momento" e "não se debruçar sobre todos os erros passados", nem em "todos os erros que você planeja cometer no futuro". Charlie não tinha sido muito boa em fazer aquilo no consultório, nem tinha sido boa no aplicativo de atenção plena que baixara, mas, logo antes de dar um golpe, ela sentia que havia entendido o que era a atenção plena de verdade.

Ela estava totalmente presente no momento.

Vinte tensos minutos depois, uma jovem de cabelo roxo empurrou um carrinho cheio de toalhas para fora do elevador e pelo corredor.

Charlie respirou fundo, saiu e passou por ela. Ao fazer aquilo, ela tropeçou de propósito. Uma pancada com o cotovelo enquanto seus dedos arrancavam o cartão-chave universal do bolso da camisa da mulher. Colocou-o no próprio bolso e tirou dali uma bala de canela, exatamente como a sra. Presto havia ensinado.

Era possível que, ao perceber que seu cartão-chave havia sumido, a jovem conectasse aquilo a Charlie, mas quando uma equipe de segurança decidisse bater, ela já teria ido embora há tempos.

— Você está bem? — perguntou a mulher.

Charlie riu.

— Fiquei um pouco bêbada no casamento — comentou ela, e então, três portas adiante, estava dentro do quarto de Adam.

Ficou óbvio que a placa de "Não perturbe" estivera pendurada na porta havia algum tempo. Roupas cobriam o piso de madeira e uma grande garrafa plástica de vodca barata, meio vazia, sem tampa, estava ao lado da televisão elegante em sua moldura moderna. O ar cheirava a cigarros velhos e havia fios pendurados no detector de fumaça que Adam tinha desativado.

Naquele momento ela só tinha que encontrar o livro.

A mesinha ao lado da cama estava vazia, exceto por uma caixa de preservativos. No banheiro, ela encontrou uma variedade de produtos para o cabelo, loção pós-barba e perfume. A gaveta continha uma caneta vape dourada e nada mais.

Ao andar pelo quarto, ela se lembrou, de maneira desconfortável, de vasculhar o próprio quarto apenas um dia antes.

A lembrança a estimulou a ir até o armário. Ela abriu a porta e encontrou apenas um casaco pendurado ali dentro. Charlie colocou as mãos nos bolsos. Apenas um papel.

Ela o desdobrou e viu um recibo pela venda de um anel, da casa de penhores de Murray. Adam tinha conseguido setecentos por ele. Hum. A descrição dizia: *anel de coquetel feminino, ouro vermelho antigo, pedra de reposição.* Doreen tinha um anel como aquele, herdado da avó.

Charlie não deveria ter ficado surpresa com Adam estar roubando Doreen. Uma vez que se começa a surrupiar as coisas, uma vez que percebe que pode conseguir o que quer dizendo o que as outras pessoas gostam de ouvir, é fácil arrumar desculpas e é difícil parar.

Rand dizia que os golpistas viviam à margem da sociedade, com sorrisos firmes no rosto, não importava o quanto as coisas ficassem ruins. Parecera romântico.

Mas naquele momento Charlie via a vasta insegurança que alimentava aquilo. A necessidade constante de ser o mais inteligente. Saber que ninguém ganha sempre se tornando um desafio em vez de um alerta.

Ela se perguntou no que Adam teria se metido, e quão ruim seria, porque, mesmo tendo um livro para negociar, ele precisava de mais dinheiro.

Para pessoas comuns, as casas de penhores eram usadas para uma rápida infusão de dinheiro quando estavam passando por um momento difícil, esperando que a data de vencimento do pagamento da porcelana da avó, ou do anel de casamento, ou qualquer outra coisa, não chegasse antes que conseguissem juntar os fundos para recuperar o objeto. Para os criminosos, eram uma boa maneira de negociar itens. A casa de penhores de Murray era uma que Charlie conhecia. Ela mesma vendera coisas lá.

Como tinha o recibo, Charlie poderia pegar o anel de volta se tivesse setecentos dólares. O que ela não tinha. E, mesmo se tivesse, não teria gastado com aquilo.

Charlie enfiou o papel no bolso. Era possível que Doreen pudesse levar o caso à polícia. Itens roubados não deveriam ser vendidos em casas de penhores e ser pego de vez em quando era apenas o preço a se pagar por fazer vista grossa para a maior parte de seus negócios.

Pelo menos Charlie tinha alguma coisa para entregar a sua cliente.

Ela estava prestes a se virar quando o casaco chamou sua atenção. Estava pendurado de uma maneira estranha, como se um peso puxasse as costas. Charlie apalpou o comprimento do forro até sentir algo sólido.

Sólido e retangular e... *caralho.*

Charlie pegou a faca e cuidadosamente cortou o forro até o conteúdo cair em sua mão: um caderno de couro tamanho A5. Não era o raro *Livro das Pragas*. Era um caderno moderno, do tipo que se compra em qualquer papelaria. A escrita interna havia sido feita com caneta esferográfica.

A primeira página fora intitulada *A miríade de observações de Knight Singh*. Por um momento, Charlie ficou apenas olhando para o objeto.

Era o livro que Balthazar tentara fazer com que ela encontrasse e roubasse na mesma noite em que Doreen havia ido ao Rapture. Na noite em que Paul Ecco tinha sido assassinado.

Ela estava muito confusa para ficar decepcionada.

O que nos papéis de Knight era tão importante a ponto de Adam precisar esconder atrás da Amber do cabelo longo? Quem era a pessoa para a qual ele queria vender o caderno e com quem ele achava que Balthazar não trabalharia?

Charlie teve uma sensação de desânimo.

Bem, Adam podia ter sido esperto o suficiente para pegar os papéis de Knight, mas não seria esperto o suficiente para mantê-los. Charlie enfiou o livro por baixo do vestido, prendendo-o com o aro do sutiã.

Hora de ir. A meio caminho da porta, ela ouviu o inconfundível clique mecânico de um cartão-chave a destrancando.

Charlie entrou no banheiro e na banheira assim que a porta se abriu. Agachando-se, ela tentou ajustar silenciosamente a cortina do chuveiro para que a escondesse o máximo possível. Não foi seu melhor momento.

A voz de Adam surgiu no outro cômodo.

— Sim, aposto seiscentos. Você jura que a dica é quente?

Ela ouviu o barulho de um isqueiro. Sentiu o cheiro do cigarro. Sentiu o esforço de ficar agachada como já estava, com os dedos na borda da banheira para se equilibrar e a borda do livro de Knight Singh cutucando-a na barriga.

— OK, aposta exata em Vantablack e Wild Mars Rover. — Sua voz mudou, ficando de súbito respeitosa. — Não, não estou duvidando de você. Óbvio que não.

Charlie tentou parar de respirar para ter certeza de que ouvia o que ele dizia.

— Quando eu conseguir catorze mil, o livro é seu. Vou para casa e para minha garota como um herói.

Teria sido um sentimento muito mais doce se ele não tivesse abandonado Doreen e o filho por dias, e roubado o anel dela para seu esquema. Pelo menos naquele momento Charlie entendia por que ele precisava daquilo. Alguém havia oferecido uma dica de jogo pelo livro.

Knight tinha sido membro da Confraria, um corpo governante local para sombristas. Por conta própria, tinha uma pequena organização metida em muitas coisas, incluindo roubo de arte e manipulação política. Ele empregava principalmente titereiros.

Sem ele, talvez houvesse um vácuo de poder no topo. O conhecimento acumulado de Knight ajudaria qualquer um a armar uma jogada pelo lugar de liderança. Outro titereiro, usando a própria sombra para sacanear o mundo. Diminuir a velocidade de um soco no boxe. Meter umas das mãos no volante enquanto a pessoa fazia uma curva. Ou fazer um cavalo tropeçar na pista. Outro titereiro, com muita ambição e pouco dinheiro.

Ela imaginava que poderia ser um bom negócio, mas definitivamente era uma *jogada ilegal*. Adam devia realmente querer negociar o livro rápido.

— Peguei da Raven — afirmou ele do outro cômodo. Ela ouviu as molas da cama gemerem. — Não sei se ela leu.

As pernas de Charlie tremiam por ficar na mesma posição. Ela poderia arriscar se sentar, mas seria ruim se tivesse que se levantar rápido. Ou poderia ficar como estava e esperar que os músculos não ficassem dormentes, o que a tornaria ainda mais lenta e menos capaz de correr, se fosse necessário.

Ela franziu a testa para sua sombra, cinza contra o azulejo branco, outra coisa que poderia delatá-la.

A gata a tinha mordido naquela tarde. Teria sido sangue suficiente para terminar sua ativação? Uma forma sombria perseguindo Adam podia fazê-lo correr para o corredor. Ele provavelmente continuaria até o saguão, gritando a plenos pulmões, imaginando que era um sombrista furioso atrás dele.

Mexa-se, disse ela para a sombra. *Faça alguma coisa.*

Sua sombra permaneceu exatamente como estava.

Ah, vamos lá, pensou Charlie. *Seja mágica.*

Inerte.

Você faria isso por sangue, não faria? Se eu jogasse um guardanapo encharcado com sangue, como um osso para um cachorro.

Ou como um guardanapo encharcado de sangue para um cachorro, supôs ela.

Por favor. Mas nada aconteceu. E suas pernas só doeram mais. *Para que serve você então?*

Arriscando-se, colocando a mão no azulejo, ela se levantou devagar. Poderia ficar de pé por muito mais tempo, mas, se ele entrasse no banheiro, com certeza a veria.

Ela não o ouvira passar a tranca. Se pudesse sair do chuveiro e atravessar o quarto rápido o suficiente, poderia sair pela porta antes que ele se levantasse da cama. Exceto que seria quase impossível sair do chuveiro sem fazer barulho. Se ele apenas ligasse a televisão, talvez Charlie tentasse.

No outro cômodo, Adam estava em uma segunda chamada.

— Sim, só vou tomar um banho rápido e depois te encontro no bar.

Ela precisava sair do quarto, *imediatamente*.

Lenta e cuidadosamente, ela puxou o celular do bolso.

Ele já havia encontrado uma maneira de negociar o livro, então Amber não importava, mesmo que ele não a tivesse bloqueado. Charlie poderia usar seu telefone normal, enviar uma mensagem para ele, fingindo ser um alerta de cartão de crédito roubado, ou o gerente do hotel. Mas, se ele ligasse de volta, não era como se ela pudesse responder da banheira.

Charlie fez uma lista mental de pessoas que conhecia e das coisas que poderia convencê-las a dizer. Talvez pudesse convencer Barb a ligar e dizer que havia uma entrega para Adam a qual, para receber, ele precisaria descer e assinar. Talvez pudesse fazer Posey ligar e dizer a ele que o carro dele estava pegando fogo.

Então ela pensou na única pessoa que sem dúvida poderia tirá-lo do quarto. Doreen.

No outro cômodo, Charlie podia ouvi-lo vasculhar as gavetas.

O canalha vendeu o anel da sua avó, escreveu ela.

Por um momento não houve resposta, e Charlie começou a suar. Então veio a mensagem de Doreen:

Escroto. Vou matar ele. Onde ele está?

Charlie sorriu. Ela digitou o mais rápido que pôde.

Hotel MGM, quarto 455. Ele está lá agora, se quiser dar um esporro nele.

Houve uma longa pausa. Charlie apoiou uma das mãos na parede.
A resposta voltou:

Você está com ele?

Uma coisa em que Charlie podia confiar era o quanto Doreen odiava esperar. Ela estivera inquieta no Rapture, depois impaciente em cada mensagem. Na época do ensino médio, Doreen batia o pé na parte de trás da cadeira de Charlie e passava a aula toda mexendo em uma caneta.

Charlie simplesmente não respondeu. Em menos de trinta segundos, o telefone fixo do hotel começou a tocar.

Ele atendeu e houve uma longa pausa.

— Como me achou?

— Você está vindo *aqui*? — perguntou ele. — Amor, espera aí. Como você tem o número do meu quarto?

Charlie ouviu passos em direção ao banheiro e voltou a se agachar. Ouviu enquanto ele mijava. Ele xingou duas vezes, chutou a parede e saiu do quarto. Ela ouviu a porta se fechar e a tranca elétrica travar.

Com as pernas rígidas e trêmulas, Charlie saiu da banheira, usando o toalheiro para se apoiar. Ela mancou até a porta. Queria abri-la e correr, mas se forçou a contar até cinquenta. Então saiu para o corredor e se dirigiu às escadas. De dois em dois degraus, ela desceu. No quinto andar, teve que parar e respirar fundo algumas vezes. O pânico a tinha feito respirar de forma muito superficial e a deixado tonta.

No saguão, manteve a cabeça erguida e o olhar fixo na saída. Lembrou a si mesma que, ainda que Adam conhecesse sua aparência, ela estava de peruca. Provavelmente poderia passar direto por Doreen sem ser vista.

Ao sair pelas portas, o ar fresco e frio do outono a invadiu. Ela inspirou e sentiu a adrenalina pura que vinha quando um trabalho estava quase no fim. E naquele momento, com o livro de Knight Singh debaixo do sutiã, tinha a promessa de um novo trabalho pela frente.

Dez minutos depois, Charlie estava estacionando perto demais do meio-fio na Meadow Road, em frente à Joalheria do Murray. Se conseguisse o anel de Doreen, teria algo para entregar em troca de consertar as coisas da faculdade de Posey. E para compensar o roubo do livro de Adam.

— Charlie Hall — proclamou Murray quando o sino tocou atrás dela e ela olhou em volta para as prateleiras empoeiradas e familiares. — O que você trouxe para mim?

Ele era um homem pequeno, ruivo e usava óculos de armação de arame que aumentavam seus olhos de forma assustadora. Charlie vendia mercadorias roubadas para ele desde os quinze anos, quando Rand havia decidido que era importante que ela aprendesse os "meandros" do negócio.

Charlie caminhou até o balcão. Olhou para os anéis.

— Posso ver aquele?

Os olhos de Murray se estreitaram um pouco, mas ele pegou a bandeja. Ela pôs o anel de Doreen no dedo.

— Este anel foi roubado, sabia?

Ele ergueu as sobrancelhas.

— É realmente uma pena.

Ela suspirou, porque embora fosse verdade que Doreen pudesse chamar a polícia, em geral ela não se envolvia em brigas domésticas sobre bens comuns.

— Troco por uma dica quente nos cavalos.

Ele riu.

— Você quer que eu jogue nos cavalinhos? E se eu perder, o quê? Vou pegar o anel de você? Sabe que eu gosto de você, menina, mas eu lido com coisas certas.

— É uma aposta certeira no Vantablack e Mars alguma coisa — comentou ela, virando o anel nos dedos, admirando o brilho da pedra e a riqueza do ouro. — Ah, vai, não pode me dizer que uma casa de penhores não é um pouco como apostar.

— Se você for bom no que faz, não é — resmungou ele. — A pedra é falsa, sabia?

— Hum — murmurou ela, aproximando-a do rosto e inspecionando-a de forma mais minuciosa.

Os dentes que seguravam o que deveria ser um diamante tinham um tom diferente do resto. Um dourado amarelado e brilhante.

— Adam sabe? — perguntou Charlie.

Murray balançou a cabeça.

— Ele? Ele quem vendeu para mim anos atrás.

— Então por que você pagou tanto pelo que sobrou? — questionou Charlie, imaginando se, no final, Doreen se importaria o anel recuperado se descobrisse que o diamante havia sumido.

— Então você sabe o preço que dei para ele também? — retrucou Murray. — Para sua informação, paguei pelo *ouro*. Vinte e dois quilates. É por isso que está tão arranhado. Muito macio para não ser danificado no uso regular.

Charlie deu a Murray seu melhor sorriso de boa aluna.

— Vamos, essa dica é boa. E parece que o anel é apenas mais ou menos.

Murray resmungou. Então abriu o laptop e começou a digitar algo. Charlie deslizou o anel na junta do dedo médio e olhou ao redor da loja.

Em um dos outros armários, ela notou várias peças em ônix. Anéis, brincos, pingentes, uma rede com contas de ônix polidas e algemas forradas com tiras de ônix estavam no estojo. Ao lado, havia luvas como as que Odette tinha, mas, em vez de ter unhas brilhantes, exibiam pedra preta. Além disso, havia pó para adicionar ao esmalte de unha ou pressionar no batom, alguns dentes falsos e uma grande variedade de facas de ônix esculpidas. Havia uma grande pendurada atrás da caixa registradora. O outro negócio de Murray. Vender proteção contra sombras.

— Estou vendo sua corrida aqui. *Wild* Mars *Rover*. Quão certa está sobre isso? — perguntou Murray.

Uma boa pergunta. Adam parecera certo, mas Adam era um estúpido.

— Cem por cento certa. — Afinal, equívocos não o faria culpá-la menos se perdesse o dinheiro.

— Tudo bem — cedeu ele. — Leve o anel de volta para sua amiguinha. Mas se isso não der certo, vai me dar o dobro do valor que eu perdi e vai pagar com alguma coisa fácil de negociar, como pedras preciosas brutas. Ou sombras roubadas. De acordo?

— De boa — confirmou Charlie, deslizando o anel até o fim do dedo e, em seguida, apontando para as facas pretas. — Você vende muitas dessas?

— Cada vez mais. Não se pode ser cuidadoso o bastante — comentou ele. — As pessoas dizem que o ônix pode cortar a noite.

— Quanto? — perguntou ela.

Murray deu um sorriso gentil de vovô.

— Vou adicionar a sua conta. Melhor comprar de alguém em quem você confia. Tem muita resina polida por aí que parece pedra.

— Grata — retrucou ela.

Ele escolheu uma das facas do estojo, embrulhou-a em um pano e a colocou em uma sacola.

— Espero que os cavalos deem certo.

— Você e eu também — concordou ela, passando pela porta.

Ao fazer aquilo, Charlie notou que um dos tijolos na soleira era de um preto polido. Nenhum titereiro mandaria uma sombra lá para dentro.

No carro, sentada ao volante, ela abriu a bolsa e tirou a faca. Pressionou o dedo na lateral. Não era particularmente afiada, porque pedras não tinham um fio de corte como o metal.

"*Ônix* pode cortar a noite."

Charlie não carregava uma faca de ônix com ela desde que havia parado de roubar dos sombristas e sua antiga faca estava com um grande pedaço quebrado. Apesar de não ser afiada, era uma excelente arma contra uma sombra. O ônix a fazia ficar sólida, assim ela poderia ser atingida, e a enfraquecia.

Ela precisaria da faca, uma vez que Vince não estava por perto para quebrar o pescoço das pessoas.

Com o trabalho terminado, não havia como evitar pensar nele. Não havia nenhuma maneira de evitar a sensação de soco no estômago por ele ter ido embora. Não havia nenhuma maneira de evitar a tristeza que estava chegando para sufocá-la.

Mas pelo menos ele tinha entendido que Charlie Hall não era otária. Não era um alvo.

Edmund Vincent Carver. Ela pegou o celular para olhar mais uma vez para a foto da carteira de motorista dele, para analisá-la como se pudesse reconhecê-lo por aquela foto. Seu olhar deslizou para o endereço, bem ali em Springfield.

Poderia muito bem passar lá.

O prédio era do tipo pequeno, com quatro andares de pé-direito alto. Tijolos antigos cobriam o exterior. Se não tivesse conseguido adivinhar a idade do prédio pela pátina, as janelas de tamanho fora do padrão a teriam revelado. Cada ar-condicionado que se projetava para fora tinha que ser apoiado em um ângulo estranho para caber.

Charlie subiu os degraus. Havia dez botões no interfone. Ela não obteve resposta nos três primeiros. O quarto e o quinto não tinham ideia sobre quem ela estava perguntando. No sexto, ouviu um "olá" resmungado.

— Tenho uma entrega aqui para Edmund Carver — anunciou ela. — Precisa de uma assinatura.

— Ele não mora aqui. — Um cara, pelo som da voz.

— Bem, talvez você possa encaminhar para ele — sugeriu Charlie. Se ele abrisse a porta, ela acreditava que poderia entrar e se recusar a sair até que ele lhe dissesse *alguma coisa*. — Só preciso de alguém para assinar.

— Eu te disse, ele não está aqui. Está morto.

Não foi particularmente convincente o fato de ele ter começado com "não está aqui" e ter terminado com "morto". Ela decidiu arriscar.

— Olha, eu menti. Sou uma amiga e realmente estou tentando encontrá-lo... Houve um tremor na voz.

— Vá embora. Não quero nada disso na porta da minha casa. Disse a todos vocês: não sei de nada. Na maioria das noites, ele nem dormia aqui, e não deixou nada para trás. Agora, *vá embora.* — O interfone parou de fazer barulho.

Charlie apertou o interfone de novo, e de novo, mas ele não voltou a atender.

Ela olhou para o carro, e deu a volta até os fundos do prédio, onde as latas de lixo ficavam guardadas. Não demorou muito para encontrar uma que tivesse correspondência publicitária endereçada ao apartamento 2B entre borra de café, cascas de ovo e embalagens de comida para viagem. Um catálogo lustroso com roupas cirúrgicas, apenas ligeiramente manchado de sopa velha, tinha o nome Dr. Liam Clovin impresso no verso.

18
O PASSADO

Nascido como um pedaço de quase nada, efêmero como a fumaça de um cigarro. Socorrido com sangue, com pingos de horror e ódio por si mesmo. Desejos vergonhosos. Quero ela. Quero ele. Quero aquilo.

"Pegue a bola", diz ele, e eu pego. São minhas mãos ou as dele?

"Venha me pegar", diz ele. "Me ache". É muito fácil. Para perdê-lo, eu teria que me perder.

Ele quer que eu ria. Me mostra como fazer. Mostra coisas engraçadas. Gatos que caem das mesas. Adolescentes andando de skate lago adentro.

"Você é meu único amigo", diz ele para mim às vezes. Mas isto só é verdade porque sua mãe não o deixa ir à escola. Porque suas roupas estão sujas. Porque ele não pode convidar ninguém para casa.

Tenho medo de que ela morra. Quero que ela me abrace quando estiver chorando, quando estiver febril, quando estiver com medo. Quero que afague meu cabelo. Beije minha testa. Eu a odeio. Talvez fosse melhor para mim se ela estivesse morta. Nem um desses sentimentos é meu, mas eles se tornam meus. Eles se tornam eu.

Às vezes ela nos leva ao supermercado e só coloca as coisas baratas e pesadas no carrinho. Açúcar. Farinha de trigo. Leite. Ela diz a ele para enfiar pacotes de peito de frango e costeletas de porco na mochila.

"Nada de doces", declara. É esperado que crianças roubem doces. É assim que te pegam.

Há partes espelhadas no teto que permitem que as pessoas vejam. Há câmeras de segurança.

Mas nada disso está me observando. Pegamos o que ela quer. Levamos doces. Levamos tudo.

Em seguida, o avô dele nos leva para sua casa grande, onde há uma menina para brincar e comida suficiente para todos. Se Remy está com fome, alguém faz comida para ele. Se Remy chora, alguém vem. Mas Remy não chora mais. Ele me dá todas as lágrimas.

O acordo é simples. Podemos ficar aqui enquanto eu fizer coisas ruins. As pessoas têm uma faísca dentro delas e o que eu tenho que fazer é apagá-la. Toda vez que faço isso, um pouco da faísca vem para mim, para dentro de mim como a mancha deixada para trás ao esmagar um vaga-lume. Matar é mais fácil do que roubar, mas não gosto do jeito que Remy olha para mim quando acaba.

Estou mudando. As faíscas estão fazendo alguma coisa.

Tenho tido problemas para voltar a dormir quando Remy não precisa de mim.

Estou inquieto. Tem alguma coisa errada comigo. Tem alguma coisa certa comigo. Posso fazer coisas que Remy não sabe. Quando ele está dormindo, ando pela casa, e a corda fina que nos une nunca se rompendo. Posso fazer malabarismos com laranjas e ligar o rádio como um espírito. Ler livros, desenhar na condensação das janelas.

É minha ideia, a primeira vez. Quero ver o que vai acontecer. Cortar o cordão. E então, quando acontece, fico com medo. Há um vazio onde Remy estava e se assemelha cair através da noite. Nunca estive sozinho. Não há o suficiente de mim para ficar sozinho.

Cada vez que isso acontece, esqueço de coisas. Coisas pequenas. Onde eu estava. Quanto tempo estive fora.

Adeline me conta coisas, mas nem todas são verdade. Não quero mais ouvi-la.

Às vezes, o ar a meu redor parece carregado, como uma tempestade chegando. Acho que talvez eu esteja com raiva. Acho que talvez eu esteja furioso. Acho que talvez eu esteja prestes a fazer alguma coisa da qual vou me arrepender.

Remy me faz uma promessa. Shhhhh. Nós vamos fugir. Então vai ser apenas eu e não eu e não ele. Ele vai me consertar. Vai me ajudar.

Mas, primeiro, apague mais algumas faíscas. Afogue mais algumas estrelas.

19
BALA QUEBRA O DENTE

Charlie mandou uma mensagem para Doreen dizendo que tinha conseguido o anel e então foi para o Blue Ruin esperar e pensar no que faria com o livro de Knight Singh.

O bar ficava em um prédio de tijolos minúsculos e sujos, longe do centro da cidade. Do lado de fora, uma placa desbotada o proclamava "The Bluebird". Ninguém nunca o chamou assim, no entanto. Era um bar do terceiro turno, abria às cinco horas da manhã e anunciava a última rodada às duas horas da manhã. Entre duas e cinco, tornava-se um restaurante com um cardápio extremamente limitado. Se você pedisse drinques suficientes para aguentar a pausa de três horas no serviço, poderia beber por vinte e quatro horas seguidas.

A multidão das cinco horas da manhã era geralmente de enfermeiras e médicos do Hospital Cooley Dickinson, misturados com trabalhadores de manutenção, concierges hospitalares e funcionários de restaurantes do segundo turno à procura de um lugar para ir depois de todos os outros terem fechado.

O Blue Ruin não era bonito. O bar era cheio de marcas e as mesas haviam sido compradas de uma antiga taverna, depois que o lugar tinha fechado, e não encaixavam bem no espaço. O chão era pegajoso até a porta, a bebida era servida em copos de plástico e a única coisa que tinham para enfeitar eram limões de aparência triste.

Se alguma vez houve um bar que captava perfeitamente como Charlie estava se sentindo naquela tarde, era o *Blue Ruin*. Ela se sentou em um banco no bar, tranquila por saber que poderia ficar ali a noite toda.

Uma hora depois, ela havia tomado três doses de Maker's Marks, sem nenhuma vontade de desacelerar.

Doreen havia mandado mensagem para dizer que estava a caminho e muitas outras coisas que ela não se dera ao trabalho de ler. Charlie tinha recebido outra mensagem de sua amiga do ensino médio, Laura, sobre ela ter faltado o churrasco, além de uma de sua mãe sobre o aniversário de seu novo namorado e como ela esperava que todos eles pudessem se reunir. Talvez as meninas quisessem recebê-los, considerando que a casa delas era maior?

Havia duas mensagens de voz do trabalho, perguntando se ela poderia ir na segunda-feira à noite. Ela tentou se imaginar atrás do bar, preparando bebidas. Tentando não pensar no vidro e no sangue e em se engasgar com a sombra. Tentando não pensar no som que o pescoço de Hermes havia feito ao quebrar.

Ela ignorou as mensagens e foi ao banheiro para retirar a maquiagem. Conseguiu apenas transformá-la em uma mancha acinzentada brilhante que cobria seus olhos e parte das bochechas. A exaustão e a irritação estavam batendo mais rápido do que o álcool.

Sempre havia uma adrenalina vertiginosa logo após um trabalho, seguida por uma queda. Então tudo parecia um pouco monótono e ficava um pouco sensível demais. Como naquele momento, ao se olhar no espelho, observando os olhos escuros e passando um dedo pelo lábio cicatrizado, ela sentiu uma vontade inesperada e humilhante de chorar.

Não era por causa de Vince. Não tinha nada a ver com ele.

Ela voltou ao bar e pediu mais uma bebida. Para afogar as mágoas, era necessário muito álcool.

O bartender era amigo de Don e tentava puxar papo de vez em quando, mas Charlie não estava fazendo um bom trabalho em continuar a conversa. Em algum momento ela percebeu que talvez ele estivesse flertando.

— Kyle — anunciou ele com um sorriso, desviando o olhar do celular. — É o meu nome. Talvez Don tenha falado de mim.

Charlie de repente teve certeza de que Don havia contado a Kyle sobre *ela*.

Kyle tinha o cabelo castanho, ondulado e cheio. Uma tatuagem de um rosário subia do pulso pelo braço. Sua sombra parecia absolutamente normal. Ele seria melhor para apagar seu desespero, horror e tristeza do que todo o uísque do mundo.

Por quinze a vinte minutos, pelo menos.

Ela deveria ligar para alguém. Laura, para se desculpar por não ter aparecido no churrasco. Barb, que poderia fazê-la rir. José, que também estava triste.

— Você sabia — começou ela, tentando puxar conversa com Kyle — que alguns grãos de sal supostamente tiram o gosto amargo do café? Não é estranho pensar que funciona melhor do que açúcar?

— Não acho que isso seja verdade.

Kyle provavelmente era um bartender terrível. Ela deu de ombros.

— Gosto de coisas amargas de toda forma. Como eu.

Ele lhe lançou um olhar como se não tivesse certeza do que pensar daquilo.

Um aviso, deveria dizer a ele. *Veja isso como um aviso de que estou de muito mau humor e feliz por ter uma desculpa para descontar em você.*

Charlie queria que todos pensassem nela como cabeça-dura e coração duro. Duro como madeira velha petrificada, como pedras, como bala que quebra o dente. Mas ela não era.

— Aí está você. — Doreen se sentou ao lado dela no bar, visivelmente furiosa. — A grande Charlie Hall.

Ela estava com roupas de trabalho: jeans brancos e uma camisa azul de colarinho com o nome do consultório odontológico, onde ela era recepcionista, bordado sobre seu coração. Devia ter saído correndo do trabalho ao receber as mensagens sobre o paradeiro de Adam.

Charlie revirou os olhos.

— Quê? Consegui seu cara e seu anel.

— Por favor, me diga que você não roubou uma casa de penhores. — A voz de Doreen estava alta o suficiente para fazer os poucos outros clientes de aparência grisalha que matavam o tempo olharem para ela.

Charlie deu de ombros.

— Adam estava apenas pegando o anel emprestado. Ele me disse que estava usando o dinheiro para fazer um acordo que mudaria nossas vidas. — Doreen obviamente queria acreditar naquilo. — Ele não estava curtindo euforia.

— Talvez ele tenha falado sobre a pedra no anel não ser original também — adicionou Charlie. — Porque ele a vendeu anos atrás.

Doreen corou.

— Você realmente é como o diabo, sabia disso? Conhecendo todos os nossos pecados.

Charlie sentiu como se estivesse observando a conversa de muito longe.

— Isso é ridículo. Só faço merda, Doreen. Mas encontrei seu cara e até peguei seu anel, então se você descobriu alguma coisa que não queria saber sobre Adam, que pena.

Elas se encararam por um bom tempo.

Charlie pegou o anel e o colocou em cima do balcão. Quando Doreen foi pegá-lo, porém, Charlie o cobriu com a mão.

— Você fez algumas ameaças sobre o que seu irmão poderia fazer com o cadastro da Posey na UMass. Quero uma confirmação de que o prazo do pagamento foi adiado. Três meses pelo menos. Preciso ver o aviso no meu telefone quando eu acessar a conta.

— Você não pode esperar que ele se arrisque...

— Espero mil por cento que sim.

Uma das coisas mais frustrantes de trocar um trabalho por outro era que as pessoas davam um valor alto a seu serviço até que fosse feito, então se convenciam de que devia ter sido fácil. A renegociação nunca era a seu favor.

Doreen olhou para o anel sob o aperto da mão de Charlie.

— Isso é meu.

— Vai ser — respondeu Charlie. — Assim que você ligar para o seu irmão e eu receber aquele e-mail.

Doreen deu um show ao tirar o telefone do bolso enquanto caminhava até a porta. Alguns minutos depois, ela voltou, com a boca contraída.

— Sabe, Adam disse que ia pegar meu anel de volta. Ele o usou como garantia de um empréstimo.

— Isso é interessante — comentou Charlie, de uma forma que deixava evidente o quão desinteressante ela achava aquilo.

Doreen suspirou.

— Conversei com o meu irmão. Ele disse que não pode acessar a conta. Não está funcionando.

— Você só pode estar de brincadeira — retrucou Charlie. — O que isso significa?

— Ele não sabe. — Doreen pareceu preocupada e aquela foi a única razão pela qual Charlie não a acusou de inventar tudo. — Pode vir de um departamento diferente que não passa as contas pelo escritório dele. Ou seu cadastro pode ter sido marcado. Mas ele *tentou*.

Por um momento, Charlie sentiu um rubor incandescente de raiva, em grande parte de si mesma.

Ela tirou a mão de cima do anel. Ocorreu-lhe, não pela primeira vez, que se estivesse tão interessada em ganhar dinheiro com seus golpes quanto nos golpes em si, estaria melhor de vida.

Doreen hesitou.

— E agora?

— Vá em frente — disse Charlie. — Pode pegar. Foda-se. Foda-se você. Foda-se eu. Foda-se *tudo*.

— Qual é o seu problema, afinal? — Doreen fez um gesto para o entorno, como se indicasse que o Blue Ruin não era um lugar muito agradável, era final de tarde e Charlie estava a ponto de se embebedar.

— Estou comemorando — respondeu Charlie. — Estar solteira.

Doreen deu uma risadinha amarga.

— Olha só você. Derrubada por um amor. Sofrendo como todo mundo.

— Beba alguma coisa comigo — convidou Charlie, levantando seu copo de plástico. — Um brinde ao sofrimento.

— Tenho que voltar ao trabalho — retrucou Doreen, enojada. — Tenho responsabilidades. E acho que você também, então não beba tanto uísque a ponto de se esquecer delas. Ah, e se você tiver mesmo roubado uma casa de penhores, não me envolva quando a polícia for atrás de você.

— Se eu tiver sorte, vou beber tanto uísque que vou esquecer que tivemos essa conversa. — Charlie virou a dose de Maker's Marks em um único gole guloso. — Traga a garrafa aqui, Kyle.

— Sabe — comentou Doreen, a meio caminho da porta —, vi seu namorado uma vez e, no minuto em que o vi, soube que ele te trairia. Homens com aquela aparência...

— Ninguém o conhecia — declarou Charlie.

— Exceto por você? — retrucou Doreen.

Charlie balançou a cabeça.

— Ninguém. Ele não existia. Nunca existiu.

Fazendo um barulho de frustração diante da incompreensibilidade dos bêbados, Doreen foi embora.

— Você não roubou mesmo uma loja, não é? — perguntou Kyle a Charlie enquanto levava a garrafa de *Maker's*.

Ela lhe deu seu sorriso mais cheio de dentes.

— Definitivamente não.

— Você realmente quer comprar isso?

Ele colocou a garrafa ao lado dela.

— Definitivamente sim.

Ela serviu a própria bebida da própria garrafa. Era como estar em um daqueles lugares chiques com taxa de rolha, exceto pela parte chique.

Não importava se não podia pagar. Seu futuro estava óbvio. Ela voltaria a trabalhar para os sombristas. Pagaria a faculdade de Posey do jeito que deveria ter feito desde o início. Cortaria as amizades. Se mandaria tudo ao redor para o inferno, então precisava manter todos com quem se importava longe dela.

Foda-se tudo.

Charlie ficou no Blue Ruin até a noite, brincando com a *jukebox* no canto, dividindo com dois idosos alcoólatras uma pizza que eles tinham pedido para entregar lá e dançando com um deles ao som de uma música lá dos anos 1980. As coisas começaram a se confundir. O lugar começou a encher. Ela se lembrava de estar sentada no vaso sanitário, enfiando diversas vezes na pele um alfinete que havia encontrado na bolsa. Ela se lembrava de cair e ficar deitada no chão e de Kyle dizendo alguma coisa sobre como ele não deveria servi-la se ela não podia ficar de pé, o que a fez rir e rir.

Ela não precisava dele. Tinha a própria garrafa.

Enquanto ela voltava para o banco, segurando-se na beirada do balcão para se equilibrar, seu antigo chefe do Top Hat entrou no Blue Ruin com três amigos.

— Ora, ora — murmurou ele, passando o olho por ela. — Quem é vivo sempre aparece.

— Richie, nunca conheci um clichê que você não gostasse — respondeu ela, tentando disfarçar a voz arrastada.

Ele tinha pouco mais que cinquenta anos, com o cabelo ficando ralo em cima, e olhos de lince. Tinha imóveis em todo o Vale, incluindo dois bares e três restaurantes. Quando a tinha demitido, era com a expectativa de que ela não conseguisse trabalho em outro lugar, e ele levou como uma afronta pessoal o fato de Charlie ter conseguido.

— Está lá no Rapture, ouvi dizer.

— Sim...

O Vale era pequeno, mas ela não gostava da ideia de ser *tão* pequeno.

Ele imitou a batida de um chicote e mexeu as sobrancelhas.

— Está amarrando as pessoas agora? Aposto que você gosta disso.

Os amigos dele riram.

— Espero que você apodreça no inferno — respondeu ela, sem intensidade.

— Ahhh, não me venha com os instrumentos de tortura.

Charlie jogou a garrafa quase vazia de *Maker's* nele. Ele se esquivou a tempo de o vidro bater na parede atrás dele. O álcool escorreu pela tinta encardida.

— Vadia sem noção!

Mas ele não estava mais presunçoso, não tinha mais certeza de que poderia dizer o que quisesse e as pessoas ao redor aceitariam. Até parecia estar com um pouco de medo. Ela gostava de medo.

Um sorriso surgiu na boca de Charlie.

— Você tem que ir embora — informou Kyle, então se inclinou para frente e abaixou a voz. — E é melhor não voltar por um tempo.

— Já fui expulsa de lugares melhores.

Charlie se levantou e cuidadosamente vestiu a jaqueta enquanto Richie a fulminava com o olhar. Ela separou o dinheiro para a conta e a gorjeta e o colocou no balcão molhado. Então jogou um beijo para o senhor com quem havia dançado e ficou imensamente satisfeita quando ele fez uma mímica para pegá-lo.

Ela só tropeçou duas vezes ao caminhar porta afora.

Charlie acordou no banco detrás do carro com a boca seca e a cabeça latejando como se estivesse cheia de espuma de isolamento. Seus membros estavam rígidos de frio. A chuva batia no carro, e o céu lá fora estava escuro e pesado com a promessa de mais água.

Mexendo-se para se sentar, ela viu seu reflexo no vidro da janela. Seu rímel havia escorrido e, embora não se lembrasse de chorar, as bochechas estavam manchadas de lágrimas. Sentiu uma vergonha costumeira. Ela tinha tido tantas noites como aquela, quando havia acordado sabendo que tinha feito alguma coisa em nome de uma satisfação momentânea que acabaria por não valer a pena.

Mas, ao descer a colina até o bosque para fazer xixi em algumas folhas, estava disposta a abraçar todos seus defeitos. Estivera mentindo para si mesma ao pensar que poderia mudar.

Era exatamente a mesma Charlie Hall que sempre havia sido. Caótica. Impulsiva. Sozinha.

Ao caminhar de volta para o carro, Charlie viu que alguém estava ao lado dele. Um homem de cabelos brancos e um longo casaco de lã preto.

Seu estômago se revirou.

— Você deve ser Charlie Hall — comentou ele. — Sou Lionel Salt. Acho que tenho um trabalho para você.

20
VENENO EM DUAS PARTES

O homem se apoiava em uma bengala com ponta de prata. Atrás dele via-se o lendário Rolls-Royce preto fosco. Até os vidros do carro eram escurecidos. Um senhorzinho permanecia ao lado dele, segurando um guarda-chuva para que Lionel Salt ficasse seco. Metade do casaco do senhorzinho já estava escuro por causa da chuva.

Um sentimento de horror tão forte que travava seus músculos tomou conta de Charlie só de olhar para ele. Ela sabia que tinha que chegar ao seu carro, mas o corpo a encorajava a correr para a floresta e se esconder.

— Um trabalho? — respondeu ela, com a voz surpreendentemente firme.

— Contratei um homem, Hermes Fortune, que está no mesmo ramo que você. Infelizmente, está desaparecido. Parece que preciso de um novo ladrão. E ouvi dizer que você é muito boa, sim?

Charlie subiu a colina e manteve grande distância dele ao se dirigir para o Corolla. O brilho do vestido que ela havia usado para o MGM cintilava na luz do fim da manhã. No reflexo da janela do carro, sua maquiagem borrada, marcada por rastros de lágrimas, a fazia se sentir vulnerável demais. Talvez a chuva lavasse seu rosto, embora ela suspeitasse de que aquilo só pioraria as coisas.

— Saí dessa vida — informou ela. — Tem um cara chamado Adam que pega vários dos meus antigos serviços. Balthazar pode colocar vocês dois em contato.

O canto da boca de Charlie se curvou para cima.

— Adam Lokken? Ele está trabalhando em outra coisa para mim.

Balthazar havia dito a ela que Adam não conseguira encontrar o *Liber Noctem*. Ela não pensava em Salt como alguém que negociava de novo com pessoas que o decepcionavam. Fora Salt a pessoa do outro lado da ligação que ela havia entreouvido?

— Que pena — afirmou Charlie. — Mesmo assim, não posso te ajudar.

— Falei com uma velha conhecida minha, Odette Fevre. Parece que você pode ter sido a última pessoa a ver Hermes vivo. Que coincidência, não acha? Ela te chamou de *Charlie Hall*. É seu nome verdadeiro? Só ouvi você ser chamada de Charlatona.

Fazia sentido Odette conhecê-lo. Ela tinha clientes ricos o suficiente para ter tido que cruzar com o bilionário local Lionel Salt. E Odette tinha dado a entender a Charlie que havia falado com alguém sobre Hermes. Charlie deveria ter tirado a pior conclusão possível de cara.

Pelo menos Salt não a reconhecera. Óbvio, ela estava com quinze anos, era apenas uma criança. E não era como se houvesse algo especial naquela noite para ele. Provavelmente tinha matado muitas pessoas antes e depois.

Mas se achava que chantagear Charlie usando o desaparecimento de Hermes funcionaria, tinha errado feio o alvo. Depois de Rand, Charlie tinha aprendido que chantagens só pioram com o tempo. Além do mais, ela não achava que Odette dava a mínima se Charlie era uma assassina a sangue-frio, desde que aparecesse para seus turnos na hora e mantivesse o caixa equilibrado.

Depois que o silêncio se prolongou o suficiente e ele percebeu que ela não responderia, Salt continuou:

— Falando em coincidências, quais são as chances de uma famosa ladra de livros de magia se envolver com um homem que fugiu com um dos meus?

— Fico grata por você me chamar de famosa.

— Meu neto com certeza conhecia você, não? — A voz de Salt permanecia firme, mas ele visivelmente não estava gostando da atitude dela.

Era provável que pensasse que alguém que tinha feito xixi na floresta, e que parecia ter tido o tipo de noite sobre a qual as pessoas prometem não falar a respeito fora de Vegas, teria a decência de agir com vergonha.

— O falecido Edmund Carver — comentou ela. — Meus pêsames.

Os olhos dele se estreitaram.

— Acredito que você o chame pelo nome do meio. Odette o descreveu em detalhes inconfundíveis, então deixemos a farsa de lado.

— O Vince? — respondeu Charlie, toda inocente. — Ele me largou ontem à tarde. Parece que vocês se desencontraram.

— Acho melhor você entrar no carro — grunhiu Salt, não mais tentando esconder a raiva. — Temos muito o que conversar, e acho que nenhum de nós quer fazer isso aqui na chuva.

Ela conhecia tantos homens jovens que ficariam com inveja por ela ter recebido um convite para andar no Rolls, mas a ideia lhe causava calafrios.

— Já estou molhada, então não, obrigada. Só ficaria pingando no seu belo assento de couro.

Lionel Salt enfiou a mão no bolso interno do casaco de lã e tirou de lá uma pistola Glock preta fosca. Combinava perfeitamente com o carro.

O homem idoso segurando o guarda-chuva nem se abalou.

— Receio ter que insistir — afirmou Salt, mostrando o cano da arma de forma casual. Agitando-a na direção dela. Mas sem apontar. Ainda não.

Era plena luz do dia e eles estavam parados no meio de um estacionamento. Qualquer um poderia ter saído do Blue Ruin. Não havia muitos carros no estacionamento, mas não estava *vazio*. Na rua o tráfego não estava intenso, mas surgiam veículos de vez em quando. O fato de Salt se sentir confortável com a arma na mão lembrava a Charlie que ele acreditava que podia se safar de qualquer coisa.

Fazia mais de uma década desde que vomitar suco de beterraba e correr salvou a vida dela. Aquela noite a assombrara desde então, mas as drogas e o tempo confundiram suas lembranças, transformando-as em um pesadelo caleidoscópico em vez de em uma recordação.

Mas, quando vira Salt, aquele horror voltara. Ela se sentira como uma criança de novo, correndo pela floresta, com monstros atrás dela. Não queria voltar para a mansão de Salt e terminar de sangrar no tapete da biblioteca.

— Dadas as circunstâncias, realmente não acho que eu deva ir com você — afirmou Charlie, sem se mover.

— Mas você vai — afirmou ele, dando a volta no Corolla e indo em direção a ela. — Você é uma garota inteligente. Fará a escolha inteligente.

Charlie ergueu as sobrancelhas.

— É bastante óbvio que você não sabe nada sobre mim.

Conforme Lionel Salt olhava com fúria para ela, Charlie não podia deixar de ver a semelhança familiar entre Vince e ele. Ambos eram altos e tinham a mesma mandíbula firme e as sobrancelhas raivosas. Mas enquanto Vince não tinha sombra, a de Salt tremeluzia atrás dele como uma chama furiosa.

Ao notar a altura da sombra, seu perfil quando Salt se virou, Charlie se perguntou de quem ele a havia roubado, para finalmente se tornar um sombrista.

— Minha filha está nos esperando no carro — revelou Salt, apontando a arma para Charlie com uma intenção nítida daquela vez. — Prefiro que ela não se chateie. Até te pago pelo seu tempo. Mas esta é sua última oportunidade de fazer a escolha certa.

— Então você vai me pagar se eu for, e atirar em mim se eu ficar? — perguntou Charlie.

Seu sorriso cresceu, apreciando a observação.

— O mundo funciona por dois princípios, a recompensa e a punição.

— Se você conhece a Odette, então sabe que às vezes a recompensa *é* a punição. — Mas apesar da observação, e apesar de sua certeza de que ir com ele era estupidez, ela estava ciente das poucas escolhas que tinha.

Levar um tiro da última vez havia sido uma droga e daquela vez provavelmente a mataria.

— Venha — convidou ele. — Vamos almoçar. Em público. Muito civilizado. Podemos discutir o que você vai fazer para mim e quanto tempo terá para realizar a tarefa.

Sem concordar de fato, Charlie foi na direção do carro de Salt. Podia não ter como fugir daquela volta de carro, mas ela lembrou a si mesma que tinha fugido dele uma vez e o faria de novo.

Ah, e daquela vez realmente o faria pagar. Pelo passado, pela arma que apontava para ela, mas, acima de tudo, por enviar Hermes e destruir um relacionamento perfeitamente bom construído sobre mentiras perfeitamente boas.

O senhorzinho com o guarda-chuva — pequeno e robusto, com o físico de um jóquei — abriu a porta traseira.

"Te contei que meu avô era rigoroso, não é? Ele me ensinou muitas coisas. Acreditava no poder de melhora do trabalho, não importava quantos anos você tinha. Ele não acreditava em desculpas. E tinha uma limusine que às vezes enguiçava."

Não havia como o próprio Salt ter ensinado Vince a consertar carros. Mas ele podia ter insistido que outra pessoa o fizesse.

— Você gostava do Edmund, não gostava? — perguntou ela ao motorista.

O homem não parecia muito satisfeito com o fato de ela se dirigir a ele.

— Todo mundo gostava do Edmund, Srta. Hall — respondeu ele em voz baixa.

Ela deslizou para dentro do carro.

Mesmo de óculos escuros, a mulher que ocupava o assento do outro lado de um grande painel central era inconfundivelmente a mesma das fotos da festa de gala em Nova York. A filha de Salt e tia de Edmund Vincent Carver, embora tão próximas em idade que parecia mais uma irmã. Ela vestia calças pretas justas enfiadas em botas de camurça, uma blusa *georgette* azul estampada e um casaco de lã. Seu cabelo loiro era muito mais claro que o de Edmund, em um dourado mais fechado. Eles deviam ter deixado um rastro de destruição nos corações (e nas camas) da elite de Manhattan.

— Sou Adeline — anunciou ela quando Charlie entrou. — Me desculpe pelo meu pai. Ele às vezes é um tirano terrível.

Recompensa e punição.

Salt disse algo para o motorista em voz baixa, então se sentou no banco do passageiro na frente.

O cheiro de couro e aromatizador caro fez a cabeça de Charlie girar.

— Vamos tomar um café — convidou Salt, virando-se para olhar para ela. — Você está com cara de que gostaria de um.

— E de roupas limpas — acrescentou Adeline, franzindo o nariz, então sorriu para Charlie. — Sem ofensa. Acordei muitas vezes com os trapos da festa da noite anterior.

Trapos da festa? Não era que ela não conseguisse imaginar Vince andando com ela, porque ele tinha uma paciência sem fim. O que ela não conseguia imaginar era Vince sendo *como* ela.

O carro entrou na rodovia, afastando-se do bar, do Corolla de Charlie e de qualquer esperança de uma fuga fácil.

Poucos minutos depois, o carro parou em frente ao The Roost, um café nos limites do centro de Northampton. Um funcionário saiu com uma bandeja com cafés e uma sacola que o motorista apanhou pela janela da frente.

Charlie se perguntou se havia algum sinal que pudesse dar de que estava sendo sequestrada, como aquelas mulheres inteligentes que conseguem sinalizar que estão com algum problema durante a entrega de pizza.

No entanto, se havia alguma coisa, a ressaca de Charlie a impediu de pensar a respeito. O carro se afastou do meio-fio, na direção da rodovia I-91. Os limpadores varriam o para-brisa como um metrônomo.

Nervosa, ela tomou um gole do café. Adeline tinha pedido uma mistura de matcha, o que deixou um rastro de espuma verde em seu lábio superior.

— Sou uma pessoa acostumada a conseguir o que quer — começou Salt; um eufemismo, obviamente. — E o que eu quero é que um livro seja devolvido para mim. *Liber Noctem, O Livro da Noite*. Procure um livro que Edmund está guardando a sete chaves, com uma capa de metal, e pronto. Não há palavras na capa. Pode parecer um diário.

Charlie assentiu, sem querer concordar em fazer aquilo para ele, e tomou outro gole de café. Ela esperou. Às vezes, o silêncio mantinha as pessoas falando. Às vezes, quando falavam o suficiente, não notavam se você não fizesse o mesmo.

Naquele caso, funcionou. Salt continuou:

— Meu neto pode ser charmoso, mas é egoísta. Não é culpa dele usar as pessoas; ele cresceu com uma mãe viciada. Ela o colocou em situações e o deixou entre pessoas com quem nenhuma criança deveria se relacionar. Eles moraram na rua, até dormiram em carros. Desde a mais tenra idade, ele teve que aprender a sobreviver e se transformar no que mais agradasse às pessoas ao redor. Quando consegui levá-lo comigo, ele tinha treze anos e havia sido praticamente estragado.

Charlie lançou um olhar na direção de Adeline. A mulher estava franzindo a testa para as mãos, como se não gostasse do que o pai estava dizendo, mas não estivesse disposta a discordar abertamente.

Embora Charlie relutasse em acreditar em Salt sobre qualquer coisa, uma história como aquela explicaria como Vince conseguia se comportar como uma pessoa normal, mesmo depois de mais de uma década mergulhado em extrema riqueza. Uma criança que vivera na pobreza por treze anos, que fora a pessoa responsável em uma casa, podia muito bem saber limpar calhas. Podia ter aprendido a fazer tacos, lavar roupa e todas as tarefas que seriam menos fáceis para um rico vagabundo.

E quanto a usar as pessoas, bem, ele tinha usado Charlie, não tinha?

Salt prosseguiu:

— Quando a maioria das pessoas olha para as estrelas, elas ficam assustadas com a vastidão do universo e a falta de sentido delas mesmas no mundo.

Ela ouviu o eco da voz de Vince: "Você acha que as estrelas têm sombras?"

— Mas sempre me senti confortado por elas — confessou ele. — E sabe por quê?

Charlie balançou a cabeça, pois parecia ser o que ela deveria fazer.

— Porque significavam *possibilidade*. Em toda aquela vastidão, era impossível que o universo não tivesse segredos para serem descobertos. E quando acolhi meu neto, vi que estava certo. Porque apesar de tudo que estava destruído nele, ele tinha um talento incrível.

— Magia — adivinhou Charlie.

Salt assentiu.

— Quando o vi comandar a sombra, o que ele fez sem língua partida, sem educação formal com nenhum sombrista, me fez sentir como se tivesse encontrado o que havia procurado toda a vida. Um verdadeiro segredo do universo e um caminho para mistérios maiores. Mas, para o Edmund, era apenas um pequeno truque bobo. Ele brincava com a coisa como se fosse um amigo imaginário e a enviava para roubar doces e cigarros.

O carro parou em um longo caminho marcado com uma placa esculpida e pintada proclamando que estavam entrando no terreno do Clube Privado Grand Berkshire. Parecia que Salt pretendia manter a palavra de levá-la para almoçar, em público.

— Vou mandar vocês duas, garotas, para o spa. Há chuveiros para se refrescar, Srta. Hall. Os funcionários podem levar roupas. Nos encontramos para almoçar em meia hora. E então podemos terminar nosso negócio. Agora, veja, isso não é civilizado?

Era, exceto pela arma no bolso.

O motorista deu a volta novamente e abriu a porta. Adeline permitiu que ele pegasse sua mão como se estivesse saindo de uma carruagem. Charlie a seguiu, saindo de forma deselegante, tentando não pagar calcinha.

A chuva havia se transformado em uma garoa leve. Ela olhou ao redor, observando os campos verdes ondulantes; a maioria era campo de golfe. A grama parecia incrivelmente vívida para um fim de outono. Havia um grande prédio ao longe que devia ser o espaço comum do country clube. O edifício do spa era menor, com telhas de madeira pintadas de um verde-samambaia encantador no estilo *cottagecore*.

Uma placa colocada ao lado da porta dizia que aquele era o centro de relaxamento e bem-estar.

Lá dentro, o ar estava quente, úmido e com um aroma forte de eucalipto. Uma mulher na recepção pegou duas toalhas das prateleiras atrás dela e as colocou no balcão. Ela sorriu para as duas como se fosse absolutamente normal ter uma cliente de ressaca em um vestido de lantejoulas com maquiagem borrada por todo o rosto. A firmeza de seu olhar nem vacilou.

— Gostaríamos de uma sauna privada — informou Adeline. — E precisamos de algumas roupas em tamanho... quarenta e seis?

— Quarenta e oito — corrigiu Charlie.

A mulher continuou sorrindo.

— Há toalhas e roupões esperando por vocês. Gostariam de um pouco de água de pepino?

— Com certeza. — Charlie estava se sentindo desidratada a ponto de beber uma *banheira* de água de pepino. — Você tem aspirina?

— Certamente. Algo mais?

Charlie se perguntou se havia alguma coisa que pudesse pedir que fizesse o sorriso da moça vacilar. Uma girafa? Um balão de ar quente? Uma balestra emprestada para que pudesse atirar nas costas de Salt?

Ainda fazendo aquela lista mental, Charlie seguiu Adeline até a sauna. Havia armários brancos alinhados à parede esquerda e roupões pendurados em ganchos. A porta da sauna estava fechada e tinha muitos botões provavelmente destinados a otimizar os níveis de calor e umidade, como se ela e Adeline fossem lagartos em um tanque extremamente chique.

E havia uma sala de banho.

Charlie pegou um roupão.

— Volto em um minuto — informou ela a Adeline.

Sob o calor constante e a excelente pressão da água, Charlie esfregou o rosto com sabonete líquido, ignorando a forma como ardia em seus olhos. Ela lavou o cabelo com shampoo duas vezes, então vestiu o roupão.

Adeline estava esperando; o cabelo preso em uma presilha de casco de tartaruga.

— A sauna é de fato a melhor coisa para uma ressaca. Você transpira o álcool.

Charlie viu uma jarra de água de pepino e um frasco de aspirina em uma bandeja de prata. Ela tomou uma generosa porção de ambos antes de seguir Adeline em direção ao vapor.

O ar dentro da salinha tinha um cheiro ainda mais forte de eucalipto do que o da recepção e estava tão denso que ela parecia estar o bebendo e o respirando na mesma medida. Charlie nunca havia estado em uma sauna antes, então não tinha certeza se aquilo era normal. A combinação de calor e umidade criava uma sensação claustrofóbica, mas não totalmente desagradável. Ela se sentou em um banco de bambu e esticou os dedos dos pés descalços.

— Você está com um hematoma — comentou Adeline, apontando para onde a panturrilha de Charlie tinha ficado preta e roxa depois de ser atingida pela sombra de Hermes apenas três dias antes.

Charlie concluiu que a melhor coisa a ser feita era ignorar aquilo e redirecionar a conversa.

— Você e Edmund têm quase a mesma idade, certo?

Adeline hesitou, como se a pergunta a incomodasse.

— Ficamos próximos desde que ele foi morar conosco. Minha meia-irmã era bem mais velha do que eu e nunca a conheci direito, então era mais fácil pensar em Remy como um irmão, mais do que qualquer outra coisa.

Meia-irmã. Certo. A mãe de Edmund.

— E sua mãe? Ela se importava de ter outra criança em casa?

— Ela era uma modelo holandesa. Acostumada com crianças se comportando de maneira diferente das crianças americanas. Ela achava que havia algo de errado com ele. — Adeline sorriu como se recordasse de uma lembrança agradável. — Edmund dizia palavrões. *Sempre*.

— E agora?

Adeline suspirou.

— Ela mora em Nova York desde o divórcio. Minha mãe achava a obsessão de meu pai com sombrismo... desagradável.

Os analgésicos deviam ter funcionado, porque a cabeça de Charlie doía menos. Era um pouco mais fácil pensar e a incomodava ainda mais que toda aquela situação não fizesse sentido.

— Por que Edmund decidiu ir embora?

— Ele não queria mais fazer o que meu pai pedia. — Algo no rosto de Adeline fez Charlie se perguntar se Adeline também não estava se sentindo um pouco rebelde. — Ele exigia muito do Edmund.

Ela podia imaginar. O neto era quem tinha a magia, afinal. Mesmo Salt conseguindo uma sombra ativada, ainda não teria os anos de experiência que o neto tinha. Aquilo era impossível de comprar, e Charlie só podia imaginar o quanto aquilo devia irritar Salt. Um homem acostumado a comprar qualquer coisa e incapaz de comprar o poder de uma criança.

— Como ele era com você? — perguntou Adeline.

Havia uma ênfase estranha na pergunta, como se uma das palavras tivesse outro significado.

Talvez Adeline pensasse nele como um metamorfo, igual a como o avô de Edmund o havia descrito, mudando para se adequar à pessoa com quem estava. Era difícil argumentar com aquilo. Afinal, se ele era diferente com todos, então como ela poderia saber?

Mas Charlie tinha uma maneira de descrevê-lo.

— Você já esteve no Quabbin?

— O reservatório? — Adeline parecia um pouco horrorizada.

— Você sabe que tem uma cidade inteira lá embaixo — contou Charlie. — Sepultada sob as ondas. Era assim que Vince era. Uma cidade afogada. Calmo na superfície. Tudo escondido abaixo.

— Não tem como você saber... — começou Adeline, então se interrompeu. Olhando para o delicado relógio de ouro cravejado de diamantes no pulso, ainda funcionando milagrosamente apesar do calor e da umidade do cômodo, ela pigarreou. — Está quase na hora de encontrar o papai para o almoço. Temos que ir.

Ela se levantou. Charlie fez o mesmo, pondo-se de pé e se esticando até ouvir as omoplatas estalar de maneira audível e satisfatória.

No vestiário, Adeline a olhou de maneira especulativa.

— Sei que não vai achar gentil da minha parte dizer isso, mas estou feliz por você não estar mais com o Edmund.

Ela estava certa. Não era gentil. Mas era interessante.

O atendente do spa havia deixado uma roupa para Charlie pendurada em um dos armários. Parecia ter vindo de uma loja de golfe, que devia ficar no prédio principal, imaginava ela. Calças em um material marinho elástico, uma camisa de colarinho branco e uma jaqueta *chevron* azul-marinho com zíper. Eles levaram tênis brancos e meias, mas suas sapatilhas estavam boas, com apenas um pouco de lama seca na sola. Ela se vestiu e trançou o cabelo, mas, sem um grampo, a trança começou a se desfazer de imediato.

Charlie olhou para a própria sombra.

Em toda aquela conversa, ninguém havia explicado como Vince perdera a dele, ou quando.

— Charlie — chamou Adeline.

Ela piscou, arrancada dos pensamentos.

Um carrinho de golfe estava parado na frente do spa, com o motorista esperando para levá-las ao prédio principal. Charlie não precisava ir ao almoço. Poderia voltar para dentro, insistir que alguém lhe chamasse um táxi. E vestir suas roupas em casa.

Mas se Salt quisesse encontrá-la de novo, tinha os recursos para aquilo. Poderia segui-la no percurso do trabalho em seu Rolls. Até onde sabia, ele poderia enviar um policial até sua casa para buscá-la.

Talvez aquele simpático detetive Juarez.

Dinheiro o bastante comprava qualquer coisa.

Ela sentiu a grama molhada nos tornozelos enquanto caminhava para o carrinho de golfe. Depois Charlie se segurou conforme atravessaram o estacionamento, passando por carros Bentley e Lexus. Ela se perguntava quantos clientes de Odette eram sócios daquele lugar.

Dentro do prédio principal, Charlie seguiu Adeline por um piso de pedra brilhante até o restaurante. O host não perguntou seus nomes, apenas as levou a uma sala privada onde as paredes eram cobertas de seda amarela e pinturas de cavalos, brilhando como mogno polido, e penduradas em cima do tecido.

Lionel Salt já estava esperando por elas na mesa, desfrutando de um copo baixo de uísque com um bloco de gelo. Ela reparou nas rugas dele, nas manchas desbotadas da idade e na pele pálida, como se ele tivesse tentado clareá-las. A suavidade da testa por conta de injeções. Ele usava uma blusa de gola alta preta e calça cinza-escuro. No dedo, brilhava um anel de ouro marcado com um símbolo arcano desconhecido. Charlie notou que nem ele nem Adeline usavam ônix.

— Isso é um esforço grande demais para uma simples conversa — proferiu Charlie enquanto o host se apressava em puxar a cadeira para ela.

— Você parece revigorada. — Salt trocou um olhar com Adeline, que assentiu.

Talvez houvesse algum tipo de veneno de duas partes na água de pepino. Se ela começasse a se sentir tonta, esfaquearia Salt no peito com qualquer faca que houvesse, mesmo que fosse uma faca de manteiga.

Ele se inclinou para um garçom.

— Vamos querer a salada de confit de faisão defumado, o salmão curado com chá de flor de cerejeira Kanzan e o lombo de cordeiro grelhado. — Ele olhou para Charlie. — Suponho que não seja vegetariana?

Ela balançou a cabeça. Depois de uma noite bebendo, o que Charlie realmente queria era um sanduíche gorduroso de ovo e bacon, mas ele era o cara segurando a pistola Glock.

— E uma garrafa do vinho rosé Château d'Esclans Garrus 2018 — concluiu ele.

O garçom assentiu.

— Vou tomar um chá gelado — afirmou Charlie.

Depois que o garçom saiu, Salt colocou as mãos na mesa. Suas unhas estavam limpas e polidas. Se ela estivesse dando um golpe em Salt, notaria o toque de perfeição. A necessidade de controle.

Aquilo se manifestava no modo como Adeline ficava quieta, a menos que fosse convidada a falar. A maneira como ele imediatamente tirou a arma do bolso quando Charlie se recusou a ir com ele. Ele esperava obediência e reconhecimento instantâneos de sua superioridade diante de pessoas como Charlie. E como Vince.

A melhor maneira de enganar Salt seria deixar que ele a dominasse. Deixar que ganhasse. Ele acreditaria naquilo e nunca olharia mais fundo.

— Então — começou Salt, apoiando os cotovelos na mesa e olhando para ela. — Temos algo em comum. Meu querido neto prejudicou a nós dois. Ele tirou algo de mim e partiu seu coração. Certo?

Adeline franziu a testa para o prato. Ou ela estava mais do lado de Vince do que queria que seu pai soubesse ou Charlie estar com Vince realmente a incomodava. Talvez ela odiasse todas as namoradas dele.

— Suponho que sim — respondeu Charlie.

— Então que sejamos aliados. Você não estará apenas me ajudando ao recuperar meu livro. Estará impedindo Edmund de cometer um grande erro. Veja, como disse antes, meu neto, com seu jeito peculiar, tratou sua sombra como um cruzamento entre um animal de estimação e um amigo.

"Para comandar uma sombra, é preciso ser um bom guardião. Fornecer sangue e energia do próprio corpo. Nós lhes damos vida e, em troca, elas nos dão total obediência. Elas *são* nós, afinal. Formadas a partir de nós, como um dia fomos feitos de barro esculpido e do sopro do Senhor."

Charlie ficou surpresa com a religiosidade da descrição. Ela havia passado alguns domingos na igreja de Laura, tentando enganar os pais da amiga para que acreditassem que ela não era uma influência terrível. As únicas partes de que se lembrava em detalhes eram as músicas, os donuts gratuitos no porão e muitas falas como as de Salt.

Ele continuou:

— Mas o sacramento é profano. Damos a nossas sombras as partes de nós que queremos empurrar para a escuridão. Nossa raiva, nosso ciúme, nossa gula, nossos desejos mais vergonhosos. Imagine uma criatura cheia de ódio, feita de tudo de monstruoso em uma pessoa, uma coisa que se alimenta de energia e sangue. Agora imagine mimar *isso*, Srta. Hall.

Charlie tentou imaginar Vince com uma sombra como aquela e achou fácil entender por que ele estivera disposto a ignorar tantos defeitos de Charlie.

— Ele a chamou de Red — contou Salt. — Red e Remy, não é fofo? Talvez ela se chame assim agora.

— O que você quer dizer? — perguntou Charlie.

— Quando a sombra do Edmund foi libertada, ela se tornou uma Praga.

— Uma Praga de uma *pessoa viva*? — contrapôs Charlie.

— Formada na infância, com a tola concessão de uma criança para a gula. Ele alimentou demais a coisa. Deu muito sangue, e não apenas o seu. Quando Edmund chegou à idade adulta, sua sombra era muito poderosa. Poderosa o suficiente para ter desejos próprios. Foi por essa razão que Edmund roubou o *Liber Noctem* de mim: para trazer a Praga à plena vida, não mais uma sombra.

— Isso não pode ser verdade — afirmou Charlie, sem nem mesmo ter certeza de a qual parte se opunha.

— O *Liber Noctem* detalha o método pelo qual uma Praga pode adquirir e manter substância suficiente para se passar por humano. — Ele olhou para ela do outro lado da mesa, como se quisesse fazê-la entender. — O autor apresentou isso como o segredo da imortalidade. Mas o que nenhum sombrista tentando recriar o ritual percebeu foi que não seria sua consciência que sobreviveria.

E assim eles foram enganados e levados à própria morte, e suas sombras, infladas com energia roubada, ainda caminham entre nós. Para todas as aparências, são humanas. Talvez até hoje.

Aquilo soava como uma *creepypasta* da internet.

Impossível. Ridículo.

Mas Charlie não podia deixar de lembrar como Vince lhe dissera que o que ele havia feito era pior do que suas acusações. Algo tão ruim que ele se recusava a explicar.

— Você não quer acreditar em mim — concluiu Salt. — Mas acredita.

O garçom entrou, interrompendo-os para oferecer o vinho. Ele encheu as três taças com a bebida de um cor-de-rosa profundo, depois enrolou uma toalha no gargalo da garrafa e a colocou em um balde de gelo prateado. Por fim, colocou o chá de Charlie na frente dela, com uma fatia grossa de limão decorando a lateral e um raminho de hortelã com os cubos de gelo.

Lionel o dispensou quando ele começou a perguntar se precisavam de mais alguma coisa.

— O que você fez com o Vincent, Sr. Salt? — perguntou Charlie.

Adeline lançou um olhar afiado e surpreso para ela.

— O que *eu* fiz? — indagou ele, como se tentasse se mostrar ofendido.

— Alguma coisa fez com que ele fosse embora. Espera mesmo que eu acredite que foi porque você teve uma crise de consciência por ele ter feito experimentos com a própria sombra?

Adeline pegou a taça de vinho e a virou de uma vez.

— Isso é terrível. Conte logo para ela...

— *Estou* fazendo isso, minha querida — interrompeu ele, com uma ênfase um pouco firme demais para as palavras serem verdadeiras. Ele se virou para Charlie e continuou: — O Edmund não foi sensato a respeito de Red. Você entende de Pragas o suficiente para saber como são terríveis. São feitas das piores partes de nós. Podem ser muito poderosas. E são invariavelmente desequilibradas. É por isso que algumas Pragas são descartadas e outras capturadas e amarradas a novos usuários. Controlá-las é a única coisa que mantém a humanidade segura.

Charlie sabia que alguns sombristas usavam Pragas em vez das próprias sombras ativadas, embora nunca tivesse parecido a ideia mais sábia. Mas o sombrismo era uma arte muito nova para seus praticantes não tentarem caminhos perigosos para obter poder. Posey poderia estar disposta a fazer aquilo.

Quem ela estava enganando? Posey não pensaria duas vezes.

Mas não parecia a cara de Vince não estar ciente do perigo de deixar uma Praga vagar livremente. E não parecia a cara de Salt se preocupar com a segurança da humanidade.

Charlie ficou feliz quando o garçom voltou com a comida, forçando a conversa a parar.

Salt o instruiu a colocar o lombo de cordeiro na frente dela. Charlie deu uma mordida distraída e mastigou de modo mecânico, mal sentindo o gosto do que estava comendo.

— É verdade que eu estava envolvido no que aconteceu depois — contou Salt, assim que o garçom encheu as taças de vinho e partiu. — Tentei salvar Edmund de Red, mas meu neto soltou a sombra antes que eu pudesse destruí-la. Agora está solta no mundo. Veja, é por isso que preciso do meu livro antes que ele consiga completar o método descrito nele. O que Edmund pretende fazer não pode acontecer. Uma Praga que poderia se passar por humana, com uma fome sem fim... você gostaria que isso andasse por nossas ruas, fazendo com os outros o que fez com Paul Ecco e Knight Singh?

— Vince não faria isso — contrapôs Charlie.

— Ele *não* vai fazer — retrucou Salt. — Porque você vai trazer *O Livro da Noite* para mim neste sábado e vamos mantê-lo seguro. Estamos entendidos?

Charlie ainda estava presa nas acusações de Salt.

— Por que a sombra do Vince, *Red*, matou essas pessoas?

— Uma delas pegou um pedaço do livro, a sombra não gostou — explicou Salt, retorcendo a boca e a encarando. — A outra sabia muito sobre o conteúdo do *Liber Noctem*. Mas Red precisa matar. Quanto mais sangue e energia de sombras ele consome, se torna mais poderoso, e mais pronto para o ritual.

Quando Charlie olhou para o prato, a única coisa que restava eram manchas vermelhas da carne malpassada. Ela limpou os cantos da boca com o guardanapo. Não se lembrava de ter comido nada daquilo.

— Esse livro está desaparecido há um ano ou mais. O que faz você pensar que vou consegui-lo até sábado? — perguntou Charlie.

— Você *conhece* o Edmund. Pode fazer o que ninguém mais pode: definir onde ele colocaria um livro que não queria que ninguém encontrasse. Vou dar uma pequena festa para a comunidade sombrista em comemoração a minha elevação à Confraria. Conseguir o livro seria uma prova digna do quão bem-sucedido serei em minha nova posição.

Charlie olhou para ele, horrorizada. Ok, a Confraria era um órgão governante clandestino, mas servia para identificar ameaças à comunidade, como Pragas soltas, ou criar leis destinadas a regular o sombrismo, e empregar um

Hierofante. Também mantinha os sombristas locais sob controle. Alguém tão monstruoso quanto Salt fazendo parte daquilo, sendo uma das cinco pessoas tomando decisões, seria ruim para todo mundo.

Não, uma das *quatro* pessoas, se deu conta Charlie. Porque Knight Singh estava morto.

— Agradeço a oferta, mas o trabalho não é para mim — insistiu Charlie. — Não tenho ideia de onde Vince está ou o que ele fez com seu livro. Pelo que sei, ele se livrou dele. Além disso, não gosto de você. Você me sequestrou sob a mira de uma arma. E você é meio escroto.

Dizer aquilo a ele não era vingança, mas também não era nada.

Adeline prendeu a respiração.

Salt olhou para Charlie do outro lado da mesa e havia algo em seu rosto como se antecipasse algum grande prazer. Aquele foi todo o aviso que ela recebeu antes que a sombra dele fluísse em direção a ela e afundasse em sua pele. Antes de entender o que estava acontecendo, sua mão ergueu a faca de carne assim que o garçom voltou para a sala.

Ela podia sentir a sombra dentro dela, uma consciência separada. Podia ouvir seus pensamentos e sentir a grandeza do ódio.

Sua boca se abriu e ela pôde sentir a língua começar a formar palavras, a voz rouca e relutante.

— Eu vou ma-tar...

Então ela estava livre, tremendo de pavor. Sem saber se havia tirado a sombra de dentro dela com sua força de vontade ou se Salt a deixara ir.

Ele riu do rosto assustado do garçom.

— Ela fica acalorada quando discutimos política, mas não há mau nenhum nela. Não é verdade, minha querida?

Charlie mordeu a língua e não respondeu, com muito medo de que não fossem suas palavras saindo de sua boca.

Salt se inclinou para perto, abaixando a voz para um sussurro.

— Tem uma semana para roubar o *Liber Noctem* para mim. Dada sua reputação, estou certo de seu sucesso. Mas, se falhar, veremos o que mais posso fazer você fazer e com quem mais. Tem uma irmã, não é mesmo? Agora, você gostaria de um café antes de ir? Um licor?

A raiva, o medo e a fúria cresceram em Charlie como uma onda, dissipando todos os outros pensamentos. Ela não achava que era possível desprezá-lo mais do que desprezava, mas naquele exato momento suas mãos tremiam com o desejo de violência. Ela queria quebrar um copo e usá-lo para abrir o rosto dele. Queria vê-lo se contorcendo no tapete enquanto o veneno roubava sua consciência.

O sorriso de Salt cresceu conforme ele analisava a expressão de Charlie. Ela suspeitava de que ele gostava de que ela o odiasse. Era outro tipo de poder.

Ele limpou os cantos da boca com um guardanapo de pano.

— Preciso ouvir você dizer que entende. Que estará na minha casa no sábado, com o livro nas mãos.

Charlie empurrou a cadeira para trás e se levantou, mordendo o interior da bochecha.

— Tem minha palavra.

Ele assentiu.

— Tenha um bom dia, Charlatona.

Quando ela se virou para ir embora, Adeline pegou sua mão.

— Sei que você viu as notícias. Antes de julgar o meu pai, lembre-se do que Red é capaz de fazer.

A sombra de Vince estava realmente por aí, assassinando pessoas na expectativa de alguma transformação? Foi aquilo que acontecera com Rose Allaband? Quão responsável Vince tinha sido por tudo aquilo?

E, no entanto, o corpo de Rand também havia sido encontrado em um carro, junto com o corpo de uma garota que Charlie tinha certeza de que ele nunca conhecera em vida. Tudo arquitetado por Salt.

Talvez Vince *não tivesse* fingido a própria morte. E se apenas tivesse pegado o livro e fugido? Se Salt tivesse montado a carcaça queimada do carro, com corpos carbonizados dentro, Vince teria sido declarado morto, impossibilitando-o de ir longe ou de ir às autoridades. Se alguém achasse que ele estivesse vivo, seria procurado por assassinato.

Aquilo com certeza não explicava Red.

— Me solte — comandou Charlie.

Os dedos de Adeline cravaram na pele de Charlie.

— Você acha que conhece o Remy, mas está errada.

Charlie puxou o braço para longe da mulher e saiu da sala o mais rápido que pôde. Nem sabia para onde estava indo, contanto que fosse para longe da família Salt e de seus terríveis desejos e exigências. Ao cruzar os ladrilhos lisos do salão de recepção, ela viu um homem encostado na parede.

O coração de Charlie acelerou.

Ele era mais jovem do que a maioria das pessoas andando pelo country clube, com cabelos escuros, olhos fundos e pele machucada. Buracos de bala, ela havia pensado neles naquela noite quando o vira pela primeira vez no beco. Mas, de perto, seus olhos apenas pareciam cansados.

Então seu olhar recaiu na área entre a borda de suas luvas e os punhos da camisa. Não revelava muito, mas ela podia ver que havia sombra onde a pele do pulso deveria estar.

— Você é o Hierofante — ela se forçou a dizer.

Ele sorriu, mas era um sorriso errado. Muitos músculos faciais envolvidos. A boca foi puxada em muitas direções.

— Sim — confirmou ele, como se forçasse as palavras. — Estou ca-çan-do uma Praga.

Charlie deu um passo involuntário para trás, mais alarmada pela maneira como ele falava do que pelo que dizia. Aquilo a fez lembrar, repentina e assustadoramente, de como ela havia soado ao ser controlada por Salt.

— Red? — perguntou ela.

Um brilho apareceu em seus olhos.

— Você o viu, não viu?

Ela balançou a cabeça.

O Hierofante lhe deu um daqueles sorrisos estranhos.

— Já fui um ladrão. Como você.

Se ela tivesse sido pega no lugar errado, no momento errado, poderia ter acabado como ele. Mãos cortadas, sendo enviada para matar Pragas. Será que ele tinha sido um sombrista antes? A maioria dos ladrões não era, principalmente por ser difícil para uma sombra atravessar as proteções de ônix que a maioria dos sombristas armava.

— Sua sombra... — começou Charlie, querendo perguntar se ele a tinha ativado por conta própria, ou se o tinham amarrado a alguma coisa.

Ele estreitou os olhos e se afastou da parede, dando um passo na direção dela.

— Uma vez que eles colocam as garras em você, nunca mais soltam.

Ela deu passos rápidos para trás.

O Hierofante inclinou a cabeça para o lado e começou a falar, primeiro em um tom monótono, depois em um grito crescente:

— Diga a Red que eu quero o livro. Diga a Red que podemos compartilhar. *Diga a Red que vou destroçá-lo.*

Quando ele continuou avançando para cima de Charlie, ela se virou e correu, as sapatilhas se chocando no chão polido.

— Ninguém pode lutar contra a própria sombra — gritou ele atrás dela.

Ela atingiu as portas com o ombro, escancarando-as. O carro preto fosco estava esperando por Charlie e ela não parou de correr até estar dentro dele.

21
O PASSADO

Remy Carver estava em uma rua de paralelepípedos no bairro de Beacon Hill, em Boston, tentando parecer um adolescente normal em vez do condutor de um assassinato. Ele sentiu o ímpeto de sua sombra, como se houvesse uma corda entre eles, distendendo-se conforme Red subia as escadas da casa geminada.

Do outro lado da rua, uma senhora idosa com um casaco de gola de pele passeava com um chihuahua gordo. Ela olhou para Remy e ele se virou, movendo-se mais a fundo nas sombras, com o coração martelando.

Talvez ele devesse ter saído às duas horas da manhã, em vez das onze da noite. Seu avô havia argumentado que naquele horário ele chamaria menos atenção porque teria outras pessoas na rua, mas não tinha nenhum momento em que não parecesse um pouco suspeito que um garoto de catorze anos estivesse de bobeira perto de latas de lixo, esperando que seu amigo invisível terminasse de matar alguém.

Remy não pertencia a um lugar como aquele, não importava quem era seu avô. As jardineiras cheias de flores da primavera e as aldravas de latão reluzente o deixavam desconfortável.

Ele tentou se concentrar em algo diferente do que o que estava acontecendo no andar de cima, embora parte dele pudesse ver pelos olhos de Red. A sombra havia chegado ao quarto do homem. A porta estava entreaberta, sem barreira alguma. O homem dormia, com a esposa ao lado. Ela tinha uma daquelas cânulas no nariz que fornecem oxigênio extra...

Remy balançou a cabeça, fechou os olhos como se aquilo fosse impedir que as imagens chegassem. *Não. Não.* Pense na última vez que viu sua mãe e como ela estava melhor. Mas aquela lembrança também não era tão boa, porque ela quisera que ele fosse morar com ela, e ele não podia.

Pense na escola particular chique que está frequentando e em como Adeline o tem apresentado a seus amigos. Eles acharam Remy legal. Ele sabia como conseguir drogas e como identificar um cara entrando em uma loja de bebidas que estaria disposto a comprar uma garrafa de Grey Goose para eles por vinte dólares a mais. Queriam que fossem esquiar juntos no inverno. Queriam que fosse a suas ilhas durante o recesso de uma semana na primavera.

E aquilo não era muito melhor do que a situação em que estivera no ano anterior, enrolando fita adesiva em torno do tênis para que os pés não ficassem molhados, se arrastando pela neve cinzenta?

Valia a pena. Aquilo valia a pena.

Foi naquilo que ele se concentrou quando Red desceu pela garganta do homem, quando a cabeça de Remy ecoou sons horríveis. Quando a esposa acordou e começou a gritar. Pense em ter uma casa. Pense em sua mãe indo para o tipo de reabilitação que as celebridades frequentam. Pense em um futuro. Pense em Adeline, que queria ser sua irmã.

Não pense no Red.

Desde que seu avô havia descoberto o quão útil Remy poderia ser, ele queria que o neto usasse a própria sombra. E seu avô havia começado a colecionar livros sobre sombristas, insistindo que Remy estava fazendo aquilo da forma errada. Que Remy precisava entender que Red era apenas uma extensão dele, como a mão, algo sobre o qual tinha total controle.

Que agir como se Red pudesse tomar as próprias decisões era perigoso.

Mas Remy não queria matar ninguém. Já era ruim o suficiente ter que participar daquilo. Ele não conseguia imaginar estar totalmente consciente do que estava fazendo, infiltrando-se pela garganta do homem, vendo os olhos dele se arregalarem e a língua ficar pendurada. Ouvindo os berros frenéticos da esposa perto o bastante até que seus ouvidos parecessem sangrar.

Quando terminou, Remy enxugou as lágrimas do canto dos olhos.

Ele odiava saber que o homem estava morrendo e odiava o homem morrendo também. Se ele tivesse apenas seguido o rumo dos negócios como o avô de Remy quisera, todo mundo estaria menos infeliz.

Não demorou muito para Red voltar, deslizando pelos paralelepípedos em direção a ele. Mas sua sombra parou antes de retornar a seu lugar adormecido. Em vez disso, o contorno preto de Red se pôs contra a parede de tijolos, tão ereto quanto Remy, desafiando as luzes da rua e qualquer lei natural.

— Você está infeliz — afirmou Red, embora as palavras só pudessem ser ouvidas na mente de Remy.

Adeline havia explicado para Red que ele era a parte de Edmund que Edmund não conhecia. Tipo seu inconsciente.

Mas Red não se sentia um inconsciente. Ele se sentia como um sótão. Um lugar para enfiar coisas com as quais Remy não queria lidar. Na nova escola particular chique que o avô havia insistido que Remy frequentasse, ninguém gosta que as pessoas se metessem em brigas. Então Remy não se metia mais nelas, embora na antiga escola ele tivesse que bater de frente com as pessoas se quisesse ser respeitado. Mas aquela raiva tinha que ir para algum lugar.

E quando Remy se sentia triste em momentos como aquele ou quando sentia falta da mãe, ele também lançava aquela tristeza para dentro de Red. A pena que sentia pelas pessoas que seu avô queria mortas. O que não era justo, porque Red não deveria ter que matar pessoas e sentir pena delas.

Mas Red não era real. Era o inconsciente de Remy. Ou um sótão.

Ele costumara ser um amigo.

— E daí? Acabou — retrucou Remy, empurrando toda a tristeza para longe de si.

Ele se perguntava se Red reclamaria, mas era energia, certo? Como o sangue que o alimentava.

— Da próxima vez me liberte — sugeriu Red. — E quando a coisa estiver feita, eu volto.

Remy odiava quando sua sombra dizia coisas que não pareciam vir de seus pensamentos, coisas que o surpreendiam. Antes ele gostara daquilo, quando se tratava de um lance em um jogo ou de correr à frente em uma corrida.

— Precisamos ir — murmurou ele e partiu, andando pela calçada com as mãos nos bolsos.

A polícia chegaria em breve e uma ambulância também.

Que a sombra o seguisse. É o que as sombras deveriam fazer.

Ele se sentiu melhor ao virar a primeira esquina. Não havia nada que o ligasse ao assassinato.

E quanto mais ele pensava naquilo, o que Red queria era o que ele também queria, não é? Mesmo que fosse impossível. Então não deveria ter sido tão surpreendente, o que Red havia sugerido. Remy estava apenas sendo esquisito com as coisas, por causa do que o avô lhe dissera.

— Prometo que vou voltar — sussurrou Red. — Juro de coração. Juro pela minha alma.

— Você não tem coração — respondeu Remy para ele por pensamento. — Ou alma.

— Pela minha vida então. Juro pela minha vida.

— Você é apenas eu — lembrou Remy.

— Sou apenas você — repetiu Red, mas Remy não tinha certeza do que aquilo significava uma vez que as palavras vinham da sombra.

Quando eram mais novos, ele sempre soubera o que Red queria dizer.

— Vou pensar nisso — afirmou Remy.

Mas ele já sabia que faria qualquer coisa para não precisar ter uma noite como aquela de novo.

22
O SÁBIO E A SOMBRA

Assim que chegaram à via expressa, o motorista idoso pigarreou.
— Há algo no banco traseiro para você, Srta. Hall.
No tapete, para onde devia ter escorregado, ela encontrou um livro com capa de couro sintético vermelho e impressão dourada. Depois de roubar tantos exemplares velhos e caindo aos pedaços, era estranho segurar um livro novo feito para parecer de outro tempo.

O título dizia *Obras completas de Hans Christian Andersen*. Uma nota de cem dólares estava enfiada em uma página, servindo de marcador. O título da história era simplesmente "A sombra".

Sem nada mais para fazer no caminho para casa, ela o leu.

Contava a história de um sábio que saía do frio do norte viajando para uma cidade maravilhosa no sul, mas que não conseguia aguentar o calor dos dias. Ele encolhia sob o sol quente, ficando magro e exausto. Até sua sombra parecia esmaecer. Somente à noite, com a chegada da brisa fresca, começava a se sentir ele mesmo de novo. Sentava-se na varanda com uma vela e observava sua sombra se esticar e se alongar no ar da noite.

Charlie sentiu um pequeno arrepio na espinha. Ela continuou lendo.

A cidade sob o sábio e sua sombra parecia magnífica ao luar. Carruagens barulhentas passavam por músicos tocando bandolins. Os sinos da igreja tocavam. Burros carregavam carrinhos de frutas maduras na volta dos mercados. O sábio respirava aromas de especiarias, fumo e flores exuberantes. Ele ficava particularmente impressionado com aquelas que floresciam na varanda em frente a dele, de onde vinha o som de alguém cantando.

Todas as noites, o sábio se sentava em sua varanda e olhava para o outro lado. Certa vez, pensou ter visto uma bela jovem entre as flores. Quando olhou de novo, ela havia desaparecido. Mas, à luz das velas, sua sombra ficou longa o suficiente para se estender para o outro lado da rua, até a janela da jovem.

"Faça-se útil", pediu o sábio à sombra, rindo. "Olhe lá dentro e me diga o que vê. Mas não deixe de voltar".

E com aquilo, ele foi para a cama. Mas a sombra não. Ela escapuliu para olhar e, apesar da ordem, nunca mais voltou.

O sábio achou aquilo muito irritante. Logo, porém, encontrou uma nova sombra pequenina começando a crescer nas pontas dos pés. Ao voltar do país quente, tinha uma sombra recém-crescida que era mais que suficiente e decidiu se contentar com aquilo.

Uma noite, muitos anos depois, bateram a sua porta. Do outro lado, havia uma pessoa muito magra, vestida de forma impecável. Olhar para ele fez o sábio se sentir esquisito, mas ele conduziu o estranho para dentro apesar da desconfiança.

O estranho se apresentou como a sombra do homem. Mesmo espantado, o sábio achou um pouco divertido vê-la outra vez. A sombra lhe contou muitas histórias de suas aventuras e de como havia se dado muito bem na vida, uma vez que conseguia entrar em qualquer lugar e ver todas as coisas que os poderosos queriam manter escondidas. Ele havia se tornado bastante rico.

O sábio ficou maravilhado com o feito, pois continuava pobre. A sombra o convidou para viajar e se ofereceu para pagar sua passagem. Aquilo foi um pouco demais para o orgulho do sábio, mas no final ele cedeu.

Os dois viajaram para longe, para uma estação de águas, e a sombra alegava que esperava curar o fato de sua barba não crescer. À medida que seguiam, a sombra tomava todas as decisões e pagava por tudo o que comiam e bebiam. Logo, ela começou a tratar o sábio mais como um empregado.

Muitas pessoas de todas as partes iam para as águas curativas, e a sombra conheceu uma princesa que tinha ido até lá para curar uma doença que lhe permitia ver as coisas de forma muito aguda. Ela deu uma olhada na sombra e lhe disse que ele tinha ido para as águas na esperança de que pudesse criar uma sombra. Ele riu e falou que ela já devia estar curada, porque a sombra dele estava bem ali. E indicou o sábio.

A ideia de que a sombra dele era muito mais definida do que a de qualquer outra pessoa a intrigava. Naquela noite, eles dançaram juntos e a princesa contou sobre o país dela. Ele tinha estado lá e tinha tamanho conhecimento que a princesa logo se apaixonou.

Ela queria se casar com ele, mas precisava se assegurar de sua sabedoria, pois um governante deveria ser tão sábio quanto instruído. A princesa o testou fazendo uma série de perguntas filosóficas difíceis. A sombra riu, dizendo que eram tão simples que até sua sombra poderia responder. E quando ela fez as mesmas perguntas ao sábio, ele as respondeu de modo tão efusivo que ela concordou em se casar com a sombra imediatamente.

Naquela noite, a sombra fez uma oferta ao sábio. Ele poderia viver com eles e ser rico pelo resto de sua vida se dissesse a todos que ele era a sombra e a sombra era o homem.

O sábio recusou. Disse que iria até a princesa e lhe contaria tudo. Mas a sombra lhe avisou que, caso tentasse, ela diria à princesa e seus guardas que o sábio era um mentiroso.

Seja razoável, negociou a sombra. "Sou eu quem vou me casar com ela e eles ouvirão a mim em vez de ouvir você".

Mas o sábio insistiu. E tudo ocorreu como a sombra previu. A sombra disse aos guardas da princesa para prenderem o sábio e eles o fizeram. Quando a sombra e a princesa se casaram, o sábio já havia sido morto e não mais existia.

Charlie fechou o livro e viu que eles haviam saído da rodovia I-91 e estavam ziguezagueando por vias secundárias em direção ao Blue Ruin. Colocando a mão na capa de couro sintético, ela tentou deixar de lado a história em si e se concentrar no motivo pelo qual Salt a tinha dado para ela ler.

Ele queria que ela acreditasse que Red não era apenas uma ameaça para o mundo, mas para Vince. Charlie não deveria se importar, mas tinha que admitir que se importava.

O ódio por Salt queimava em suas entranhas, mas por mais que ela o desprezasse, por mais que estivesse certa de que ele a estava enganando, Charlie acreditava, na mesma proporção, que ele não havia mentido sobre *tudo*.

O motorista entrou no estacionamento e parou ao lado do Corolla dela. Charlie saiu, levando o livro e o marcador de cem dólares. Afinal de contas, Salt prometera pagar.

O Rolls-Royce preto fosco estava de volta na rodovia, acelerando no fim de tarde, enquanto Charlie abria a porta do carro. Ela prendeu a respiração até que o motor começasse seu engasgo terrível de sempre. Sua bolsa estava no banco traseiro onde ela a deixara. O celular também estava lá, com uma ligação perdida de Posey e outra do trabalho.

Ela as ignorou e ligou para o escritório financeiro da UMass para tentar consertar o problema no cadastro de Posey. Deu ocupado. Quando tentou de novo, a chamada foi para o correio de voz. Entre uma ligação e outra, o escritório havia fechado e permaneceria assim até depois do Dia dos Veteranos.

Frustrada, ela dirigiu para casa. Passava um pouco das quatro da tarde e a casa estava silenciosa. Ou sua irmã não tinha se levantado da cama, ou tinha se trancado no quarto. Exausta, Charlie foi direto para o colchão e se jogou nele.

Quando acordou, a casa cheirava a algo queimado. Ela percebeu que estivera apertando o livro vermelho no peito, como se fosse um ursinho de pelúcia.

Na cozinha, Posey olhava para uma forma cheia de biscoitos queimados.

— Você não voltou para casa ontem à noite — afirmou a irmã. — Vince também não. E... o que você está *vestindo*?

Charlie olhou para a roupa esportiva que o spa havia escolhido para ela. Dando de ombros, ela se sentou em uma cadeira e pegou um biscoito. Um pouco de açúcar faria bem.

— Vince foi embora. Arrumou as coisas. E se foi.

Ela esperava que Posey ficasse feliz da vida, ou pelo menos presunçosa, mas, sua irmã parecia chocada.

— Você deu um pé na bunda dele?

Charlie balançou a cabeça.

— Não. Eu te disse. Ele foi embora.

— Mas *por quê*?

— Porque o nome dele não é Vincent Damiano de verdade. Ele é Edmund Carver, é podre de rico e está presumidamente morto.

Charlie suspirou, desistiu dos biscoitos e foi se servir de cereal.

Tudo o que tinham era um cereal de farelo de trigo sem graça, comprado por Vince a pedido dela. Ela o jogou em uma tigela.

— Sério?

— Acho que ele está metido em confusão — contou Charlie. — Quero dizer, é óbvio que está. Mas ele está ainda *mais* metido em confusão e isso tem a ver com sua sombra perdida.

Vince tinha treze anos quando Salt o acolheu, cheio de problemas e provavelmente desesperado por estabilidade. O que ele teria estado disposto a fazer por aquilo?

Ela apostava que a resposta era: qualquer coisa.

Posey cutucou os biscoitos queimados com uma espátula de plástico um pouco derretida que devia estar liberando toxinas neles. O pedaço de um se soltou.

— Quem está atrás dele?

— É uma história meio complicada. Você se lembra do amigo trapaceiro da mamãe, Rand?

Posey torceu o nariz.

— Aquele velho que estava sempre andando com você. Ele não morreu de maneira muito estranha?

— Ele foi assassinado — explicou Charlie.

Posey balançou a cabeça.

— Não, não foi isso. Seu corpo foi encontrado com outro corpo no carro. Suicídio. Ou assassinato-suicídio. Lembrei agora. O papai culpou a mamãe por deixar você sair com ele todas aquelas vezes. Ele estava preocupado com o cara ter feito coisas com você como todos imaginavam que ele tinha feito com aquela garota antes de matá-la.

Seu pai, óbvio, não tinha dito *nada* para ela. Até aquele momento, Charlie não sabia que ele estivera ciente da existência de Rand. Era difícil equilibrar a surpresa e a irritação com Posey, que pelo visto achava que Charlie apenas se lembrava mal de um dos eventos mais horríveis de sua vida.

— *Rand foi assassinado* — repetiu ela. — Eu sei porque eu estava lá.

Posey começou a abrir a boca para responder, possivelmente para fazer objeção, e então a fechou de forma abrupta.

— O avô do Vince o matou. Lionel Salt.

— Por que você estava lá? — perguntou Posey, com a voz muito mais baixa e menos convicta.

— Porque Rand era um golpista — revelou Charlie. — E eu era sua ajudante. Como a assistente de um mágico, mas para o crime.

— Então *nem um pouco* como a assistente de um mágico — contrapôs Posey.

Charlie passou o dedo pelas migalhas carbonizadas.

— Olha, o Rand não era o melhor dos caras. Era vaidoso e irritadiço, e começou me chantageando para que eu trabalhasse para ele. Mas ele me ensinou muito. E não merecia morrer e definitivamente não da forma como morreu. Ninguém merece morrer daquele jeito.

— Você sempre dizia para a mamãe que *queria* ir com ele. — Posey mordeu um biscoito, depois fez uma careta e o largou. — Eu achava que ele estava comprando coisas para você e naquela época fiquei com inveja, mas depois fiquei sem saber o que pensar. Você sempre tinha dinheiro. E, bem, ele era bizarro.

Quando ela colocava a coisa daquela forma, soava mal. Charlie se perguntou mais do que nunca o que sua mãe achava que ela fazia com Rand e por que ficava bem com aquilo.

Charlie mastigou o cereal "saudável", franzindo a testa.

Os problemas passados podiam ser insolúveis, mas Vince era a chave para resolver os problemas atuais. Ou ele tinha o *Liber Noctem*, ou podia dizer a Charlie seu paradeiro. E se Vince estava de fato tentando transformar sua sombra maligna em uma pessoa maligna, talvez terminasse até sábado para que ela pudesse levar o livro de volta para Salt.

E se parecia um alívio ter um motivo para entrar em contato com ele, Charlie se recusava a pensar muito naquilo. Pegando o celular, ela respirou fundo ao clicar no nome dele e esperou tocar.

Um momento depois, uma voz automática disse que o número havia sido desconectado. Óbvio que sim.

Bem, ela havia passado a maior parte de uma década achando coisas. Podia achar um cara alto sem cartões de crédito ativos e com uma identidade falsa.

Charlie olhou para sua irmã diante de si na cozinha.

— Você acha que é possível ser *amiga* da sua sombra? Tipo, passar a realmente se importar com ela?

Posey franziu a testa por um momento, considerando aquilo.

— Tem uma mulher que se casou com o Muro de Berlim. Ela ficou bem arrasada quando ele foi derrubado. E ficou carregando um tijolo por aí por um tempo.

Aquilo fazia sentido, mas não era aquilo que Charlie queria dizer.

— Certo, tudo bem, mas seria possível de uma maneira *razoável* ser amiga dela?

— Não sei.

— Pois é — comentou Charlie. — Nem eu.

— Se ela pudesse falar, quem sabe — respondeu Posey, ainda remoendo a pergunta. — Mas aí você não está apenas falando com você mesma?

Charlie franziu a testa, olhando para o chão. Ela não estivera falando sobre a própria sombra, mas talvez devesse estar. A sombra estava tão indiferente como sempre. Definitivamente não amigável.

— Você me odeia um pouco, não é?

Posey lhe lançou um olhar.

— Está falando isso porque é injusto que seja sua sombra esteja ativando para você se tornar uma sombrista, que é a coisa que mais quero no mundo?

Charlie assentiu.

— Estou com raiva — confessou Posey. — Do universo. E de você, acho, mesmo sabendo que não é sua culpa. Vou superar. Mas se você estragar essa porra, *vou* te odiar.

Charlie suspirou, quase certa de que já estava estragando aquela porra e totalmente certa de que estragaria a porra toda em algum momento. Aquela era apenas sua natureza. Charlie Hall, Criadora de Problemas, como diz a música *Maker of Mistakes*. Padroeira do Desastre.

As únicas coisas em que tinha sido boa eram golpes e trapaças, então era melhor ficar naquilo. Paul Ecco havia conseguido uma página do *Liber Noctem* de alguma forma. Se Vince a tivesse vendido para ele, haveria algum registro da transação. Talvez Vince tivesse deixado Ecco com um número de telefone que funcionasse ou, melhor ainda, um endereço.

Livros Curiosos, era aquele o nome da loja de Ecco. Bem, Charlie estava se sentindo mais e mais curiosíssima.

— Vou sair de novo — anunciou ela, indo para o quarto para trocar de roupa. Posey olhou de viés para a irmã.

— Você vem para casa hoje à noite? Vou pedir *lo mein*.

— Pede para mim — gritou Charlie. — Qualquer coisa, como no café da manhã.

A Livros Curiosos ficava no terceiro andar de um prédio meio desgastado que fora antes uma fábrica, logo acima do ateliê de um artesão em cimento e em frente a uma escola circense onde crianças pequenas aprendiam a fazer malabarismos e girar pratos. As trancas das portas eram risíveis. Charlie nem precisou tentar arrombar; apenas deslizou o cartão de pontos do supermercado Big Y no espaço entre o batente e a porta, então o moveu para cima com força suficiente para pressionar a trava. Girando a maçaneta, ela empurrou a porta com o quadril e a abriu.

As paredes estavam repletas de estantes de livros que pareciam ter sido retiradas de liquidações de bibliotecas e doações do *Craigslist* nas cidades vizinhas. Os exemplares estavam tão grudados que Charlie se perguntava como um deles podia ser retirado. Caixas de papelão estavam empilhadas em pequenas torres, algumas com as laterais rasgadas, outras contendo mais caixas dobradas, talvez para serem transportadas. No alto da parede dos fundos, acima das janelas, havia sido pintada uma citação sem autoria: "O universo pertence aos curiosos".

Uma velha mesa de metal estilo anos 1950 se encontrava no meio do cômodo, com um computador zumbindo em cima, assim como um telefone fixo de aparência antiga e uma impressora de etiquetas. Havia papel solto cobrindo o chão, como se tivesse sido remexido recentemente.

Charlie caminhou de uma ponta até a outra, inalando a poeira dos livros antigos. Um armário de vidro trancado havia sido quebrado e as prateleiras esvaziadas. Havia uma única estante no chão, com livros saindo por baixo.

Ela voltou para a mesa, sentou-se e moveu o mouse em um círculo. Depois de um momento, o monitor do computador ganhou vida, mostrando uma confusão de informações. Ela abriu uma janela de busca e digitou "nome:Noctem". Não apareceu nada. Ela o substituiu por "nome:Praga" e aquilo também não resultou em nada.

Então Charlie tentou "inventário" e conseguiu encontrar um arquivo .xls. Quando o abriu, Charlie encontrou uma lista de livros que Paul Ecco tinha na loja, com breves resumos, o preço que Paul pagara por eles e o preço pelo qual os tinha vendido.

Ela digitou "Noctem" na área de busca do arquivo. Sem resultados.

Frustrada, Charlie pegou o celular e ligou para Balthazar. Ele atendeu no terceiro toque.

— Querida — cumprimentou ele, prolongando a vogal. — A que devo o prazer?

— E se eu quiser aceitar o trabalho do Knight Singh? — perguntou ela, chutando a gaveta do arquivo e fazendo a cadeira girar.

— Tarde demais, infelizmente. Ouvi dizer que alguém já pegou o volume. Arrependida? Não se preocupe. Tenho meia dúzia de outros trabalhos. Alguns fora do estado, se estiver disposta a viajar. Alguns impossíveis, se quiser uma tarefa com emoção.

— Sempre — confirmou Charlie. — Mas quem o queria?

— Queria o quê?

— Os papéis do Knight Singh.

De bobeira, Charlie começou a abrir as gavetas da escrivaninha. Elas fizeram um som metálico áspero.

Balthazar hesitou antes de responder:

— Tem alguma coisa que você queira me dizer?

— Acho que não. — Na gaveta de arquivos ela encontrou dezenas de pastas de papel pardo, todas rotuladas com as necessidades maçantes dos negócios: contas, aluguel, menus de restaurante, seguros, organizações de livreiros com siglas: ABA, Ioba, Neiba. — Foi um titereiro, não foi?

— Havia vários subalternos da carapaça que queriam o volume, e, sim, um titereiro. Um titereiro muito rico. — Ele fez uma pausa, como se estivesse preocupado. — Agora quer me dizer como você sabe disso?

Ela lutou contra o desejo de se exibir, de mencionar que sabia que era de Raven que o volume havia sido tirado.

— É meu trabalho saber das coisas — retrucou Charlie, com inocência. Devia agradecer a Balthazar, desligar e deixar as coisas como estavam, mas ela lhe devia alguma coisa em termos de informação. — Lembra aquele trabalho que você disse que eu deveria pegar, o de encontrar o *Liber Noctem*? O Salt basicamente disse que me mataria e mataria todos que eu amo se eu não fizesse isso.

— Ainda bem que não devo estar nessa categoria.

— Ah, não sei. Estou começando a gostar de você — respondeu ela conforme seus dedos alcançavam o fundo dos arquivos na gaveta de baixo, parando em uma pasta fina marcada "Pornô". Estava vazia.

— Você é um perigo, Charlatona — afirmou ele, mas com carinho.

— Adeus, Balthazar — falou ela, desligando.

Virando-se para o computador, ela digitou "Pornô" na barra de pesquisa. Uma pasta surgiu. Havia meia dúzia de arquivos .jpg, três .mov e uma pasta chamada "Pornô geriátrico". Que continha um único arquivo .xls. Ao clicar, um novo inventário se abriu, listando uma coleção de livros ocultos que poderia ser de interesse para sombristas. Tal planilha incluía o ano de criação, a especialidade do sombrista, se era uma edição única ou com impressão em grande escala, se havia outras edições, em que prateleira estava e como Paul havia adquirido o livro.

Depois havia uma lista de efemeridades sombristas. Para esconder o conhecimento uns dos outros, os sombristas passaram a escrever os segredos de maneira não tradicional. Costurado no forro de um casaco de couro. Escrito em letras pequenas dentro de obras de arte. Objetos cujo valor real era disfarçado por inteiro, podendo até serem jogados fora ou vendidos por centavos em um mercado de rua.

E então havia NFTs. Popular entre os ricos e ainda longe de ser comum entre a maioria dos sombristas. Paul tinha uma em seu inventário e parecia tê-la anunciado por cem mil dólares duas semanas antes.

Charlie examinou a lista de vendedores, procurando por Remy, Edmund, Vincent, Red, até mesmo Salt. Mas o único nome que ela reconheceu foi Liam Clovin.

Dr. Liam Clovin. Antigo amigo de faculdade de Vince.

Parecia que ele havia vendido três livros a Paul Ecco uma semana depois da suposta morte de Edmund. De acordo com os registros, dois eram livros de memórias do século XVIII, no valor de quinhentos dólares cada, que haviam sido guardados no armário de vidro quebrado; visivelmente, os itens não estavam mais lá. O terceiro havia sido *Umbramagistas na História*, autopublicado por Lulu em 2011. Em vez de aparecer no arquivo em uma prateleira, estava registrado que o livro jazia em uma caixa de papelão marcada com um "7-A" do outro lado do cômodo.

Charlie foi buscá-lo. Ao fazer aquilo, uma batida na porta a assustou.

— Paul? — Uma voz rouca veio do corredor.

Com o livro na mão, Charlie ficou imóvel. A porta estava encostada e ela viu o momento que começou a se abrir. Ela se abaixou atrás de algumas caixas.

Alguém com botas pesadas de trabalho atravessou a sala em direção à mesa.

— Vamos lá, cara — ralhou a pessoa, exasperada. — Paul! Você me deve a merda do aluguel. Não pode se esconder de mim para sempre.

Ele saiu da sala batendo a porta.

Charlie gostava de pensar que tinha o passo leve quando queria, mas em um prédio antigo era quase impossível dizer quais tábuas do piso rangeriam. Ela imaginou que seria mais astuto permanecer onde estava por quinze minutos, até ter certeza de que o senhorio de Paul Ecco tinha ido embora.

Sem mais nada para fazer, ela abriu *Umbramagistas na História* e leu à luz de seu celular.

Continha uma coleção de trechos escolhidos e retirados de outros livros. E, embora a introdução da desinformação fosse muitas vezes uma preocupação com reimpressões, havia um ar de autenticidade na simples negligência com que o autor havia organizado aquilo. Cada página era visivelmente apenas uma digitalização do material original, na fonte original.

Charlie examinou os trechos de jornais, textos históricos e outros documentos. Independentemente do que tinha pensado sobre como tudo fora coletado, a informação real contida no livro era interessante.

Um guerreiro em Tebas caiu em um campo de sangue, mas sua sombra lutou até seu assassino morrer.

Uma integrante de uma sociedade secreta de sombras que operava na época da Ordem Hermética da Aurora Dourada afirmava que conseguia enviar sua consciência para fora do corpo à noite e descobrir seus inimigos em seus momentos mais particulares. O mesmo relato sugeria que, enquanto a sombra estava em uma missão, ela estava vulnerável a outras sombras que podiam controlar seu corpo.

Um místico tentou alimentar sua sombra com todo seu sangue para continuar vivendo por meio dela.

Uma mulher acordou na encosta de uma colina com três idosos tentando cortar sua sombra de seus pés. Ela gritou e eles correram. Ela nunca descobriu exatamente o que estiveram fazendo, mas tinha a sensação de que, se tivessem conseguido, algo terrível teria acontecido.

Um homem quase havia morrido sufocado quando uma figura obscura se transformara em fumaça e descera por sua garganta. Um empregado carregando uma vela e entrando no cômodo por acaso fez com que a figura fugisse antes que a terrível missão fosse cumprida.

Quando Charlie ergueu os olhos do livro, o prédio estava em silêncio. Enfiando o livro na bolsa, ela saiu e desceu as escadas.

Teria que conversar com Liam Clovin, mas havia alguém com quem ela queria falar primeiro. Se Red realmente tinha assassinado Knight Singh, então o que Raven estava fazendo com os papéis dele? E se Salt era o titereiro muito rico à procura dos documentos, por que ele estaria lutando para obter as anotações de alguém da carapaça quando deveria estar obcecado com a reaquisição do *Liber Noctem*?

No carro, Charlie se virou para o assento vazio ao lado dela, onde sua sombra estava.

— Certo, garota — murmurou ela. — O universo pertence aos curiosos.

23
GARRAS DE URSO

Charlie entrou no estacionamento em frente ao Eclipse Piercing & Alteração de Sombras em Amherst por volta das dez da noite. Ficava dentro de um centro comercial, posicionado entre um lugar com frango coreano e uma lavanderia. Charlie estacionou na parte de trás, diante de um pequeno bosque. O ar frio da noite espalhava o cheiro de cerveja e fritura de um bar do quarteirão ao lado.

Pegando um saco do Dunkin' Donuts do banco traseiro, ela foi até a porta perto da lixeira, onde havia uma lâmpada vermelha acesa. Com as juntas rígidas, ela bateu na madeira. Uma lasca de luz apareceu no canto das cortinas opacas penduradas na parte interna da janela.

Momentos depois, uma mulher negra abriu a porta. Ela usava regata e shorts jeans rasgados. Seus cachos eram tingidos da cor de chamas, com amarelo na raiz, vermelho na maior parte e pequenas mechas azuis nas pontas. Tatuagens cobriam seus braços, desde uma deusa da lua de pele negra, que era nova o suficiente para estar brilhando com hidratante, até algumas mais antigas e menos bem-feitas, como teias de aranha, rosas e uma caveira com uma serpente deslizando por seus olhos.

Cruzando os braços, Raven olhou Charlie com desconfiança.

— Não recebo clientes sem hora marcada, especialmente a esta hora.

— Uma coisa foi roubada de você recentemente — afirmou Charlie. — Quero falar com você sobre Knight Singh e o livro de observações dele. Me conte o que eu quero saber, e te devolvo o livro assim que eu terminar com ele, em menos de uma semana, prometo.

Raven estreitou os olhos, então deu um passo para trás para que Charlie pudesse entrar. Quando a mulher fechou a porta, Charlie viu as palavras "El arte es largo y la vida breve" correndo na parte interna de seu braço esquerdo com letras grandes e uma tipografia gótica.

Casquinhas pontilhavam suas pernas, como picadas de pulga. Marcas feitas para alimentar sua sombra.

Charlie ergueu o saco do Dunkin' Donuts.

— Trouxe café, se serve de consolo.

— Tudo bem, ladra, vamos ouvir o que você quer. — Raven remexeu o saco, então olhou para cima. — Boa. Você trouxe garras de urso.

A primeira parte de qualquer golpe era ganhar a confiança de alguém e toda conversa era meio como um golpe. Café e doces não fariam mal.

— Como os papéis dele vieram parar com você? — perguntou Charlie. — Pelo que ouvi, a morte dele foi inesperada.

— Pode-se dizer que sim. — Raven ergueu as sobrancelhas e tomou um gole de café. — Ele foi encontrado em casa, no tapete perto da mesa. As paredes foram pintadas com sangue. A Confraria não queria que ninguém soubesse detalhes, mas descobri isso. — Raven continuou, sem deixar espaço para palavras de conforto ou espanto horrorizado. — Outro sombrista disse que ouviram a voz de um homem gritando, alguém que não era o Knight. Fazer o que fizeram com ele exigia um tipo de força que só poderia vir de uma sombra, muito poderosa, com excesso de energia e sangue.

— Que horror — respondeu Charlie.

Raven assentiu.

— Knight foi o primeiro sombrista que conheci, foi quem me ensinou a usar minha magia de forma correta. Ficou puto quando decidi que queria focar em alteração. Disse que eu estava atrás de dinheiro. Talvez estivesse certo.

"Mas a questão foi que ele me deu aquele livro uma semana antes de ser assassinado. Me pediu para mantê-lo seguro. Ele tinha informações que poderiam derrubar uma pessoa importante. Ter isso contra essa pessoa o mantinha seguro, e não apenas ele. Parece que estava errado sobre isso."

— Lionel Salt? — perguntou Charlie.

Raven lhe lançou um olhar estranho.

— Quem sabe. Aquele velho é uma aberração. Roubou a sombra que está usando. Dizem que muitas pessoas desaparecem na casa dele.

— Se isso é de conhecimento geral, como a Confraria nunca fez nada? Como Knight Singh nunca usou o que tinha? — indagou Charlie.

Raven foi até um armário perto de uma pequena cozinha e pegou uma tigela de metal para cachorro.

— Tenho algumas coisas para fazer. Se importa se eu trabalhar enquanto falo?

— Vá em frente — respondeu Charlie.

Raven abriu um frigobar embutido em um canto atrás do balcão, tirou um saco plástico de sangue e rasgou a borda com os dentes.

— Me passa uma daquelas canecas de café? — pediu ela, apontando para a pia, onde alguns garfos e xícaras limpas estavam em um escorredor de plástico arranhado.

Charlie olhou para ela, incrédula.

— Você quer que eu faça o quê?

Raven sorriu.

— Canecas. Ao lado da pia. Pegue uma.

Charlie escolheu uma ao acaso. Dizia: "DÊ UM CHUTE NO SACO DO DIA DE HOJE". Raven derramou o sangue na xícara e depois a colocou no micro-ondas, ajustando o tempo para um minuto e meio.

— Para descongelar — comentou ela, como se aquilo explicasse alguma coisa.

Enquanto a caneca girava dentro do eletrodoméstico, Raven se virou para ela.

— Ninguém tem nenhuma prova real. E Salt é rico. É por isso que a Confraria não faz nada. Quanto ao motivo pelo qual Knight não usou o que tinha, não sei. Depende do que era.

— Não espera que eu acredite que você não leu o livro do Knight enquanto estava com ele — observou Charlie.

Raven sorriu.

— Ah, li. Muitas informações, mais relevantes para usuários de sombras do que para alteracionistas, mas realmente nada que parecesse servir de ameaça para alguém.

Charlie franziu a testa.

— Além dessas informações, Salt teria algum motivo para querer Knight fora do caminho?

— Knight era contra ele ser um membro da Confraria, e, agora que Knight se foi, estão quebrando as regras e deixando Salt entrar, mesmo com Malik já representando os titereiros.

— Então eles não vão ter ninguém da carapaça?

Raven observou a caneca, girando no prato, sua expressão distante.

— Não é justo. Knight ajudou a construir a Confraria. Ele foi um dos primeiros sombristas a falar abertamente sobre a magia das sombras.

Charlie abriu o café e tomou um gole, pensando em Red e no que Salt havia dito sobre Vince.

— Qual era a conexão do Knight com o *Liber Noctem*?

Ele poderia não ter uma, mas ela esperava que, falando daquela forma, Raven acreditasse que Charlie sabia mais do que de fato sabia.

— *O livro das Pragas*? — O micro-ondas apitou e Raven despejou o conteúdo da caneca na travessa de aço inoxidável. — Ele achou hilário o Salt ter sido enganado a ponto de pagar tanto por ele, acho.

"Esse é o problema dos sombristas ricos. Eles compram todos os livros de magia porque podem e então usam esse conhecimento para amarrar outros sombristas a eles. O Salt não estava disposto a seguir as regras de ninguém e agora será ele quem fará as regras."

Houve histórias de cultos sendo formados por sombristas assim que a magia das sombras se tornara pública. Muito sangue para animar as sombras. Muitas vestes assustadoras e sexo assustador. E, no final, muitas e muitas mortes.

Quando Charlie pensava em como seria uma organização sombrista dirigida por Salt, imaginava a versão corporativa e rica daqueles cultos. Mas as pessoas aderiram. Ele tinha os livros e o dinheiro. E quanto maior a organização se tornasse, mais influência ele teria entre os outros sombristas. Seu assento na Confraria significaria que ninguém poderia detê-lo.

Empurrando a caneca vazia e manchada de sangue de volta para Charlie, Raven foi até a porta e colocou a tigela de cachorro no degrau.

— Eu quero saber? — perguntou Charlie, erguendo as sobrancelhas.

— Vai saber em um minuto, querendo ou não. — Raven parecia estar achando muita graça. — Por que você quer saber sobre o *Liber Noctem*? O neto do Salt não fugiu com isso antes de bater as botas? Por que você quer saber *qualquer* uma dessas coisas?

Charlie se jogou em um banco, perto de uma pilha de revistas de flash tattoo.

— Algo deu errado e acho que estou envolvida. Não posso dar as costas agora, mesmo se quisesse, e não quero. O que realmente quero é descobrir quem está mentindo e sobre o quê.

Raven bufou.

— Provavelmente todos eles, a respeito de tudo.

Lá fora, uma nuvem passageira mudou a maneira como o luar se projetava. Charlie viu algumas sombras deslizando em direção à tigela.

Eram coisas fracas e indistintas, mesmo ao passarem pela luz forte da lâmpada sobre a porta. Quase imperceptíveis. Mas a área ao redor da tigela ficava cada vez mais escura à medida que mais delas se reuniam.

A superfície do sangue ondulou, como se perturbada por alguma língua felina fantasma. Então se tornou só ondulações.

— Tem uma coisa sobre o *Liber Noctem* — comentou Raven, baixinho. — O Knight conhecia um cara em uma casa de leilões que o deixou colocar luvas brancas e dar uma olhada antes do Salt comprar o livro. Ele copiou algumas notas sobre a costura de Pragas, mas nada além disso.

Poderia Knight ter ignorado o ritual para dar peso e forma a Pragas, ou teria parecido tão terrível que ele simplesmente não quisera saber a respeito?

Charlie ficou ali sentada, mais frustrada do que nunca, vendo o sangue ser sugado da tigela. As sombras em volta ficaram mais espessas, densas e escuras.

— E o Hierofante? Ele deveria estar caçando Pragas e você disse que uma sombra poderosa deve ter matado Knight Singh. Poderia ser uma Praga, não?

Raven suspirou e olhou para o limite do estacionamento, perto das árvores.

— Aquele cara, Stephen. Eu o conhecia um pouco antes de ele ser o Hierofante. Não foi nem o fato de ele ser um ladrão ruim, mas ele roubou a coisa errada da pessoa errada. O sombrista que o contratou o ferrou. Então Stephen foi punido com a costura daquela Praga antiga nele e, bem, não acho que as coisas estejam indo bem. Uma sombra assim, consciente e sussurrando no seu ouvido? Assustador para caralho. Duvido que ele vá capturar alguma coisa.

Charlie se lembrou do comentário de Salt sobre Pragas poderosas serem amarradas a novos usuários.

Ela também se lembrou das palavras do Hierofante. *Diga a Red que eu quero o livro. Diga a Red que podemos compartilhar. Diga a Red que vou destroçá-lo.*

— Por que uma Praga concordaria em ser amarrada? — perguntou Charlie.

Raven deu de ombros.

— A maioria não concorda.

Charlie gesticulou em direção à tigela.

— São Pragas ali, certo? Mas dar sangue a elas lhes dá poder, certo?

— Um pouco — concordou Raven. — Você está se perguntando por que eu faria uma coisa dessas.

Charlie olhou para elas, pensando em Red, no Hierofante e na sensação de uma sombra fazendo sua boca proferir palavras.

— Na verdade, eu estava me perguntando quanto sangue seria necessário para fazer uma sombra poderosa o suficiente virar uma Praga, sem que o sombrista morra.

— Vou fazer o seguinte — anunciou Raven, ficando de pé. — Vou fazer uma demonstração de ambos.

Sua sombra envolveu sua mão com o que parecia ser uma luva de neblina. Ela estendeu a mão e pegou uma sombra que lambia a tigela. Ela se contorceu em sua mão, mas a outra mão estava segurando o que parecia ser linha e agulha, tudo feito de sombra.

A sombra continuou a se contorcer, como uma enguia, ou água-viva, ou algum órgão interno arrastado para fora do corpo. Mas também como nem uma daquelas coisas. Se você olhasse rápido, poderia parecer que Raven estava fazendo mímica segurando alguma coisa. Que ela havia enfiado uma agulha imaginária em uma coisa imaginária.

Charlie não conseguia decidir se estava mais enojada ou fascinada.

Raven viu sua expressão e sorriu.

— Toda vez que um alteracionista muda alguém, temos que usar um pouco da nossa própria sombra. Se não tivermos cuidado, nos entregamos, pedaço por pedaço, até que não haja mais nada. Mas eu sou cuidadosa.

"Essas pequenas sombras... elas não são nada. Não há qualquer esperteza nelas, quase nenhuma consciência. Talvez nem sobrevivam se forem costuradas a uma pessoa. Mas você está certa: estritamente falando, são Pragas. Sombras que sobreviveram separadas do usuário."

Nos degraus, Charlie podia ver algumas se afastando uma vez que o banquete havia acabado, mas umas ainda permaneciam, uma escuridão translúcida, como um filme no ar.

— Esta parte pode te assustar — comentou Raven. — Você pode fechar os olhos se quiser.

Não havia a menor possibilidade de ela desviar o olhar como uma covarde.

— Estou bem.

Raven pegou a sombra e a deixou cair em sua boca aberta.

Charlie mordeu o lábio para não fazer um som de espanto. Ela realmente não estivera esperando aquilo.

Raven continuou falando com um sorriso:

— Quando um sombrista coloca um pedaço de sua consciência na sombra, eles desenvolvem uma espécie de homúnculo. O poder é apenas parte do que faz uma Praga surgir. Se você não quer que sua sombra fique separada de você, não a *considere* uma coisa separada. Nunca dê um nome a ela. E nunca a alimente com sangue que não é seu, porque significa dar a ela uma energia que também não é sua.

Charlie assentiu.

— Mas a maioria das Pragas é formada no leito de morte. Sombristas costumam empurrar partes de si para a sombra nesses últimos momentos, em geral todo o medo e a dor. Coisas assustadoras são feitas assim. Mas também poderosas. Criar uma Praga sem isso provavelmente exigiria *roubar* energia, talvez por meio do leito de morte de outra pessoa e do sangue de outra pessoa.

Charlie pensou em Salt e no que ele havia feito com ela, nos dedos dela em volta de uma faca.

— Se for poderosa o suficiente, pode controlar você? Pode fazer de você um títere?

Raven a analisou por um bom tempo.

— Nunca ouvi falar de uma sombra que conseguisse controlar a pessoa a quem está ligada, mas só há uma maneira de estar totalmente segura. Não ter sombra nenhuma. Os sem sombra não podem ser controlados. Há uma porta fechada dentro deles.

"Os sem sombra não podem ser controlados." Poderia ser por isso que Vince tinha arrancado a sombra dele? Para evitar ser um títere do avô do jeito que ela tinha sido? Para evitar ser controlado por Red?

Raven se virou para Charlie.

— Acho que são respostas suficientes para você. E pode ter certeza de que, se você me foder, vou me certificar de que você seja a próxima Hierofante, com algo antigo sussurrando em seu ouvido enquanto você persegue Pragas até que uma delas te pegue e te devore inteira.

— Vou trazer os papéis do Knight — prometeu Charlie.

— Traga mais garras de urso então — adicionou Raven, enviando Charlie de volta para uma noite que parecia mais cheia de sombras do que antes.

Na tarde seguinte, Charlie estava sentada à mesa da cozinha com uma caneta em cada mão e duas folhas de papel de caderno com bordas gastas abaixo. Em movimentos sincronizados, ela escrevia as mesmas palavras repetidas vezes, em ambas as páginas.

EI, ESTÚPIDA, SEU CÉREBRO JÁ ESTÁ PARTIDO?

— Eu não sabia que você era ambidestra — comentou Posey, franzindo a testa para a irmã.

— Não sei se sou — respondeu Charlie. — Mas talvez seja boa o suficiente.

Posey pegou um refrigerante alcoólico da geladeira e o abriu. Ela se apoiou no balcão, observando Charlie escrever.

— Você sente que sua consciência está se bifurcando?

Charlie suspirou e parou de escrever.

— Não sei. Se estivesse, o que eu conseguiria fazer?

Posey apontou para a sombra de Charlie.

— Tente mover os dedos. Quer dizer, aqueles dedos.

Charlie franziu a testa para se concentrar, focando em tentar sentir mãos que não estavam presas a ela. Mas por mais que olhasse ou tentasse mudar sua consciência ou pensasse em dois lugares ao mesmo tempo, não havia nenhuma mudança perceptível.

Posey balançou a cabeça.

— Certo, que tal um alongamento?

Aquilo pareceu ainda mais difícil para Charlie, mas ela obedeceu, tentando imaginar a sombra se espalhando, como se estivesse derretendo. Ela tentou fazê-la escorrer, mesmo apenas borrar um pouco as bordas. De novo, nada.

— Estou tentando — garantiu ela a Posey, antecipando uma possível crítica.

— Talvez você possa tentar *habitar* sua sombra — sugeriu a irmã.

Charlie ergueu as mãos em frustração.

— O que isso significa?

Posey deu de ombros.

Elas continuaram assim, com sua irmã procurando exercícios on-line e Charlie ficando cada vez mais frustrada.

Enfim, Posey tinha uma chamada de Zoom com um cliente, encerrando a sessão das duas. Charlie ficou aliviada ao desistir. Ela pegou o próprio laptop e olhou para a tela.

Com um suspiro, abriu o artigo sobre a morte de Edmund Carver, copiando o nome da garota cujo corpo havia sido encontrado no carro com o dele e colocando-o no mecanismo de busca.

Rose Allaband.

Não havia muitas menções a ela, sendo a mais longa de uma semana depois de ela desaparecer:

A família e os amigos de Rose Allaband pedem às pessoas que compartilhem qualquer informação que possa guiar os investigadores até sua localização.

Allaband, 23, desapareceu há uma semana, após o que foi descrito por testemunhas como uma discussão acalorada com uma pessoa próxima. De acordo com os investigadores, ela estava andando com novas companhias. Seu celular foi encontrado ao lado da Interestadual 91, logo após a saída 19B, com o cartão SIM removido.

A mãe de Allaband envia este apelo: "Rose era uma boa menina que confiava nas pessoas com muita facilidade. Ela achava que a magia era divertida e não entendia como as pessoas poderiam usá-la pelo que ela conseguia fazer. Estou apavorada ao pensar no que pode ter acontecido. Se alguém viu minha filha ou tem alguma informação sobre o paradeiro dela, por favor, estamos implorando que ligue para a emergência e relate qualquer coisa, não importa que seja pequena."

Vince *podia* ter algo a ver com o desaparecimento de Rose Allaband. Afinal, ele conseguiu convencer Charlie a confiar nele. Ela havia entrado na van dele muitas vezes. Uma boa menina não teria tido a menor chance.

Mas para ser aquela pessoa, ele teria que ser como Salt o tinha chamado: um metamorfo. Porque o Vince que ela conhecia era o tipo de pessoa que iria ao mercado para comprar aquele cereal ridículo de farelo porque era saudável e Charlie queria comer de forma mais saudável. Que tinha cuidado dos cortes de Charlie só porque ela estivera sangrando.

Mas se Red tivesse cometido os assassinatos, Vince se sentiria responsável. Afinal, Red tinha sido parte dele.

Lucipurrr se aproximou e esfregou a cabeça na borda do laptop. Distraída, Charlie fez carinho na cabeça da gata.

Lionel Salt queria que Charlie acreditasse que Vince estava planejando usar o *Liber Noctem* para transformar sua sombra em algum tipo de monstro imortal. De acordo com Knight Singh, o livro não valia o que Salt pagara. Mas o Hierofante com certeza agia como se o livro fizesse *alguma coisa*.

Se Salt estivesse certo e Vince tinha a intenção de fazer aquele ritual com Red, o que ele estava esperando? Havia um ano que o livro estava com ele e não era como se Vince fosse um procrastinador. Ele não adiava as coisas. Era a única pessoa na casa que já tinha tirado fiapos da secadora.

De forma impulsiva, ela digitou "Edmund Carver + Adeline Salt" na janela do navegador. Viu mais matérias com fotos dos dois: Vince com um lenço no pescoço, Adeline pendurada em seu ombro como se tentasse parecer muito mais sóbria do que estava, com uma manchinha de batom no canto da boca.

Então achou um texto de um blog de fofocas, com fotos aéreas de algumas pessoas em um iate.

Charlie apertou os olhos. Na proa, dois corpos estavam grudados um no outro, meio escondidos por um sombreiro. O cabelo loiro da mulher estava jogado para o lado e o top do biquíni levantado. O homem estava curvado sobre ela, mas Charlie o conhecia mesmo sem ver seu rosto. Ela conhecia os dois. Adeline e Vince.

HERDEIRA TRAINDO MAGNATA DO TRANSPORTE MARÍTIMO?

Charlie não podia deixar de lembrar como Adeline havia dito abertamente estar feliz por Vince e Charlie não estarem mais juntos. E todas aquelas fotos de Adeline e Edmund em todos aqueles eventos para angariar fundos, além de bailes e festas em Nova York. Nunca outra pessoa ao lado dele, ou dela.

Era difícil não pensar na foto na carteira dele.

Posey entrou, encostando-se no batente da porta. Estava segurando um maço gasto de cartas de tarô.

— O que você está olhando?

— A prova de que a maldição da família Hall é real — respondeu Charlie e fechou o laptop.

— Que tal embaralhar e escolher três cartas.

Charlie lhe lançou um olhar.

— Ah, qual é.

— Pense no tarô como uma ferramenta psicológica — explicou Posey. — Acessando o subconsciente. Jung era super a favor. E você precisa acessar a parte da sua mente que está te impedindo de ser uma sombrista.

— Tudo bem — cedeu Charlie, pegando a pilha de cartas.

Ela as embaralhou como se estivesse prestes a jogar pôquer.

— Concentre-se na sua pergunta — orientou Posey. — Ajuda se você fechar os olhos. Pergunte às cartas o que está bloqueando sua magia.

Mas o que Charlie queria saber era sobre Red.

Ela virou as três cartas do topo sem olhar e as entregou a Posey. Talvez fosse por aquilo que as pessoas procuravam médiuns, no fim das contas. Porque precisavam de ajuda e tinham parado de se importar com o modo como a conseguiam. Qualquer porto seguro no meio da porra da tempestade.

— São todos os arcanos maiores — comentou a irmã, franzindo a testa para as cartas. — Interessante.

— O que isso significa?

Posey não parecia feliz.

— Que algo grande está acontecendo.

— Certo — murmurou Charlie, incerta. — O que mais?

Posey abaixou a primeira carta.

— O Mago. A conversão do espiritual para o material. É uma carta de novos começos, então acho que isso é sobre você ser uma sombrista.

— Nada que não saibamos — retrucou Charlie, embora estivesse um pouco impressionada.

Posey abaixou a segunda carta.

— O Louco.

Charlie revirou os olhos.

— Está vendo como ele está prestes a cair do penhasco? E está alheio ao perigo.

— Sim.

A irmã de Charlie olhou para a carta final, ergueu uma sobrancelha e sorriu.

— Aaaah! Parece que tem um tabu que você corre o risco de quebrar.

Charlie franziu a testa.

— Que carta é essa?

Posey mostrou a ela. Uma figura religiosa estava sentada em um trono, com vestes vermelhas e as mãos erguidas, enquanto dois monges se ajoelhavam diante dela. O Hierofante.

Naquela noite, Charlie desceu ao porão e pegou o tecido acrobático com o qual não praticava havia meses, aquele que deveria mantê-la flexível o suficiente para deslizar pelas janelas como o *Grinch*.

Ela amarrou o pano em um gancho, sacudiu a poeira do tecido e pelo menos uma aranha irritada. Então subiu e fez os antigos exercícios. Aqueles que costumara fazer todas as manhãs, antes dos exercícios de bater carteira. Estava mais rígida do que antes, mas, à medida que seus músculos aqueciam, Charlie se viu relaxando e entrando no ritmo.

Na parede, sua sombra acompanhava cada pose.

24
REPLAY EM MÚSICAS TRISTES

Na manhã seguinte, Charlie levou uma xícara de café de volta para seu colchão no chão e finalmente retornou a ligação do Rapture. Eles queriam que ela fosse na noite seguinte e depois voltasse a trabalhar em horário normal pelo resto da semana.

Aquilo não era um problema para Charlie contanto que pudesse estar de folga no sábado para a festa de Salt. Com ou sem o livro, ela teria que comparecer.

Então, depois de tomar um grande gole de café, enquanto a luz dourada preguiçosa se derramava nos lençóis gastos, ela ligou para o setor financeiro da UMass. Uma mulher de voz rabugenta atendeu.

— Você pode procurar minha conta pendente? — perguntou Charlie. — Está sob o nome de Posey Hall.

— Um minuto — respondeu a mulher com um suspiro sofrido.

Charlie mordiscou a pele ao redor do polegar, tentando não pensar nos piores cenários possíveis.

— Parece que você perdeu um prazo — explicou a mulher. — Há uma retenção na sua conta.

O coração de Charlie disparou.

— Não, eu tinha até o final do mês. Tenho a carta aqui em algum lugar.

— Fim do mês *passado* — corrigiu a mulher.

Por um momento, tudo que Charlie conseguiu fazer foi olhar para a parede. Era possível que Doreen tivesse conseguido que seu irmão fizesse aquilo, mas era igualmente possível que Charlie tivesse cometido um erro.

— Posso pagar — garantiu ela. — Segunda-feira.

— Segunda-feira, ou você é dispensada e terá que se inscrever de novo no próximo semestre — afirmou a mulher, impaciente, e desligou.

Charlie caiu na cama, olhando para o teto, tentando se convencer a continuar. Se parasse, poderia não sair daquela cama por semanas.

Ela ligou para o chefe de Vince, com uma história na ponta da língua. Mas assim que ele atendeu o telefone, começou a esbravejar:

— Diga a esse filho da puta que ele está morto para mim! Ouviu? Diz para ele que não pode simplesmente ir se embebedar e esperar ter um emprego quando ficar sóbrio.

— Ele não está... — começou Charlie, mas ele já tinha desligado. E mesmo que não tivesse, obviamente não tinha ideia de onde Vince estava.

Três ligações. Duas desligadas na sua cara. Talvez ela tivesse perdido o jeito.

Charlie suspirou, deixando a cabeça cair de volta no travesseiro. Ela sentia falta dele e não tinha certeza se o tinha conhecido de verdade. Talvez conseguisse adivinhar para onde Vince iria, mas Remy Carver era um mistério absoluto.

Mas talvez não para o Dr. Liam Clovin, que havia vendido três livros valiosos para Paul Ecco. Que obviamente sabia muito mais do que deixara transparecer.

Charlie se levantou e começou a tirar a calça de moletom com a qual tinha dormido, sua sombra seguindo seus movimentos. Ela a observou na parede, colocando a calcinha, passando o sutiã sobre a cabeça, amarrando o cabelo com um elástico.

— Nós temos magia — sussurrou ela para a sombra, para si mesma.

Não houve resposta.

— Está com fome? — perguntou ela.

Quando Charlie moveu a mão para a perna, os pelos da nuca e ao longo dos braços se arrepiaram. Ela enganchou a unha na borda dura de uma casquinha e puxou, como se estivesse arrancando um Band-Aid. O sangue veio lento, gotejando e escorrendo do tornozelo.

Nunca atingiu o chão.

Depois de um término, era normal ficar dando replay em músicas tristes. Era normal passar horas olhando fotos e cartas antigas, ou queimando-as na grelha, ou até desenhando chifres de diabo em todas as fotos do seu ex que você conseguia encontrar. Era normal comer um pote inteiro de sorvete no sofá acompanhado de uma garrafa de Chardonnay. Normal falar sem parar do cara com amigos, ligar para ele só para ouvir a voz dele na secretária eletrônica e depois desligar sem deixar recado.

Mas só porque as pessoas faziam aquelas coisas não significava que eram *boas ideias*. Era mais como pressionar um machucado para ver se ainda doía.

Ir incomodar a pessoa que dividia apartamento com seu ex-namorado parecia muito uma daquelas coisas que as pessoas faziam, mas que não deveriam fazer.

Levou mais algumas ligações, mas Charlie descobriu que Liam Clovin fazia residência no Centro Médico Baystate. Aquilo tornava chegar até ele mais difícil em alguns aspectos e mais simples em outros. Charlie não poderia simplesmente marcar uma consulta e confrontá-lo quando ele a atendesse por causa de seus joanetes, ou qualquer outra coisa.

Mas era de conhecimento geral que residentes de medicina estavam sempre exaustos, e a exaustão significava atenção limitada. Liam estaria concentrado no trabalho, o que significava que ele não teria mais energia alguma para detectar uma armadilha antes que ela surgisse.

Não só aquilo, mas Liam Clovin estava quase fazendo todo o seu trabalho duro valer a pena. Tinha sacrificado muitas noites de farra para chegar ali, havia dedicado tempo aos estudos, pegado empréstimos. Como residente médico, estava tão perto dos seis dígitos que devia conseguir senti-los. Ele tinha muito a perder.

Charlie não tinha praticamente nada.

Havia várias maneiras de emboscar os estudantes de medicina, mas a mais simples era ficar no refeitório na hora do almoço. Talvez houvesse palestras ou outras obrigações que os impedissem de ter uma hora específica para comer, mas, se ela esperasse, uma hora ele ficaria com fome.

Mas para localizá-lo, ela teria que descobrir como ele era. Suas buscas on-line iniciais foram infrutíferas. Não havia nenhuma foto dele com outros residentes do Baystate, embora ela tivesse analisado as imagens oficiais por quase uma hora. Pelo visto, ele nem tinha Facebook. Finalmente, Charlie descobriu uma foto dele na turma de graduação de Remy na NYU. Lá estava ele, Liam Clovin, ruivo, estreitando os olhos sob a luz do sol. E não muito longe, Edmund Vincent Carver, olhando diretamente para a câmera.

Charlie pegou as roupas que usava para aquele tipo de função. Uma gola alta azul-clara para cobrir as tatuagens. Seu jeans normal. Uma peruca marrom em que ela podia esconder o cabelo. Maquiagem neutra.

Depois de dirigir até o Centro Médico Baystate e parar o carro no estacionamento de visitantes o mais longe possível, ela entrara na personagem.

Lá dentro, ela deu sua carteira de motorista para a mulher entediada no balcão e, quando perguntada, alegou que encontraria um primo no refeitório. Aquela parte do hospital era aberta ao público, então ninguém faria perguntas adicionais.

Ela perguntou na loja de presentes qual era o caminho, com seu olhar à procura de câmeras enquanto ela andava. Havia muitas.

O refeitório do Baystate lembrava Charlie o da faculdade comunitária onde ela havia feito duas disciplinas de psicologia antes de trancar e, em vez daquilo, fazer um curso de bartender de seis semanas. Tinha balcões de aço, nenhuma superfície que não pudesse ser rapidamente limpa. Os cheiros também eram familiares: coisas congeladas reaquecidas em molhos engrossados com amido de milho, sopa aguada, cebola e café com aroma de avelã.

Charlie encontrou uma mesa em um canto e esperou. Depois que a primeira meia hora se passou sem incidentes, ela se levantou e comprou um sanduíche pré-embalado de presunto com queijo suíço no pão de centeio, um café e uma água. Quando Charlie voltou, alguém havia roubado sua mesa. Ela achou um novo lugar, mastigou e verificou seu celular.

Charlie recebeu uma mensagem irritada, e possivelmente bêbada, de Adam em seu telefone de verdade:

> sua vadia você devia ter deixado a gente em paz. Se acha que _oreen v
> ai me deixar porcausa do que você disse pra ela é mehlor pensar de novo.
> ela tá tão puta com você quan to eu e talvez mais gora que eu contei como
> você me eganou e roubou oque era meu. Ela me dise tud/ vadia vadia
> vadia Esperp que você morra.

Ela colocou o celular na mesa, sentindo como se tivesse sido mordida. Deveria ter percebido que a situação ficaria ruim ao pegar o livro. Cacete, Suzie Lambton havia lhe dito que daria merda para ela bem antes daquilo.

Esperp que você morra também, caralho, pensou Charlie e apagou a mensagem.

Ela estava tentando calcular o tamanho de seu erro quando Liam Clovin entrou no refeitório. Era pálido, magro e de barba ruiva. Como era colega de turma de Edmund, Charlie sabia que ele devia ter a idade dela, mas o uniforme e os pelos faciais o faziam parecer mais velho.

Porque ele tinha feito alguma coisa com sua vida. Não como ela. Charlie Hall, passando metade do tempo tentando aparar suas presas e o resto caçando.

Ela esperou até que ele pegasse comida e encontrasse uma mesa.

— Olá — cumprimentou Charlie, sentando-se diante dele. — Se importa se eu me sentar aqui?

Então, alguns homens acham que mulheres golpistas têm vantagens. Que tudo o que precisam fazer é mostrar uma perna, como o Pernalonga de drag pedindo carona, e o alvo guincha até parar, com a língua pendurada.

Em primeiro lugar, isto não é nem um pouco verdade.

E em segundo lugar, se uma mulher decide que uma blusa decotada é necessária, é porque um golpe funciona de maneira diferente para ela. Se ela oferecer a um homem uma oportunidade de negócio, ele vai desconfiar, não que seja um golpe, mas que ela não sabe do que está falando por ser mulher. É uma situação delicada, agir de forma inteligente o suficiente para ser levada a sério e ainda fazê-lo sentir que pode fodê-la.

E se ele quiser foder com ela também, bem, esta é uma situação ainda mais delicada.

Mas, embora as desvantagens de uma golpista fossem múltiplas, havia vantagens. Por exemplo, as mulheres pareciam menos ameaçadoras. Se um homem tivesse se sentado na frente de Liam, ele teria reagido de forma diferente. Ele podia não querer Charlie lá, mas não parecia preocupado com ela ser perigosa.

— Não — respondeu ele, irritado. — Quero dizer, sim, me importo. Realmente não quero compa...

Ela estendeu a mão e pegou a dele. Ele puxou a mão para longe. O que fazia sentido. Quem queria uma total estranha tocando você?

Charlie fez com que os olhos se enchessem de lágrimas e pressionou os dedos na boca com pavor.

— Mas é a verdade! — soluçou ela, alto o suficiente para que as pessoas, incluindo enfermeiras e médicos, ouvissem.

Ele começou a se levantar. Sem dúvida, queria ir para longe dela o mais rápido possível. Uma reação totalmente razoável. O problema com reações razoáveis, no entanto, é que são fáceis de prever.

Ela segurou o pulso dele e daquela vez falou baixo o suficiente para que só ele pudesse ouvir:

— Sente-se, Liam Clovin, ou vou fazer uma cena tão grande que todos aqui vão acreditar que, quando você tratou meu pai moribundo, senti seu bafo de álcool. Vou fazer barulho e vou ser convincente. Ou você pode me dizer o que eu quero saber e vou agir como se você fosse um médico solidário confortando uma paciente durante uma tragédia. Você pode até escolher a tragédia, se quiser.

Aquela era a outra vantagem que as mulheres golpistas tinham, o fato de não serem levadas a sério. Para o público, elas pareciam alvos.

— Quem é você? — Ele estava obviamente furioso, mas se sentou na cadeira em frente a ela. — O que você quer?

— Não vou demorar muito — garantiu ela. — Só tenho algumas perguntas sobre Edmund Carver.

A carranca dele ficou mais evidente.

— Você estava na porta da minha casa outro dia.

Ela provavelmente tinha apenas alguns minutos antes que ele conseguisse se livrar dela.

— Onde ele está?

— Morto — respondeu ele.

— Tente de novo.

Ele começou a se levantar.

— Não tenho que te contar nada.

— Talvez você também tenha me engravidado — considerou ela.

— Isso não é uma novela!

— Não, ainda não — respondeu ela, com as sobrancelhas levantadas.

Ele a olhou com raiva, mas tornou a se sentar. Liam pôs a cabeça na mão, então pegou seu sanduíche e começou a tirá-lo do plástico.

— Olha, ele me pagou para deixá-lo guardar algumas coisas no apartamento e usar o endereço para as correspondências que ele não queria que o avô visse. É isso.

— O que ele guardava lá? — perguntou Charlie, imaginando se poderia ser tão fácil.

— Ele tinha um armário com um cadeado. Não era da minha conta o que ele guardava lá.

— Mas você sabia — insistiu Charlie, esperando que ele acreditasse que ela tinha certeza se soasse confiante.

— Alguma coisa. — Liam olhou pelo refeitório, como se esperasse encontrar alguém que pudesse salvá-lo. — Um telefone sobressalente. Livros da coleção do pai dele. Roupas. A carteira de motorista. Uma maldita moeda Krugerrand, se dá para acreditar. Ele estava planejando ir embora, sei disso.

— Então você... o quê? Arrombou e vendeu os livros dele para Paul Ecco.

— Ele me *pediu* para vendê-los! — contrapôs Liam, um pouco alto demais.

Ela sorriu para que ele soubesse que tinha feito merda, porque a venda daqueles livros ocorrera depois que Remy deveria estar morto.

— E quando foi isso?

Liam suspirou.

— Tudo bem, eu o vi naquela noite, certo? Ele apareceu completamente fora de si. Estava praticamente nu, vestindo um robe feminino que ele disse que tinha roubado de uma lavanderia. Descalço. Não era ele mesmo. Disse que precisava que eu vendesse alguns livros para ele. Eu fiz isso. Não sabia sobre a menina. Não sabia de nada daquilo.

— E então você o ajudou a fingir a morte dele — disse Charlie. — Você pegou um corpo do hospital, foi isso?

— Não! — Liam começou a se levantar antes de perceber quantas pessoas se viraram para olhar para ele. Ele se sentou de novo, ainda mais irritado. — Não, óbvio que não. Não tive nada a ver com isso. Com nada disso.

— O que ele disse que aconteceu com ele?

Liam deu de ombros.

— Ele não disse. A minha preocupação é ele ter aparecido depois de matar alguém e ter se livrado das roupas porque estavam cobertas de sangue. Mas, naquela época, achei que seu avô o tinha expulsado depois de descobrir que Remy tinha uma passagem de avião para Atlanta.

Alguma coisa afastou Vince daquela casa, depois de anos acompanhando qualquer que fosse o negócio terrível em que seu avô estava envolvido. Sozinho, ele estaria sem grana, depois de mais de uma década vivendo como um príncipe. E ele tinha sido pobre o suficiente para não ter ilusões a respeito da situação, ou com que rapidez uns mil dólares de dinheiro roubado podiam ser gastos.

— Qual era a relação com a Georgia?

Liam assentiu, esfregou o rosto.

— A mãe dele. As cartas que ele estava tentando esconder do avô eram dela. Ela morreu de overdose na noite anterior à que ele apareceu no apartamento. Isso deve tê-lo levado ao limite.

— Ele parecia o tipo de pessoa capaz de matar alguém? — Charlie sabia que a maneira como fazia a pergunta era errada, que estava dando possibilidade para ele negar. Ela queria que ele negasse.

Liam considerou a pergunta.

— O Remy tinha um senso de humor mórbido, mas já ouvi coisas piores. Sou médico. O humor mórbido é a nossa praia.

Ela sorriu de forma encorajadora.

— Qualquer um pode fazer qualquer coisa nas circunstâncias certas — continuou ele. — E, veja, um dos médicos que trabalha aqui é conhecido por ser generoso com receituários. Vi a prima do Remy, Adeline, comprar um pouco de ketamina dele. Os ricos baladeiros gostam de remédios controlados. Eles são mais caros do que as drogas de rua, mas vêm em fórmulas mais seguras, e você está lidando com pessoas que provavelmente não vão te enrolar. Quem sabe o que o Remy gostava de fazer quando não estávamos juntos.

— Ketamina? — Os amigos de Charlie eram mais a galera "maconha e opioide".

— Isso faz você dissociar — explicou Liam. — Em doses baixas, promove sentimentos de êxtase. Em doses altas, as pessoas entram em um estado não muito diferente de um coma, mas continuam parcialmente conscientes. Às vezes, sem conseguir falar, podem ter alucinações e perda de memória.

Charlie se perguntou o que havia na bebida dela, tanto tempo antes.

— E já falei o bastante — afirmou Liam, mexendo-se para ficar de pé. — Não sei onde ele está e não sei onde está o livro. Ok?

— O livro? — repetiu Charlie.

Liam bufou.

— Acha que é a primeira pessoa a procurar isso, ou ele? Dois meses depois que Remy apareceu seminu, um cara jovem apareceu, resmungando para ele mesmo. Sem tirar as mãos dos bolsos. Me ameaçou. Recebi outras visitas desde então. Se eu soubesse onde o Remy está, contaria à polícia, não a qualquer um de vocês.

Charlie pegou o celular e abriu uma foto dela com Vince. Estavam no cinema Loews em Hadley na *Throwback Friday*, esperando para ver *A noiva de Frankenstein*. Não era uma foto muito boa; ele estava um pouco borrado, mesmo assim era obviamente Vince.

— Eu era amiga dele. Está vendo?

Foi nítido que Liam ficou aliviado.

— Mesmo assim, não sei de nada. Remy se foi.

— Ele me enviou uma coisa. — Charlie enfiou a mão no bolso e tirou uma pequena chave. Na verdade, era para uma caixa de música que sua mãe havia dado a Posey, mas era pequena e prateada e poderia ter servido para qualquer coisa. — E disse que se algo acontecesse com ele, eu saberia onde procurar. Mas não tenho nem ideia de por onde começar. Ele insistiu que era importante, que tinha algo importante ali. Eu esperava que isso provasse a inocência dele. Se você não pode me ajudar a encontrá-lo, pode me ajudar a encontrar isso.

Não era a pior história que Charlie já tinha inventado.

Liam franziu a testa, pensativo.

— Na época da faculdade, o avô dele o tirava de lá por semanas a fio, por capricho. E quando Remy voltava, estava sempre perturbado.

— Como?

— Com raiva — contou Liam. — Mas porque ele não sabia quando isso aconteceria, ele escondia coisas, mesmo naquela época. Ele falava sobre como tem lugares que as pessoas ricas nunca verão, mesmo que estejam olhando diretamente para eles. Se tiver realmente escondido alguma coisa, teria escondido em um lugar assim.

Charlie se perguntou se, quando Liam fosse um cirurgião, e rico, ele passaria batido por aqueles lugares também. Perguntou-se se aquele era o sonho.

Ela estendeu a mão sobre a mesa para colocar a mão em seu braço, tentando irradiar sinceridade.

— Obrigada por falar comigo, embora eu tenha pressionado você para fazer isso. O Remy sempre disse que você era um cara legal.

Liam deu-lhe um sorriso triste.

— Também achava que ele era.

No estacionamento, o sol estava baixo e vermelho atrás dos prédios. Charlie checou as horas no celular. Mais uma noite antes de ter que voltar ao Rapture. Mais quatro dias antes de Salt querer o livro.

A descrição de Liam da pessoa que estivera procurando Vince batia com o Hierofante. Ela sabia que ele queria o livro e, pelo visto, estivera querendo havia algum tempo. Mas o que ela ainda não conseguia entender, deixando as mentiras de lado, era para o que todas aquelas pessoas de fato queriam o exemplar.

O som de passos interrompeu seus pensamentos. Um homem estava atrás dela, os passos ficavam mais rápidos conforme se aproximavam.

25
GATO PRETO. SAPO. CORVO.

Há um momento de dissonância quando as pessoas quebram o contrato social. Um momento em que a mente civilizada procura alguma razão pela qual uma pessoa pode estar correndo em sua direção que não signifique que ela queira lhe fazer mal. Por sorte, a mente de Charlie não era muito civilizada. Ela correu para o carro.

Ele a perseguiu, as botas batendo pesadas no asfalto.

Ela voou, a todo vapor. Oito horas em pé na maioria das noites significava que os músculos das pernas dela não eram pouca coisa, não.

Mas ele já estava perto demais e tinha a vantagem de estar em movimento. Ele a pegou pelo braço, girando-a. Charlie bateu no carro e olhou para o rosto dele.

— Adam?

Os olhos estavam vermelhos e o hálito de matar, mas era ele.

Ele pegou a peruca dela e puxou com força. O aplique se soltou, puxando grampos e cabelos.

— Charlie Hall. Sua vadia desgraçada e asquerosa. Pensou que ia me enganar e depois me roubar?

— Sim, algo do tipo — retrucou ela com tranquilidade, encontrando seu olhar. Não havia por que negar.

Ele bateu nela, os dedos duros contra sua bochecha. A nuca de Charlie bateu na janela do carro. Ela teria caído, mas seus dedos envolveram a maçaneta da porta e ela conseguiu se segurar e ficar quase de pé.

Ele a socou na barriga.

Todo o ar saiu de dentro dela. Charlie se enroscou em torno da dor como um tatu-bolinha.

Charlie podia parecer durona, mas nunca havia estado em uma briga de verdade. Mesmo com sua irmã, as duas recorriam mais a puxões de cabelo e a arranhões ocasionais.

Pense, Charlie, ordenou a si mesma, mas o choque e a dor embotaram os pensamentos.

— Onde está o livro? — gritou ele. — Devolva!

— Já era — respondeu com dificuldade.

— Vou quebrar sua cara — retrucou ele. — A porra da sua cara horrorosa. Estou tão cansado de ouvir falar de você. Todo mundo acha que você é ótima, mas eu sou melhor. Escutou? Sempre fui o melhor.

Ela cuspiu nele. A saliva borrifou a bochecha dele. Adam vacilou, surpreso, fechando os olhos, dando a Charlie um momento para se soltar do aperto dele.

Correndo para o outro lado do carro, ela abriu a porta. Ele a pegou pelo pescoço.

E então ela estava em dois lugares, como se houvesse mais de três dimensões no mundo. Sua consciência se partiu. Ela era tanto a pessoa que gritava e tentava arranhar a mão dele e quanto era outra coisa, que o atingia pela lateral.

A sombra dela. Charlie sentiu um ímpeto em algum lugar no centro dela. E a viu, uma figura coberta de escuridão, como se alguém tivesse aberto um buraco no universo. Era ela e não era ela. Um espelho que não refletia luz nenhuma.

Adam tropeçou e a bunda de Charlie atingiu o assento antes que ele a pegasse de novo.

O instinto animal assumiu. O corpo dela ficou selvagem, chutando e gritando. Um chute acertou o braço dele, outro raspou os dedos. Ele gritou de dor e a soltou. Charlie fechou a porta e bateu a mão na trava.

O som de clique de todas as quatro portas pareceu atordoante.

Adam puxou a maçaneta da porta e, por um momento horrível, Charlie teve certeza de que abriria.

Ele bateu os punhos no vidro da janela.

Charlie apenas ficou lá, com os dedos tocando o volante. Ele gritava com ela, mas sua mente parecia distante, entorpecida pelo choque.

Mesmo *sabendo* que Adam era terrível e que ela o havia roubado, ela subestimara o perigo. Um ano longe daquela vida e estava fazendo uma merda atrás da outra.

Embora estivesse adormecido, havia algo novo entre Charlie e sua sombra, um zumbido de sensação, uma conexão quase umbilical. Um membro fantasma. Um homúnculo.

Com as mãos trêmulas, Charlie tirou a chave da bolsa. Felizmente, o motor do carro roncou e ganhou vida. Adam bateu no capô e ela deu um aviso momentâneo ao acelerar o motor, antes de pisar no acelerador. Ele cambaleou para trás bem a tempo de evitar ser atingido. Com o coração batendo forte, Charlie saiu do estacionamento.

No primeiro sinal vermelho, tudo parecia um pouco nebuloso, como se ela estivesse vendo por meio de uma lente de vaselina. Charlie percebeu que seu olho estava começando a inchar.

Ela também achava que pudesse estar tendo um pequeno ataque de pânico.

Charlie parou em um posto de gasolina a cerca de 1,5 quilômetro de distância e verificou o rosto no espelho. O olho esquerdo estava roxo. A boca estava cortada, o lábio superior inchado como se um esteticista tivesse exagerado na agulha cheia de preenchimento.

Charlie estava uma bagunça. Havia tantas pessoas querendo enfiar a mão nela que teriam que tirar uma senha, como no atendimento de uma delicatéssen.

E o que aquilo tinha tirado de sua sombra. Ela se lembrou das palavras de Vince sobre a sombra *fluir*. Lembrou-se de que era recém-ativada, sem reservas de energia.

Tinha que alimentá-la.

Charlie não conseguia lembrar onde tinha visto pela primeira vez a imagem de uma bruxa alimentando familiares com um terceiro mamilo. Ela se lembrava de uma xilogravura ou de uma ilustração que era para se parecer com uma. Devia ter sido na pesquisa que ela havia feito sobre a Inquisição, na época em que se passara por Alonso.

Em sua infância, Charlie não acreditava que terceiros mamilos pudessem ser reais até os procurar. Ela descobrira que podiam aparecer em qualquer lugar do corpo. Imagine ter um mamilo na parte de trás da panturrilha. Ou na junta do dedo.

Aquilo a fez pensar em uma declaração que algum sabichão de bar misógino tinha feito com grande seriedade: "martínis são como seios; um é pouco e três é demais".

Grande mentira. Pergunte para qualquer pessoa que tenha passado por uma cirurgia para remover um tumor. Ou qualquer fã de ficção científica. Ou qualquer um que goste de martínis.

Pergunte para a sombra dela, que estava enrolada em torno de Charlie, mamando em sua pele com tanta força quanto qualquer familiar. Gato preto. Sapo. Corvo. Espíritos enviados pelo diabo para fazer mal ao mundo. Um ferimento estava de bom tamanho para a sombra, embora mesmo poucas gotas de sangue fossem difíceis de serem espremidas de machucados superficiais e em fase de cicatrização.

— Você está bem — acalmou ela, como se falasse com uma criança depois de uma queda. — Está bem agora, certo?

Tão difícil não pensar na sombra como uma coisa separada. Tão difícil não a tratar daquela forma.

Tão difícil não a amar. Ou não se sentir responsável por ela.

A sombra voltou a seu lugar, uma capa nas costas de Charlie, um tapete aos pés, um véu. Magia de verdade. Sua magia.

Nunca era legal levar um soco na cara, mas Charlie se viu sorrindo mesmo com o lábio cortado. Até perceber que, para tê-la seguido do hospital, Adam tinha que a ter seguido *até* o hospital. O que significava que ele sabia onde ela morava. E puto como estava, poderia dirigir direto para lá.

Ela pegou o celular e, provocando dor ao encostá-lo na bochecha, ligou para Posey.

Tocou. E tocou.

— Sei que você está acordada — murmurou ela.

Caiu na caixa postal de Posey. Ela devia estar no Zoom com um cliente. Charlie tentou de novo, deixando tocar, desligando e ligando de volta em seguida.

Por fim, Posey atendeu.

— Charlie, estou...

— Você tem que sair de casa. *Agora.*

— Por que sua voz está tão estranha?

Charlie não tinha tempo para explicar sobre o lábio inchado.

— Sério. Agora. Um café. A farmácia. Não importa onde. Só pega seu laptop e a carteira, sai pela porta dos fundos e pula a cerca baixa para o quintal do vizinho. Aquele com o trampolim.

— O quê...

— Vou ficar na linha enquanto você faz isso.

— Estou no meio de uma leitura de cartas — reclamou Posey.

— Tem que ser *agora* — insistiu Charlie.

— Me dá um segundo.

Charlie podia ouvi-la conversando com alguém de maneira conciliadora, embora não conseguisse entender as palavras.

Ela esperava que Posey estivesse explicando ao cliente que tinha que ir.

Sua irmã voltou um instante depois.

— Você sabe que não sei dirigir.

— Estarei com você o tempo todo — garantiu Charlie, mantendo a voz calma e baixa. Voz de locutora de rádio. Voz de negociadora de reféns. — Prometo. Vou te buscar.

Houve um longo silêncio do outro lado da linha.

— *Por favor,* Posey. — Já era a tentativa de se manter calma. — Rápido.

— Está bem. Pelo quintal?

— Para que você não seja visível da rua. — Charlie queria pegar a rodovia e correr para casa, tentando chegar antes de Adam, mas ela sabia que era melhor se concentrar em tirar a irmã de lá. — Só vai. Rápido.

Enquanto Posey andava pela casa, pegando algumas coisas que ela disse que precisava e pondo Lucipurrr na caixa de transporte para gatos, Charlie cravava as unhas no polegar. Ela queria gritar para Posey ir mais rápido. Queria fazer qualquer coisa, menos ficar sentada no estacionamento, machucada e impotente.

Após um tempo bufando e farfalhando, Posey disse:

— Certo, estou do lado de fora com a gata. Estou indo para os fundos.

— Passe por cima da cerca — orientou Charlie. — Você está quase fora daí.

— Você tem que explicar...

— Eu vou, prometo. E desculpa.

— E se os vizinhos...

— Só segue em frente. Não olha para trás. Vai, vai, vai.

— Tudo bem — concordou Posey, parecendo frágil. — Atravessei a cerca. Sabe que eu odeio andar pela casa dos outros. E se o Elias sair e gritar comigo porque estou no quintal dele?

— Você está indo muito bem, tudo o que precisa fazer é continuar. Evite as vias principais e vá pela... — Charlie tentou pensar.

Muitas ruas se cruzavam ali. Seria fácil escolher o caminho errado. Ela não achava que Adam soubesse como Posey era, mas uma mulher com uma caixa de transporte para gatos era difícil de passar batida.

Havia a Biblioteca Williston para um dos lados, ligada a uma escola particular para crianças ricas, com regalias como andar a cavalo. Talvez Posey conseguisse convencê-los a deixar que ela entrasse, mas teria que contar sua história com convicção. Na outra direção havia um Dunkin', uma lanchonete que já estaria fechada, um estúdio de tatuagem chamado Needle Inc., a loja de bebidas Union Package e o Glory of India, que trabalhava sobretudo com comida para retirada.

— Você deve ter saído na Clark, então atravesse o estacionamento na rua School. Entre na Union Package. Olhe os vinhos até eu chegar lá.

— E se não permitirem animais? — perguntou Posey.

— Aí pensamos em outra coisa. Tem uma Walgreens perto daí.

Charlie esperou, escutando o som da respiração de Posey, até ouvir o tilintar da campainha na porta da loja.

— Você vem imediatamente? — perguntou Posey em voz baixa.

— Imediatamente — confirmou Charlie e desligou.

Foi por aquela razão que ela ficara longe de sombristas, de golpes e roubos envolvendo magia. Como ainda não tinha aprendido a lição sobre fazer malabarismo com facas? Mesmo quando você mantinha todas no ar, ainda se cortava nas lâminas.

Ela olhou para sua sombra mais uma vez, tentando mudar sua percepção em direção a ela. A sombra cintilou em resposta.

— Pronto — murmurou Charlie e saiu do posto de gasolina.

Seu carro acelerou pela rodovia, o barulho do motor quase imperceptível. O que quer que Vince tivesse feito continuava funcionando, mesmo quando ela pisou no acelerador e contornou caminhões de entrega e pessoas comuns indo trabalhar. Seu olho inchado tornava difícil mudar para a pista da esquerda e uma dor de cabeça similar a uma picareta atravessava seus pensamentos, que eram principalmente uma ladainha sobre o que mais poderia dar errado: *e se Adam decidir que precisa de uma dose de coragem antes de invadir minha casa e entrar na loja de bebidas ali perto, e se estiver seguindo meu carro agora, e se tiver um cúmplice, e se Lucipurrr fizer xixi na caixa de transporte e Posey acabar sendo expulsa bem no momento que...*

Charlie encostou no meio-fio e lutou contra o ímpeto de pular do carro. Mantendo o motor correndo, ela ligou para Posey.

Sua irmã atendeu no segundo toque.

— Estou aqui na frente — anunciou Charlie, sem fôlego apesar de não ter feito nada além de dirigir.

Talvez tivesse quebrado uma costela.

Poucos minutos depois, Posey apareceu com uma garrafa embrulhada em um saco de papel, uma mochila cheia demais no ombro e a caixa da gata balançando na mão. Ela entrou no banco de trás. Lucipurrr soltou um uivo infeliz quando sua caixa foi despejada sem cerimônia entre os assentos.

— Peguei nossos laptops e comprei um vinho para a mamãe.

— Para a mamãe? — repetiu Charlie.

Mas Posey havia perdido o interesse naquela conversa. Ela estava boquiaberta ao olhar para Charlie pelo espelho retrovisor.

— O que aconteceu com o seu rosto? E quem você tem medo de que vá até a nossa casa? É o Vince? Ele ameaçou você?

— *Vince?* — Charlie lançou um olhar exasperado para a irmã.

Posey franziu a testa.

— Sei lá! Foi o sombrista do Rapture?

Charlie balançou a cabeça, afastando-se da rua. Ela precisava colocar alguma distância entre elas e qualquer lugar perto da casa das duas.

— Aquele cara está morto.

— Quê? — Os olhos de Posey se arregalaram. — O que você quer dizer com morto?

— Olhe atrás de nós. Veja se alguém está nos seguindo — pediu Charlie.

Posey tirou a mochila e se virou, ajoelhando-se no banco. Ela parecia pálida e um pouco suada.

— Como vou saber?

— Fique observando. Não só os carros atrás de nós, mas os carros atrás deles também. Não sei. Só vi gente fazendo isso em filmes. — Charlie fez uma curva. — Ninguém segue exatamente o mesmo caminho, principalmente o que vou fazer, entrando nas mesmas vias. Então, se alguém ficar com a gente por muito tempo, nós nos preocupamos.

— Certo — murmurou Posey, observando.

— Você *está* bem? — perguntou Charlie, com os olhos na rodovia.

— Óbvio que sim. É você quem está com o rosto inchado como um balão. Agora vai explicar?

— Doreen tem um namorado, Adam, com quem termina e volta toda hora — começou Charlie.

— O cara para quem você estava mandando mensagem — elucidou Posey.

Charlie assentiu, lembrando-se da irmã pegando seu celular na quarta-feira, quando ainda parecera que ela não ferraria com a própria vida de novo.

— Então a *Doreen* bateu em você? Por ter um caso com o namorado dela?

— Não! Fala sério! O Adam ficou puto porque eu o delatei e roubei uma coisa dele. — Dito daquele jeito, soava mal. — O que foi merecido. E a coisa que eu roubei, ele roubou primeiro.

— Não acho que estejam nos seguindo — afirmou Posey, se jogando no assento e voltando para uma posição sentada, normal e dentro da lei. — Podemos ir para casa?

Charlie balançou a cabeça.

— Vamos dar ao Adam uma noite para esfriar a cabeça, sem que ele saiba onde estou. Vou falar com a Doreen. Ela vai acalmá-lo.

Posey franziu a testa para a janela, visivelmente infeliz.

Charlie suspirou.

— Desculpe pelo seu cliente.

— Você sabe que o Vince sabia sobre o Adam, né? — comentou Posey.

— Que eu estava dando um golpe nele? — Charlie olhou para a irmã por meio do espelho. — Como ele poderia...

— Tudo bem, *sabia* foi a maneira errada de falar. Ele *achava* que sabia sobre o Adam.

— Desembucha logo.

— Ele me ouviu lendo seu telefone. Sabe, sobre encontrar Adam sozinha.

Charlie se sentiu enjoada.

— Ele disse alguma coisa?

— Perguntou se eu tinha visto *quando* você encontraria o Adam. — Posey parecia bem desconfortável. — E disse que eu estava certa sobre ele. Que eu tinha estado certa o tempo todo.

— E o que você falou?

— Nada — respondeu Posey. — Fiquei surpresa demais. Realmente não achei que ele notasse o que eu dizia ou pensava. E talvez eu não tenha sido justa com ele.

— *Agora* você acha isso?

Charlie teve que se forçar a afastar o pé do acelerador, de tão forte que era seu impulso de descarregar os sentimentos na estrada.

Posey deu de ombros.

— Ele era calmo demais. Eu estava sempre esperando que alguma coisa acontecesse, que ele te machucasse. Sabe, caras gatos e sarados no geral são babacas. Achei que ele não deveria ser boa coisa. Mas no final, mesmo sendo um grande mentiroso, acho que ele deve ter sido seu relacionamento de maior sucesso.

Charlie considerou brevemente conduzir o carro para fora da estrada e colidir direto com uma árvore.

"Não fui o único que mentiu." Ele havia dito enquanto eles brigavam.

Naquele momento, tarde demais, ela entendeu o que ele quis dizer.

"Eu não podia te dar o que você precisava. Escondi coisas de você. Mesmo que você não soubesse o que havia de errado, você sabia que não tinha o suficiente de mim."

Na sexta-feira de manhã, quando ele foi ao Rapture para buscá-la, ele sabia que ela deveria encontrar o Adam? Charlie havia achado que ele tinha ido lá porque estava preocupado com o carro dela não pegar, mas e se ele tivesse ido lá esperando encontrá-la com outra pessoa?

"Eu gostaria de poder dizer que sinto muito, que queria ser sincero o tempo todo, mas não queria. Nunca quis ser sincero. *Só queria que o que te* contei fosse a verdade."

Charlie sempre acreditou que nada realmente atingia Vince, porque tudo com o que ele realmente se importava havia sido deixado para trás em sua antiga vida, aquela da qual ele fora exilado. Aquela para a qual ele queria retornar.

Mas era perfeitamente possível que ele odiasse sua antiga vida.

E que ela havia perdido bem mais do que tinha se dado conta.

26
O PASSADO

A taça de champanhe na mão de Remy estava esquentando rápido demais. Havia muitos corpos aglomerados. Em torno dele, risadas delicadas flutuavam no ar sufocante. Adeline estava conversando com um visconde ou um baronete ou alguém com um daqueles títulos que não vinham com dinheiro, mas vinham com convites para festas.

Incomodava Remy um pouco o fato de que ele sabia identificar aquilo sem nem tentar, de que seu olho automaticamente detectava a falta de alfaiataria no terno do homem e a pulseira de couro gasta de um Rolex de terceira geração. Ele tentava se convencer de que era mera esperteza e não esnobismo, mas sabia que aquilo não era de todo verdade. Havia se acostumado a ter um dinheiro que ele não ganhava e se sentir cheio de si com aquilo.

O encontro para a arrecadação de fundos acontecia na casa de um dos amigos ridiculamente ricos que estudavam com Remy. Era para beneficiar algum tipo de crianças. Talvez estivessem doentes. Talvez ganhassem sessões de arteterapia. Ou pôneis. Ou seus pôneis fizessem arteterapia. Não importava. Havia um tema também, Hollywood antiga, que basicamente significava vestir algo chique ou ridículo ou ambos. Aquilo também não importava.

O importante era que os jovens conseguissem que seus pais desembolsassem uma doação de cinquenta mil dólares. Dez iriam para os bolsos juvenis, com quarenta sobrando para a caridade. Mais tarde, ele e os amigos pegariam os ganhos ilícitos e iriam para alguma boate onde pagariam um combo e beberiam o suficiente para esquecer da noite inteira.

Remy dançaria e uivaria para a lua e cambalearia de volta para o pequeno apartamento de seu avô com o braço em volta de Adeline, cada escolha que ele já havia feito parecendo valer a pena naquelas horas vertiginosas antes do amanhecer.

Seu telefone tocou, levando-o de volta ao presente. Sua avó de novo, sugerindo que eles se encontrassem para um brunch no dia seguinte. Péssima ideia. Ele não só planejava estar *extraordinariamente* de ressaca, como não queria falar sobre o único assunto que tinham em comum: sua mãe, que não estava indo tão bem na nova clínica de reabilitação.

Estar com a avó o fazia sentir uma onda de saudade misturada com ressentimento, e aquela era a outra razão pela qual não queria vê-la: ele não gostava de sentir coisas.

Remy tinha morado com ela quando era pequeno, ele e a mãe. Tinha uma cama só para ele e eles jantaram juntos todas as noites. Mas sua mãe acabara caindo fora, arrastando-o com ela, e aquele fora o fim.

Remy se sentia exausto só de pensar no brunch. Mas também se sentia culpado por dar uma desculpa e não ir.

Talvez sentisse algo além de culpa, mas não queria pensar naquilo.

"Você está com vergonha", sussurrou Red para ele, sempre lá no fundo da mente, como uma porra de um grilo do mal disfarçado de consciência. "Você não precisa se sentir assim. Posso sentir vergonha por nós dois."

Remy olhou para sua sombra, jogada no chão, maior do que ele era na luz. Talvez *Red* pudesse ir para o brunch e ele pudesse ficar deitado na cama. Talvez conseguisse manter a forma de Remy por tempo suficiente. Entre os assassinatos e a energia com a qual Remy o alimentava, ele estava ficando assustadoramente mais forte. Cada vez que se tornava uma Praga, parecia conseguir fazer muito mais do que antes.

— Qual é o problema? — perguntou Adeline.

Ela estava usando um vestido vintage McQueen de tecido grosso, coberto de contas brilhantes que davam a impressão de rasgos. Ela segurava dois drinques Old-fashioned, oferecendo um como se fosse para ele.

— Nada — respondeu ele, enfiando o celular de volta no bolso.

Ela abriu um grande sorriso.

— Entediado? — perguntou Adeline. — Ouvi dizer que tem uma piscina no porão. Vamos. Vamos nadar pelados.

Remy bufou. Então escondeu a taça de champanhe atrás de uma planta e tomou um gole de uísque aromatizado com casca de laranja. Ele adorava a sociopatia alegre de Adeline. Às vezes, lhe lembrava o pai dela, mas enquanto a dele era voltada a conquistar o universo, a dela era voltada para a diversão.

A festa beneficente era sediada em uma casa no Upper West Side, do tipo que custava cinquenta milhões, fácil. A cozinha era feita de metal e mármore com um fogão italiano chique. As paredes eram cobertas com motivos atuais de cores vivas e decoradas com arte divertida. Até os tapetes eram bem pensados; um tinha o padrão de um labirinto e o outro tinha uma lavagem de cor turquesa sobre um desenho tradicional. O lugar fazia a cabeça de Remy girar enquanto eles se dirigiam para as escadas. Era tão diferente da casa sombria e empoeirada de seu avô, com sua madeira escura e cortinas pesadas.

Ele se viu no bar espelhado. Terno preto, lenço branco no pescoço. Olhos ambiciosos.

— Vamos — instigou ele, imprimindo no rosto seu sorriso amável habitual.

Ele não tinha por que estar infeliz. Estava tendo uma noite maravilhosa.

As escadas desciam em espiral para um salão de nível inferior cheio de escarlate e cor-de-rosa e travesseiros. O ar tinha um leve cheiro de cloro e as janelas brilhavam com uma luz azul subaquática. Um candelabro projetava sombras que pintavam o teto com formas de cabras e lobos.

— Abra meu vestido — pediu Adeline, rindo ao se virar.

Remy bebeu o resto do drinque. O mundo havia ficado um pouco borrado e ele começava sentir a sensação agradável do álcool.

Uma mulher de calça e camisa pretas desceu a escada às pressas.

— Licença — disse ela, parecendo um pouco em pânico. — Vocês não têm permissão para estar aqui.

— Quem é você? — perguntou Adeline, demonstrando uma arrogância impressionante.

— Faço parte da equipe da festa. Nos pediram para manter as pessoas fora das áreas privadas da casa. — O tom era de quem pedia desculpas, mas se mantinha firme.

— Esta casa é do Jefferson — contou Remy à mulher. — Meu *amigo*. Ele não se importa de estarmos aqui embaixo.

— Bem, os pais dele se importam. — Ela acenou com a cabeça em direção ao copo na mão dele. — Vocês andaram bebendo. É uma questão de segurança.

— O Red pode fazer com que ela mude o tom — sugeriu Adeline para Remy.

Ele revirou os olhos.

— Essa foi de matar.

A mulher deu um passo na direção das escadas. A palavra "matar" em qualquer contexto devia deixá-la nervosa.

— Deixe o Red se divertir — insistiu Adeline, com um sorrisinho cruel na boca. Talvez fosse porque estava envergonhada, com o zíper aberto até a metade das costas. Talvez fosse o outro lado da sociopatia alegre, mas quando ela estava daquele jeito, não recuava. — Vamos. Vai ser engraçado.

— Use a sua sombra então — respondeu Remy. — Ou melhor ainda, vamos só subir.

Aquela era a segunda sombra ativada à qual ela havia sido amarrada. A primeira havia murchado, com o enxerto falhando. A segunda tinha pegado, mas raras vezes Adeline a usava. Ele achava que a sombra a deixava desconfortável, mas ela não gostava de admitir aquilo.

Adeline lhe lançou um olhar.

— Não vamos a lugar nenhum.

"O que é que eu devo fazer?" Remy ouviu a pergunta em sua mente, sentiu o aborrecimento da sombra, sem ter certeza se o sentimento era dele também.

"Faça um títere dela", pensou Remy de volta. "Faça com que ela suba ou diga algo ridículo. Assuste a mulher. Mas não a machuque".

"*Não quer que eu* a afogue?" Ele tinha quase certeza de que Red estava brincando.

Durante algum tempo ele tivera que manter uma consciência bifurcada, porém não mais. Red apenas *fazia* coisas. De preferência, o que era mandado, mas às vezes algo bem diferente. Remy provavelmente poderia detê-lo se tentasse. Provavelmente.

A mulher estremeceu e arquejou quando a sombra de Remy mudou para se sobrepor à dela.

Adeline bateu palmas de alegria.

A boca da mulher se moveu, disparando as palavras:

— Não estou sendo paga o suficiente por essa merda. Vão em frente. Usem a piscina, babacas.

Remy riu. Ele achava um pouco perturbador o quanto Red teria que saber sobre as pessoas para chegar a algo tão inteiramente realista, mas ainda assim era engraçado.

Adeline soltou um suspiro de irritação.

— Não, faça com que ela diga coisas *vergonhosas*.

O corpo da mulher se moveu aos solavancos, os olhos arregalados de pânico.

— Pare de me dar ordens, Adeline — comentou ela. — Eu não gosto.

Adeline virou-se para Remy, surpresa e ofendida.

— Você fez...

— Ah, qual é? — interrompeu Remy. — Ele só está se divertindo.

Então a mulher arquejou, levando a mão até a boca quando Red a soltou. Ela olhou para os dois, com lágrimas nos olhos, então subiu correndo as escadas.

Adeline se virou para Remy, com olhos fulminantes. Ela estava furiosa. Remy não achava que ela teria ficado tão irritada se *ele* tivesse dito aquilo, mas ela via Red como um brinquedo e brinquedos não deveriam dar respostas. Especialmente em *público*.

Antes que ela pudesse passar um sermão sobre como Remy deveria controlar a própria sombra, Madison, Topher e Brooks desceram as escadas. Topher tinha frequentado a mesma escola particular que Remy e ele e Adeline conheciam os outros por frequentarem os mesmos ambientes.

— Fala, Remy — cumprimentou Brooks, dando aquele abraço de um braço só que os homens dão. — Ouvi dizer que tinha uma piscina. Devia saber que você chegaria aqui primeiro.

Maddy havia roubado uma garrafa de Don Julio 1942 do bar espelhado.

— Ah, eu deveria ter pegado copos — comentou ela.

— Posso derramar uma dose direto na sua boca — ofereceu Remy, relaxando na companhia deles.

Os cinco nadaram pelados na piscina, bebendo tequila e rindo. Adeline pareceu esquecer do que havia acontecido e tudo voltou ao normal. Em seguida, vestiram-se de novo, pegaram Jefferson, a namorada dele e a prima de outra pessoa e foram para o *The Box*, onde acrobatas voavam no ar, junto com uma única sombra. Em vários momentos, a sombra os mantinha suspensos acima do público, fazendo com que parecessem estar pendurados em absolutamente nada.

Topher queria curtir euforia, e Adeline mostrou sua habilidade sombrista ao fazê-lo viajar. Quando ela terminou, ele estava em tal estado que só conseguia ficar caído em um canto da cabine particular deles, murmurando para si mesmo e se contorcendo. Remy esperava que ela tivesse dado a ele a diversão prometida. Em ocasiões anteriores, ela já havia enviado pessoas para surtos de terror por uma semana e àquela altura era perceptível que seu mau humor havia voltado.

Brooks e Jefferson, impressionados, fizeram muitas perguntas para Adeline de uma maneira que deixou óbvio que estavam interessados em mais do que respostas.

Maddy e a tal prima de não-se-sabe-quem começaram a se pegar, ambas com as saias tão levantadas que ficou óbvio que apenas uma delas estava usando calcinha.

Remy tentou evitar a ira de Adeline ao conversar com as garotas na cabine ao lado, que o recrutaram para um jogo de bebida. As pessoas tinham que se encarar e, se os olhares se encontrassem, precisavam gritar "Medusa!" antes que a outra pessoa o fizesse.

Ele havia tomado pelo menos mais três doses de tequila quando Adeline colocou a mão em seu ombro.

Ela parecia estar bastante bêbada.

— Diga ao Red para me beijar.

Remy estava longe de estar sóbrio, mas até ele sabia que aquilo era uma má ideia.

— Qual é, Adeline? Senta aqui e joga com a gente.

A sombra dela chicoteou em direção a uma das meninas, batendo na cabeça dela com força suficiente para que ela mordesse o copo do qual estava prestes a tomar um gole.

Ele se levantou enquanto as amigas da garota tentavam usar guardanapos para estancar o sangramento.

Remy não queria pensar nos dentes rosados da menina. A forma como o caco de vidro havia caído na mesa, lustroso de cuspe.

— Vem, vamos para casa. Tá tarde.

— Você não quer que o Red faça isso? — gritava ela enquanto ele a arrastava pela boate.

Remy não respondeu.

— Diga a ele que tem que fazer o que eu digo. — Eles estavam na rua. — Ou eu vou contar para o meu pai que ele é uma Praga metade do tempo.

Remy grunhiu.

— Pare com as ameaças. É exaustivo. Você está exaustiva esta noite.

— *Diga a ele* — insistiu Adeline.

— Tudo bem — mentiu ele. — Acabei de dizer.

Não era como se Red não tivesse ouvido tudo de qualquer maneira.

— Acho que foi *você* que fez com que ele fosse terrível comigo — afirmou ela.

Remy não se deu ao trabalho de negar. Ambos estavam bêbados e provavelmente entrariam em uma discussão boba. Eles estavam juntos demais nos últimos meses, não se desgrudavam. Não era normal. Compartilhavam muitos segredos horríveis. Aquilo estava fazendo com que descontassem um no outro.

Adeline ainda estava de mau humor quando eles cambalearam para o apartamento. Remy não se importava. Ele planejava ir para a cama e dormir até depois do brunch.

Ele ficou sóbrio rápido quando viu seu avô à espera. Estava sentado no sofá, com uma única luz acesa, o que concedia a seu rosto uma iluminação sinistra.

— Já ouviu falar de Cleophes de York? — perguntou ele aos dois, como se continuando uma conversa que estiveram tendo.

— Não? — respondeu Remy, hesitante.

Aquele era o preço do dinheiro de Salt, viver nos termos e no tempo dele.

— Uma Praga muito antiga — explicou Salt. — Amarrado há cinco anos. Acho que descobri uma maneira de falar com ele sem que seu usuário saiba. Vamos fazer um experimento.

Adeline franziu o cenho.

— Que tipo de experimento?

— A boa e velha ketamina. — Ele pegou um frasco de líquido da mesa de centro e o sacudiu. — Vou injetar o Edmund e veremos se isso permite que Red o transforme em um títere.

— Estou muito bêbado — contrapôs Remy. — Misturar bebida e drogas é o que faz as estrelas do rock morrerem.

Salt bufou.

— Não se iluda. Agora sente-se no sofá e arregace a manga.

— Sério — insistiu Remy. — Amanhã.

— Agora — corrigiu Salt. — Você vai se dar conta de que estou falando muito sério.

Remy lançou um olhar suplicante para Adeline, mas ela não encontrou seus olhos. Estava olhando pela janela, com o rosto cuidadosamente inexpressivo como se seus pensamentos estivessem longe. Ela havia parado de bater de frente com o pai anos antes. O preço da desobediência era alto demais.

"Posso possuir você sem nenhuma agulha", sussurrou Red. "Se você deixar."

Mas seu avô não queria saber o que Red poderia fazer, queria saber o que a ketamina poderia fazer.

"Então deixe-me matá-lo."

"Chega de assassinatos", pensou Remy de forma automática. Tudo o que ele precisava fazer era passar por aquela situação desagradável e depois esquecê-la. Empurrar mais medo e raiva para Red. E se às vezes Remy sentia como se tivesse dado tanto de si mesmo que não restava muito, ele não estava disposto a considerar qualquer uma das alternativas.

Remy se jogou no sofá, tirou a jaqueta e começou a desabotoar a manga da camisa.

Seu avô tirou uma agulha da embalagem plástica e removeu o dispositivo de segurança. Então a enfiou no frasco e sugou o fluido transparente. Remy estava tendo dificuldade em discernir os pensamentos dele e de Red. Os dois corriam juntos em pânico.

Se Remy parasse de respirar, ninguém acreditaria que ele não tinha usado ketamina na boate. Aquela era a verdadeira genialidade de seu avô, fazer as coisas de um jeito que, não importava o que pudesse acontecer, ele nunca seria responsabilizado.

Então houve uma picada afiada na pele de seu braço. Ele olhou para Adeline. Ela estava olhando para ele, sua expressão suave. Então Remy sentiu uma sensação de queda.

Sentiu gosto de sangue, como se tivesse mordido a língua.

A última coisa de que se lembrava era do som da própria voz, que havia se tornado estranha em seus ouvidos.

— Chega de Remy agora. Só Red.

27
AQUELA COISA HORRÍVEL QUE GOSTO

Quando Charlie se mudou do apartamento da mãe, ela achou que finalmente estaria livre do medo e da culpa que a acompanharam durante a adolescência. Mas ver a mãe sempre fazia o sentimento ressurgir, deixando o ar sufocante com todos os não ditos entre elas.

Ela odiava aquela sensação. Odiava o hotel barato de longa permanência onde sua mãe morava porque seu nome era sujo na praça e seu histórico de trabalho, irregular. Odiava a quase certeza possibilidade de ela acabar morando em um lugar como aquele um dia.

Muitas pessoas mentiam para as mães; não havia nada de especial nas mentiras de Charlie. O problema era que sua mãe nunca a perdoaria se descobrisse. Charlie tinha feito a mãe acreditar que o universo se importava com ela, que os espíritos tinham aparecido para protegê-la em seu momento de necessidade. Se alguém tirasse aquela crença dela, seria odiado. Mesmo que tenha sido a pessoa a dar aquilo a ela para começo de conversa. Especialmente quando aquelas mentiras haviam deixado sua mãe suscetível a mais mentiras de mais mentirosos.

Ao entrar com o Corolla no estacionamento do Residence Suites e dar a volta para o lado onde ficava o quarto da mãe, Charlie sentia um aperto no peito. No final de novembro, aquelas pessoas que viajavam para ver as folhas de outono haviam parado de passar pelo Vale e ninguém mais saía de Connecticut para ir até lá colher maçãs, então os hotéis estavam praticamente vazios. Havia muitos lugares para estacionar e não havia desculpas para demoras.

Ao tirar a chave da ignição, Charlie notou que havia uma pecinha de metal presa nas chaves. Ela demorou um momento para se lembrar de que a havia tirado do fundo da mochila de Vince, pensando que parecia uma bateria de relógio. Pelo visto, era magnética.

Franzindo a testa, ela jogou as chaves de volta na bolsa, com o ímã ainda preso.

Posey bateu à porta. Bob, o atual namorado da mãe delas, abriu, deu uma olhada no rosto inchado de Charlie e gritou:

— Jess!

A mãe apareceu à porta. Ela havia cursado o ensino médio nos anos 1980 e ainda era fiel ao frisador de cabelo. Seu cabelo seco e longo caía nos ombros, com ondulações da cerâmica quente, pintado de preto. Os dedos estavam cobertos de anéis de prata e os olhos estavam pesados de tanto delineador.

— Ah, não, o que aconteceu? E por que você trouxe a gata?

Charlie deu uma versão abreviada da história, omitindo o roubo. Sua mãe foi solidária, mas não passou despercebido para Charlie que, mais uma vez, ela ganhara a compaixão com mentiras.

— Você deveria chamar a polícia — sugeriu a mãe. — Faça com que te escoltem para casa e prendam o Adam. Ele atacou você!

Charlie não planejava fazer aquilo, mas ela era cara de pau o suficiente para sugerir a Doreen que o faria. Adam não queria ter policiais bisbilhotando sua vida, não com seus negócios ilegais. Talvez aquilo o fizesse recuar.

Uma vez levada para dentro do quarto do hotel, Charlie deixou a mãe conduzi-la até o sofá, enquanto Posey encontrava um lugar em um banco ao lado do balcão da cozinha onde podia conectar o telefone e o laptop. O lugar tinha basicamente três cômodos: um quarto com porta, um banheiro dentro do quarto, uma cozinha pequena, com uma mesinha da altura de uma bancada de bar com duas cadeiras e um sofá na frente de uma televisão. A TV a cabo estava inclusa no preço semanal, sem custo extra.

A mãe delas e Bob levaram alguns móveis de lares anteriores. Dois abajures que Charlie se lembrava da infância, um tapete que ela não conhecia, mas que obviamente não era do hotel, e algumas estantes e pilhas de caixas de papelão de Bob com cartas de *Magic: The Gathering* guardadas uma a uma em envelopes plásticos, das quais ele tinha *um monte*.

Ele alegava que eram valiosas o suficiente para que, quando estivesse pronto, vendesse toda a coleção e comprasse uma casa, mas não poderia fazer aquilo até terminar uma batalha judicial com seu antigo empregador. A *Mission Trucking* era a causa inequívoca de seus problemas nas costas e havia recebido ordens judiciais para pagar pelo seguro por incapacidade laboral dele. Eles queriam fazer um acordo para que se livrassem das obrigações judiciais, mas Bob não aceitava menos de um milhão.

Ele ficava prometendo à mãe delas que, uma vez que conseguisse o dinheiro, os dois viveriam em grande estilo.

Era sua versão de tirar a sorte grande. E quase tão provável quanto.

— Precisamos colocar alguma coisa no seu olho — observou sua mãe. — Ah, querida, isso não está com uma cara boa agora, e vai estar ainda pior amanhã.

— Vou pegar um pouco de gelo para ela — afirmou Bob. — Você conseguiu acertar alguns socos?

Charlie riu.

— Pode apostar.

— Espero que o tenha chutado onde dói. — Ele estendeu um pacote de ervilhas congeladas para ela e Charlie as pressionou no olho.

Bob era careca e barrigudo e usava uma camiseta que proclamava seu amor pelos Ramones.

Tendo conectado todos os dispositivos, Posey desceu do banco para pegar um pouco de água para a gata em um recipiente plástico descartável de sopa.

— Então vocês duas vão passar a noite aqui — declarou a mãe. — Faço questão.

Faltando apenas alguns dias para a festa de Salt, Charlie não tinha tempo para um olho roxo ou ficar presa na casa da mãe. E, no entanto, a dor no rosto a estava deixando exausta. Além do mais, ela fora ali para procurar uma coisa.

— Você quer que eu tire o colchão inflável do seu carro? — perguntou Charlie.

Sua mãe balançou a cabeça.

— Não, você fica quieta. Sua irmã pode ir. Ou o Bob.

Charlie se levantou, feliz por ter uma desculpa fácil para conduzir sua busca.

— Pode deixar.

Uma constelação de ímãs cobria a geladeira. Alguns eram de empresas locais e outros estavam estampados com frases como "Tudo de que preciso é café e vinho" ou "Sou tão punk que acabaram os alfinetes". Charlie pegou a chave do carro de onde estava pendurada e saiu para o frio.

Aos quase sessenta anos, a mãe de Charlie havia juntado mais coisas do que caberia de forma confortável no hotel, especialmente com as cartas de Bob, que exigiam um "ambiente climatizado" e eram importantes demais para não serem mantidas perto dele. Então, o porta-malas do carro da mãe estava cheio de roupas de baixa temporada, enfeites, impostos e, aparentemente, um colchão inflável. As caixas estavam apertadas. Uma delas estava marcada "NATAL", outra "FOTOS DE FAMÍLIA". Charlie encontrou o colchão de plástico com cheiro de mofo debaixo de um recipiente com a inscrição "DOCUMENTOS IMPORTANTES".

Era para aquilo que tinha ido lá.

Depois de ter escapado da casa de Salt, o cara que a tinha encontrado chamara uma ambulância. Ela não se lembrava de muita coisa depois daquilo, mas deviam ter feito um exame toxicológico no hospital. Os resultados deviam estar com o resto da papelada médica.

Charlie retirou a tampa do contêiner. E lá, sob as certidões de nascimento e o processo de divórcio da mãe, ela encontrou uma pasta com seu nome. Dentro havia uma cópia do boletim de ocorrência, da alta hospitalar e da conta enviada ao seguro. Ela passou o olho pelos detalhes: arranhões nos braços e rosto consistentes com galhos. Desidratação leve. Um se destacou: traços de ketamina no organismo.

Ela fechou a pasta, as palavras de Liam ecoando na cabeça: "Um dos médicos que trabalha aqui é conhecido por ser generoso com receituários. Eu vi a prima do Remy, a Adeline, comprar um pouco de ketamina dele".

Parecia que roubar uma sombra ativada não havia prejudicado os experimentos de Salt e que ele havia envolvido o resto da família.

— Achou o colchão? — gritou a mãe do outro lado do estacionamento.

Charlie enfiou a pasta sob a camisa para que seu jeans a segurasse no lugar.

— Sim, mãe — gritou ela em resposta e arrastou o colchão para dentro.

Sua mãe havia feito chá de matricária, que ela afirmou ser bom para a dor. Bob deu ibuprofeno escondido para Charlie, o que funcionou muito mais.

Charlie voltou para o sofá e para as ervilhas congeladas. Depois de um tempo, quando teve certeza de que ninguém estava olhando, tirou a pasta de dentro da camisa e a colocou na costura na lateral do sofá, onde a almofada a cobriria.

Lucipurrr patrulhava o novo espaço, miando enquanto a mãe delas pegava uma carne picada para começar a fazer algo para o jantar. Bob ligou a TV naquele programa onde as pessoas levam coisas velhas e especialistas dizem a elas se o item vale dinheiro.

Um caminhoneiro de longas distâncias levara um relógio cuco de sua avó que era, de fato, uma verdadeira antiguidade, do período eduardiano. Quando batia meia-noite, um homem aparecia, fugindo da própria sombra.

— Foi uma época de grande espiritualidade — contou o avaliador idoso, acariciando a barba de forma pensativa. — Sombristas realizavam espetáculos elaborados com sombras nas paredes dos salões de baile. A magia estava bem diante das pessoas e, no entanto, poucas olhavam de perto o suficiente para descobri-la.

— Não deixe o pessoal da recepção descobrir que você tem um gato aqui — orientou a mãe para Posey. — Tem uma taxa de limpeza de cento e cinquenta dólares para trazer um animal de estimação para o quarto.

— Eu não ia contar para ninguém — reclamou Posey, com um tom de lamento adolescente na voz. — E não sei onde posso falar com meus clientes. Está muito barulhento aqui.

— Experimente a banheira — sugeriu a mãe, de maneira inútil.

Uma hora depois, eles comeram *goulash* sentados em cadeiras dobráveis ao redor de uma mesa de centro na qual não havia espaço para todos os pratos ao mesmo tempo e beberam o vinho de Posey. Estavam seguindo a tradição da família Hall de fingir que estava tudo bem e Charlie estava feliz. Nada estava bem e ela não tinha ideia do que fazer a respeito daquilo.

— Posey me disse que o Vincent foi embora. Sinto muito — comentou a mãe.

Charlie assentiu. Quanto menos fosse dito sobre aquilo, melhor. Mais uma coisa que definitivamente não estava bem.

— Pois é. Você conhece minha sorte.

Ela não disse *nossa* sorte, porque gostava de Bob.

Óbvio, era possível que Charlie gostasse de qualquer um que tivesse lhe oferecido ibuprofeno. Se tivesse oferecido café também, talvez ela mesma tivesse se casado com ele.

Sua mãe esperou, como se Charlie fosse dizer algo mais. Fosse *compartilhar*. Quando a filha não o fez, a mãe murchou um pouco. Charlie se sentiu culpada outra vez, de uma nova maneira.

Depois do jantar, sua mãe se virou para Bob.

— Quero mostrar para elas onde nos sentamos lá fora.

— Lá fora? — perguntou Charlie. — Está frio.

— Sob as estrelas. Você pega os cobertores e eu pego as cadeiras dobráveis.

Alguns minutos depois, estavam no estacionamento, olhando as luzes de Springfield ao longe e as estrelas acima.

— Nada mal, certo? — comentou a mãe. — Parece uma varanda.

Bob estava ao lado do carro e olhava para cima, fazendo a vontade da mãe dela.

— A chuva limpou as nuvens.

— Não vou ficar aqui fora congelando — anunciou Posey. — Tenho uma conversa com alguns amigos. Estamos revendo planos.

Charlie esperava que aquilo significasse que a ayahuasca tivesse sido deixada de lado.

— Tome cuidado — lembrou Charlie.

Posey lançou um olhar duro para ela e entrou.

Depois de um tempo, Bob também foi embora, murmurando algo sobre preparar um chá. Charlie ficou enrolada no cobertor. Ela não queria voltar para aquele quarto claustrofóbico, com o ar pesado de seus erros. E temia que Posey estivesse tão desesperada para ser uma sombrista a ponto de se permitir ser enganada e que toda a doçura prometida estivesse lá, pronta para afogar sua irmã.

— Estou feliz por você ter vindo aqui — comentou a mãe.

— Eu também — respondeu Charlie de forma automática, alerta para os perigos daquela conversa.

— Eu me arrependo muito de várias decisões que tomei como sua mãe. Quando eu era mais jovem, nem sempre prestava atenção às coisas certas. Eu queria que você tivesse sentido que podia recorrer a mim quando estava com problemas anos atrás.

Charlie teve a sensação desoladora de que aquilo se tratava de Rand, que Posey havia dito alguma coisa durante as conversas diárias de tarô delas.

— Quando eu estava com problemas?

— Sei que você não gosta de falar disso...

— É óbvio que tem alguma coisa que você acha que sabe, então vá em frente e fale o que é.

Charlie precisava parar de falar. Em vez de partir a língua em duas partes, precisava engolir a coisa toda. Deveria estar tentando evitar aquela conversa, não se entregando a ela.

— Vi você pegar seu antigo arquivo médico no carro — revelou ela. — E nunca vou esquecer de como me senti quando recebi aquela ligação da polícia. E depois, quando encontraram o corpo do Rand com aquela garota morta no porta-malas. Aquela garota poderia ter sido você.

Aquilo era verdade, mas não por nem uma das razões que a mãe estava imaginando.

— Mas não era eu. Estou bem.

— Está? — perguntou a mãe. — Sei que você estava com ele naquela noite em que foi parar no hospital. Se você nunca lidar com o que aconteceu, nunca vai se curar disso. Vai ficar naquele lugar de mágoa e raiva.

Charlie Hall, com um fogo dentro dela que estava sempre queimando.

Óbvio que estava com raiva.

Ela queria que a mãe tivesse acreditado nela quando Travis batia nas duas, que a tivesse amado mais do que Alonso, que nem era real.

Queria que a mãe a tivesse protegido de Rand, que era ruim o suficiente, e ainda muito melhor do que poderia ter sido.

Queria que a mãe acreditasse nela naquele exato momento, embora Charlie já tivesse mentido antes.

— Estou bem. Estou ótima — garantiu Charlie. — Melhor impossível.

— Eu queria que você e sua irmã tivessem a liberdade de se expressar, de cometer erros, de se descobrir. Eu não queria prender vocês. — Sua mãe estava brincando com um de seus anéis de prata grossos, girando-o no dedo indicador. — Não tive isso na minha infância. E você tinha um *dom*. Achei que o Rand lhe mostraria como usá-lo.

A culpa tomou conta de Charlie como uma onda. Ela tinha que mudar de assunto. Não aguentava mais se sentir daquele jeito, dividida entre o desejo de gritar e o desejo de confessar.

— Talvez quando parei de usá-lo, o dom tenha passado para Posey.

Sua mãe lhe lançou um olhar impaciente.

Charlie suspirou.

— Quer que eu fale com você? Certo, o que eu quero saber é o seguinte. Você conheceu a filha de Lionel Salt?

Elas tinham mais ou menos a mesma idade e a região fora ainda menor naquela época. Se ela conhecesse a mãe de Vince, talvez soubesse o que havia acontecido com ela.

— Kiara? — Sua mãe olhou para cima, piscando como se estivesse tentando reorientar os pensamentos. — Não frequentávamos os mesmos ambientes.

— Mas você sabe o nome dela — insistiu Charlie. — Então deve saber alguma coisa sobre ela.

A mãe deu de ombros.

— Ela comprava cogumelos de uma pessoa próxima a mim. Vivia na farra. Contava histórias perturbadoras sobre o pai, mas as pessoas sempre querem acreditar que os ricos estão guardando as unhas em potes como Howard Hughes, e ela parecia ser do tipo que diria qualquer coisa que chamasse atenção. Se meteu com alguns ex-presidiários em Boston, engravidou. Enfim, o pai dela a colocou em uma clínica de reabilitação e essa foi a última coisa que eu soube. Ela nunca mais falou com alguém do grupo antigo. Por quê?

— Ouvi dizer que ela morreu, só isso — explicou Charlie.

— Triste — comentou a mãe.

Charlie se espreguiçou, girando os ombros.

— Acho que vou entrar e encher o colchão de ar.

— Pense no que eu disse — instruiu a mãe enquanto Charlie se levantava.

Ao se afastar, Charlie se lembrou de quando era muito pequena e seus pais ainda estavam juntos. Ela estava sentada no banco traseiro do carro, com a janela aberta. O vento batia em seu cabelo. O rádio estava ligado, as perninhas de Charlie balançando junto com a música, e sua mãe e seu pai riam juntos. A luz dourada do sol havia tornado o mundo incrivelmente iluminado e parecia que a noite nunca chegaria.

Enquanto ela e Posey se revezavam para encher o colchão, Bob e a mãe delas se moviam de maneira confortável pelo quarto. Pareciam satisfeitos. Era estranho, mas legal. Como se não houvesse maldição, apenas uma herança familiar casual de relacionamentos ruins, em um ciclo que ninguém estava condenado a repetir.

Charlie e Posey se deitaram lado a lado, tentando não balançar o colchão. Charlie se lembrou de uma infância inteira dividindo camas com Posey, sussurrando uma para a outra, na época em que tinham os mesmos segredos.

Na época em que tinham os mesmos dons.

Charlie se lembrou de quando sua consciência se partira, quando ela entendera como estar em dois lugares ao mesmo tempo. Mesmo naquele momento, ao fechar os olhos, podia sentir sua sombra. Caso se concentrasse o suficiente, podia se ver do ponto de vista da sombra.

Assim que fez aquilo, no entanto, o pânico a enviou em espiral de volta ao próprio corpo.

Charlie não tinha um peixe dourado nem uma tartaruga de estimação porque temia se esquecer de alimentar qualquer coisa que não pudesse uivar para pedir o jantar. Ela se esquecia de tomar as pílulas anticoncepcionais pelo menos duas vezes por mês, às vezes por dois dias seguidos. Quando ela baixara um aplicativo para ajudá-la a se lembrar de beber água, viera junto uma planta pixelada que você deveria tocar quando bebia um copo. Ela matara a planta várias vezes: às vezes bebia a água, mas se esquecia de tocar na planta e às vezes simplesmente se esquecia de beber a água. Como se lembraria de dar sangue a uma sombra todos os dias?

Como evitaria que, sem querer, deixasse a sombra consumir toda a sua energia até que Charlie murchasse? Como evitaria que se tornasse seu monstro pessoal?

Deitada no colchão, os suaves sussurros da respiração a cercavam enquanto os outros sucumbiam ao sono. Mas a mente de Charlie não conseguia parar de pensar, não conseguia parar de se preocupar, não conseguia parar de reunir e remontar as informações que ela tinha.

Uma vez que Salt havia percebido que o seu neto tinha magia, ele desejou controlá-lo. A situação de Kiara estava repleta de oportunidades de exploração. Salt poderia facilmente obter a custódia de Vince no tribunal. Ele tinha dinheiro para alimentar o vício de Kiara; ela talvez nem reclamasse.

E, no que tangia a Vince, havia a promessa de que sua mãe seria mandada para uma clínica de reabilitação, de que talvez ela melhorasse. E então a permissão de vez ou outra o menino ter acesso a ela como recompensa por um bom comportamento, a promessa de reencontro pairando para sempre na cabeça de Vince. E o medo de ela ser punida pelos erros dele o motivando ainda mais.

Se Charlie podia pensar naquele plano, ela não tinha dúvidas de que Salt havia arquitetado uma versão pior.

E assim Vince fazia o que Salt mandava, e Red, fosse lá o que ele era antes, se tornava um reflexo das coisas que eles faziam juntos. Mas controlar um adulto é muito mais difícil do que controlar uma criança. Especialmente uma com um longo aprendizado sobre manipulação e crueldade.

Então Vince havia feito planos para ir embora e se juntar à mãe, mas algo dera terrivelmente errado. Era possível que Salt tivesse percebido que não precisava de Vince se tivesse Red e arrancado a sombra do neto.

Mas se ele planejava tê-la costurada a ele, aquilo não havia acontecido. Ela se tornara uma Praga, do tipo que fala, então ele teve que fazer um acordo. Ele podia ter sido quem havia oferecido o ritual do *Liber Noctem* e Vince teria roubado o livro para evitar que Red andasse pelo mundo.

Com certeza Salt não se importaria em criar um monstro, desde que servisse a seus interesses. E, naquele meio-tempo, Red continuava matando para ele. Continuava cumprindo ordens. Juntos, eles conseguiram que Salt fosse aceito na Confraria.

Mas se ele tinha prometido a Red sua recompensa no momento do anúncio, então Charlie podia entender por que ele precisava do livro. O problema com os monstros é que você precisa mantê-los na coleira ou eles se voltam contra você.

O Hierofante queria o livro tanto quanto Salt. Será que a Praga amarrada a ele havia feito algum tipo de promessa, algum acordo para obter o mesmo ritual? Ou ele estava trabalhando em nome da Confraria, tentando evitar que Red se tornasse um tipo novo e mais terrível de Praga?

E, mais importante, o que Charlie faria? Salt esperava que ela levasse o *Liber Noctem* para ele no fim de semana, e o fim de semana estava chegando rápido.

A cabeça de Charlie doía e o olho doía e as costelas doíam.

Seu olhar focou na geladeira, com as dezenas de ímãs. E enquanto olhava para eles, um pensamento lhe ocorreu, sobre a coisinha prateada magnética pendurada nas chaves. Aquela que ela havia encontrado entre os pertences de Vince.

Talvez fosse só aquilo, um ímã. Um ímã para segurar um livro com capa de metal.

Ela se levantou fazendo o mínimo de barulho possível e, vestida com uma camisa emprestada de Bob, calçou os sapatos. Colocou um dos casacos da mãe, então saiu pela porta tão silenciosamente quanto já havia entrado em muitas outras casas.

No estacionamento, o ângulo da luz da rua projetava longas sombras em tudo. O barulho dos carros na estrada estava distante, os relâmpagos das fazendas de raios mal eram visíveis.

Charlie abriu o capô do Corolla e olhou para o quebra-cabeça que era o motor, as velas de ignição e outras coisas que ela realmente não entendia. As pessoas ricas nunca trocavam o próprio óleo ou os pneus. Nunca nem mesmo aspiravam os próprios assentos. E Vince havia passado muito tempo trabalhando no carro de Charlie.

Mas o *Liber Noctem* não estava preso nas entranhas do Corolla e, embora ela tivesse rastejado para baixo do carro, a única coisa que descobriu foi um vazamento de óleo.

De manhã, Charlie tocou o pescoço e o sentiu quente. Ela entrou no banheiro e jogou água fria no rosto, penteando o cabelo para trás. As terríveis previsões de sua mãe não se mostraram corretas. O inchaço havia diminuído ao redor do olho. No entanto, havia se tornado um roxo escuro impressionante, com muitos hematomas amarelos e verdes nas bordas.

— Estou indo na Rite Aid — anunciou ela durante o café da manhã, bebendo de sua tigela o leite doce por causa do cereal.

— Você não pode ir trabalhar assim — afirmou a mãe.

— Eu sei — respondeu Charlie. — É por isso que preciso ir à farmácia primeiro.

Posey bufou de forma indelicada.

Alguns minutos depois, Charlie estava do lado de fora.

De acordo com os tutoriais do YouTube que ela havia assistido enquanto o colchão de ar lentamente esvaziava sob ela, a maquiagem de Halloween era sua melhor chance de disfarçar os hematomas. Por sorte, alguma coisa ainda restava na seção de liquidação. Ela comprou uma paleta barata com branco, verde-limão, azul royal, amarelo vivo e vermelho-cereja. Charlie estava preocupada em parecer uma palhaça.

Ela acrescentou ao conjunto algumas coisas normais: um corretivo de alta cobertura, delineador líquido, batom vermelho chamativo, desodorante, um pacote com três calcinhas e a única camiseta preta do tamanho dela. Infelizmente, estava estampada com uma rena de nariz vermelho abaixo da frase "O ANO TERMINA E A PORRA TODA COMEÇA OUTRA VEZ" em letras bufantes. Ainda assim, era uma ótima oportunidade para estrear a nota de cem dólares de Salt.

De volta ao quarto do hotel, Charlie despejou as coisas na cama da mãe e se esparramou no edredom para colocá-las.

Depois de pesquisar muito o círculo cromático e assistir ao vídeo de novo, ela misturou o amarelo vivo com um pouco de vermelho e passou nas partes roxas. Então esperou secar.

De maneira surpreendente, quando começou a aplicar o corretivo em pinceladas cuidadosas, a única coisa que mostrava que ela havia tomado uma surra era o inchaço e mesmo aquilo estava menos evidente ao lado de um lábio vermelho e um pouco de dourado nas pálpebras.

— Sua cara está boa — afirmou a mãe com uma carranca. — Mas ainda acho que você deveria avisar no trabalho que está doente e ir falar com a polícia.

— Vou pensar no assunto — mentiu Charlie.

— Está pronta para ir? — perguntou Posey. — E posso usar um pouco disso?

Charlie entrou no banheiro para arrumar o cabelo e virar a camisa de rena do avesso. Quando voltou, Posey estava usando delineador e um pouco de sombra brilhante.

Elas dividiram o pacote de calcinhas.

Foi estranho estar de volta ao Rapture naquela noite. A bagunça tinha sido limpa e o vidro quebrado tinha sumido. Novas garrafas estavam nas prateleiras. Embora o bar não estivesse tão bem abastecido como antes, pois os uísques e gins incomuns que Odette gostava (de rosa e ruibarbo eram os favoritos) levariam tempo para serem substituídos, estava funcionando.

Em geral, as quartas-feiras eram calmas, mas como o bar estivera fechado por quase uma semana, havia uma fila de artistas. Quando Charlie entrou, um artista de modificação corporal estava no palco fazendo perfurações de piercings e bifurcando línguas; ambas as ações abertas ao público.

No momento em que ela estava servindo a primeira bebida, uma acrobata com labretes nas perfurações recém-feitas nas covinhas das bochechas fazia um set metade ilusionismo e metade burlesco.

Uma hora depois, Charlie estava suada e com os pés doloridos. Ela teve que fazer um esforço consciente para não tocar o rosto e estragar a maquiagem feita com cuidado. Mesmo assim, os clientes deviam perceber o inchaço.

Balthazar lhe lançou um olhar estranho de culpa na única vez que ela o viu saindo do salão de sombras.

— Me vê aquela coisa horrível que eu gosto — pediu Odette, sentando-se no bar.

Ela vestia um conjunto de suéter vintage vermelho de Vivienne Westwood estampado com arame farpado preto.

Charlie se virou para borrifar um copo cupê com absinto.

— Como tem passado? — perguntou Odette.

— Estou bem. — Charlie sacudiu o Burnt Martini de Odette e o empurrou na direção dela, com uma rodela de casca de limão de guarnição. — Feliz por estar de volta.

— Você é uma querida por dizer isso, de toda maneira — comentou Odette.

— Conheci um amigo seu — revelou Charlie, mantendo a voz baixa. — É verdade que um cliente seu é bilionário mesmo?

Odette tomou um gole da bebida e fez uma careta ao sentir a intensidade do álcool.

— O Lionel? Um cliente? Meus Deus, não. Ele prefere estar do outro lado do chicote.

Charlie fingiu estar surpresa.

— Já esteve na casa dele?

— Certamente. É um lugar velho e sombrio, tapetes macios, muito incenso e artes horríveis. Mas as bebidas são de primeira e ele conhece muitas pessoas interessantes. — Ela fez uma pausa. — Ele me ligou na manhã depois que aquele homem veio aqui. Me fez muitas perguntas sobre seu Vincent. O que você acha que Lionel quer com ele?

Charlie olhou para Odette da maneira mais estável possível.

— Não faço ideia. Talvez tenha um trabalho estranho para oferecer.

— Ah, sim — murmurou Odette. — Deve ser algo do tipo.

— Você se lembra daquilo que disse sobre o passado ser a única coisa que importa? — indagou Charlie. — O que quis dizer?

— Eu disse isso? — Odette pareceu surpresa. — Bem, se falei isso, suponho que eu queria dizer exatamente o que pareceu.

— Não é quem somos hoje o que importa?

Charlie não sabia por que insistia naquela questão, considerando que não estava particularmente feliz com a pessoa que era naquele momento. E Odette estivera falando de Vince quando dissera aquilo, não de Charlie.

Odette riu.

— Óbvio, querida.

— Não é esse o sentido de nos reinventarmos? — perguntou Charlie.

Odette tomou um segundo gole da bebida e fechou os olhos de prazer.

— Ah, sim, está muito bom. — Então ela encarou Charlie com um olhar que a fez lembrar que Odette tinha vivido mais do que ela e talvez de maneira mais intensa também. — Quem éramos, o que fizemos e o que foi feito conosco... não podemos ignorar essas coisas e nos tornar uma pessoa nova em folha.

Charlie ergueu as sobrancelhas.

— Podemos *tentar*.

— Pense sobre fetiche. Ninguém gosta de chupar os pés de outra pessoa ou venerar seus sapatos ou esfregar um balão em si mesmo sem motivo. Conheço um menino que se sentava debaixo da mesa da cozinha e desenhava enquanto sua mãe e as amigas conversavam. Ele olhava para os sapatos e sabia que, se tocasse em um deles, seria descoberto e teria que sair dali. Adivinhe do que ele gosta. Mas se ele não admitisse isso para si mesmo, o que aconteceria? É preciso coragem para ser um aventureiro — comentou Odette, pegando a bebida e começando a se afastar. — E qual aventura é melhor do que a descoberta do nosso verdadeiro eu?

Ao trabalhar, Charlie deixou a fisicalidade das tarefas assumir o controle, deixou-se levar pelo ritmo do trabalho. Encha isso, agite aquilo, passe um cartão, comece uma conta, embolse o troco. Segure o copo de Pilsen no ângulo exato para o colarinho perfeito, sirva sem colarinho para o hipster pedindo aquilo, distribua *Fireball* para um trio indo no caminho do arrependimento.

Enquanto ela limpava o balcão do bar e recolhia guardanapos molhados e misturadores de madeira, seus pensamentos viajaram para seus últimos dias com Vince. No dia anterior à partida dele, ele havia saído com a desculpa de limpar as calhas. Ele devia saber que era apenas uma questão de tempo até Salt ligar os pontos e descobri-lo. Talvez tenha aproveitado a oportunidade para levar o *Liber Noctem* para a van. Ela havia revirado o quarto apenas horas depois. Podia ter estado muito perto de encontrar o exemplar.

Esconder o livro na van era, na melhor das hipóteses, uma estratégia de curto prazo. Como Vince não tinha uma identidade legítima, não podia ter um veículo registrado no nome dele. Se fosse parado, a van seria apreendida.

E se Lionel encontrasse o neto a qualquer momento, seria um lugar óbvio para procurar.

Ao pensar naquilo, percebeu que seu carro teria sido um esconderijo igualmente ruim. Alguém como Hermes poderia tê-lo desmontado naquela noite em que fora ao Rapture. Salt estivera bem ao lado dele havia menos de quatro dias.

Mas tirando aquilo, ainda havia um universo de outros lugares onde esconder *O Livro da Noite*.

Liam dissera que, quando Vince escondia alguma coisa, ele escolhia lugares que não eram vistos por pessoas ricas. Talvez ele o tivesse escondido em uma das partes da casa de Salt que o próprio nunca tinha ido. A lavanderia. A despensa. Atrás da televisão. Aquilo seria impressionante, que Salt passasse por ele o tempo todo e nunca percebesse. Mas era arriscado também. Seria difícil recuperar o livro, e não havia garantia de que outra pessoa não mexeria nele. Mesmo que o colasse na chaminé, o pessoal do conserto de ardósia poderia dar de cara com ele.

Mesmo em um telhado...

Charlie parou, quase exagerando no refrigerante misturado com o uísque que preparava.

Quem limpa as calhas um dia depois de matar alguém e um dia antes de deixar a namorada? Uma pessoa atenciosa ao extremo, supôs ela. Alguém que estivera pretendendo realizar a tarefa e quisera fazer aquilo antes de partir.

Ou alguém que estava levando alguma coisa roubada para um novo esconderijo, um lugar onde era provável que ninguém a encontrasse sem querer, e que não era o tipo de lugar que alguém como Salt sequer se lembraria que existia. A casa alugada tinha uma chaminé, ligada à fornalha e ao aquecedor de água em vez de a uma lareira.

E tinha uma tampa de metal, à qual ímãs se prendiam.

Óbvio, havia muitas coisas de metal em uma casa. Mas *fora* da casa fazia sentido se ele quisesse proteger as pessoas dentro. E se Vince quisesse pegar o livro de volta sem ter que encarar Charlie.

De toda forma, ela poderia verificar.

Aquilo lhe daria uma chance de checar se Adam havia entrado na casa delas. Se parecesse que ele não estivera lá, Charlie ligaria para Posey e elas poderiam voltar com as coisas pela manhã. Colocar um taco de beisebol na porta. Ver se o senhorio se importaria se Charlie instalasse algumas fechaduras melhores.

Se ela encontrasse o *Liber Noctem*, teria um problema diferente. Ninguém podia chantagear você para um trabalho. Faça esse trabalho e sempre haverá outro. Recompensa e punição, vice-versa, até que você esqueça de que já teve uma escolha em primeiro lugar. E depois? Não havia recompensa no final, apenas uma facada nas costas.

Charlie podia não concordar com Odette de que o passado era a única coisa que importava, mas o passado havia ensinado algo a ela.

Além disso, nem fodendo ela acataria as ordens de Lionel Salt.

Charlie teria que o enganar. Não tinha certeza de como, mas teria que vencer Salt no próprio jogo manipulador dele. Perceber que tinha que lidar com aquilo ou morrer tentando lhe causava uma grande calma, como deixar uma correnteza arrastar você com ela.

Após dar boa-noite para Odette e entrar no carro, Charlie teve uma mistura de sentimentos contraditórios como alguém que está prestes a deixar a cidade. Despedindo-se de tudo, porque você não tem certeza de que vai ver aquilo de novo.

Charlie estacionou a um quarteirão de distância de casa e andou até lá. Ao se aproximar, viu luzes se mexendo em uma tela lá dentro. A televisão estava ligada.

Ela diminuiu o passo. Posey tinha esquecido de desligá-la antes de sair? Adam era tão arrogante que havia invadido a casa e depois relaxado lá?

Em silêncio, Charlie pegou a escada que estava encostada na lateral da casa e a colocou contra as calhas.

À medida que subia os degraus, podia ver o interior com mais facilidade.

Alguém estava na casa. Na luz oscilante da televisão, ela conseguiu distinguir uma figura caída para um dos lados do sofá, como se tivesse adormecido enquanto esperava alguém voltar.

28
ABANDONAI TODA A ESPERANÇA

No telhado, Charlie rastejou sobre as telhas asfálticas. A inclinação não era muito íngreme e a lua iluminava o suficiente para ela enxergar o caminho até a pequena chaminé falsa, com uma grade de metal no topo. Ela se levantou, olhando para a vizinhança por um momento, e, ao se convencer de que ninguém estava na rua observando, verificou se havia parafusos prendendo a tampa. Para sua surpresa, a coisa toda se soltou. Era frágil, como estanho ou alumínio. Olhando pela chaminé, ela viu que as bordas internas eram cobertas com tiras de metal mais pesadas.

E ali, presa a um lado, havia uma caixa de aço com um cadeado.

Seu coração parou. Roubar muitas vezes havia sido um jogo para Charlie, um jogo em que sua inteligência era confrontada com a da pessoa que havia escondido o prêmio. Resolver o quebra-cabeça era o objetivo e a emoção. Mas, quando suas mãos alcançaram a caixa, o que ela sentiu foi inquietação. Charlie não conseguia afastar a sensação de que a própria escuridão a estava observando, esperando para atacar.

Ela puxou a caixa, fazendo com que dois dos ímãs caíssem pela chaminé. Fizeram um som metálico que ela esperava que não fosse amplificado lá dentro.

Por um momento, ficou quieta, ouvindo.

Nenhum som lá de dentro. Era Adam? Com certeza estivera com raiva suficiente para invadir e destruir a casa dela, procurando o livro de Knight Singh. Mas Charlie não achava que ele tivesse paciência para esperar seu retorno por mais de vinte e quatro horas.

Vince, no entanto, tinha adormecido na frente da televisão daquele jeito muitas vezes antes.

Talvez estivesse pronto para lhe contar a verdade. Ou talvez tivesse inventado um novo conjunto de mentiras. Ele não saberia o que Salt havia dito a ela nem o que ela havia descoberto por conta própria. Certamente não saberia que Charlie já havia roubado seu prêmio. Seria satisfatório explicar como ele estivera errado sobre ela e Adam.

Pensar em ter outra briga com ele a deixava um pouco acesa. Fazia com que ela quisesse passar batom.

Com cuidado, Charlie se arrastou de volta para a escada e desceu, com a caixa aninhada ao corpo, estremecendo ao som da madeira rangendo.

Em silêncio, ela chegou ao chão e caminhou pelo quintal do vizinho, ficando longe da luz. No carro, ela enfiou a caixa de metal sob o banco da frente.

O que ela deveria fazer era ir embora. Voltar para o quarto de hotel da mãe dela e tentar arrombar o cadeado da caixa. Mas a combinação de ter esperanças de que fosse Vince e o ódio por Adam a atraiu.

Ela voltou sem fazer barulho para a casa. Era estranho avaliar a própria casa como um ladrão. Mas a primeira coisa que tentou era a primeira coisa que sempre tentava: a porta da frente. Ela girou a maçaneta e descobriu que estava destrancada.

Posey podia ter deixado aberta ao fugir. E Adam podia ter invadido de outra maneira e depois usado a porta da frente se ele tivesse saído e voltado. Mas a explicação mais simples era que Vince havia usado a chave dele para entrar e não tinha trancado depois, pois esperava Charlie em casa mais tarde naquela noite, depois que ela saísse do trabalho.

Ela estendeu a mão para abafar o som do sino ao abrir a porta de tela. Deslizou pela cozinha, parando para pegar uma panela pesada com pedacinhos de macarrão queimado presos a ela, só por precaução.

Mais alguns passos e Charlie parou na porta da sala. Foi o cheiro que a atingiu primeiro, o odor de carne em decomposição que a fez engasgar. Havia algo escuro espalhado nas paredes.

O corpo no sofá estava muito imóvel. O pavor enrijeceu os membros dela.
Vince.

Sua mão trêmula foi até o interruptor de luz e tudo ficou obscenamente iluminado.

A escrita em sangue, grossa e coagulada, cobria as paredes. Em alguns lugares misturados com cabelo. As palavras continuavam no alto das paredes, onde uma mão humana não poderia alcançar.

No sofá, o corpo de Adam estava dilacerado, com as costelas expostas. Charlie olhou para a cavidade aberta de seu peito e as entranhas bagunçadas e secas. Para o pedaço esfarrapado de sua sombra, voando de seus pés.

O olhar de Charlie focou as paredes. De novo e de novo. A mesma palavra em letras pintadas a dedo: *RED. RED. RED. RED.*

Charlie ainda estava ao batente da porta quando a polícia chegou. Não tinha certeza se tinha se lembrado de chamá-los. Não se lembrava há quanto tempo estivera ali.

— Você — disse um deles, com a mão na arma. — Solte o que está segurando. Mãos ao alto.

Ela percebeu que ainda estava segurando a panela da cozinha. Ela soltou. Ao longe, ouviu o barulho quando atingiu o chão, mas parecia muito distante. Do lado de fora, o estroboscópio de luzes azuis e vermelhas acrescentava outra camada ao quão surreal era aquele momento. Ela levantou as mãos.

Não que Charlie não tivesse visto um cadáver antes. Tinha visto dois na última semana. Mas aquele era alguém que ela conhecia. Alguém que havia sido assassinado em sua sala. O sangue dele encharcava o sofá de segunda mão, que elas teriam que jogar fora. O tapete teria que ser descartado também. Talvez ela devesse simplesmente queimar todo o lugar e deixar o senhorio pegar o dinheiro do seguro.

Outro policial, uma mulher, foi até Charlie e a revistou. O zumbido dos rádios ao fundo e a conversa murmurada dificultavam a concentração.

— Esta casa é sua? — questionou a policial, obviamente tendo feito a pergunta duas vezes. — Foi você que denunciou isso?

— Sim, acho que sim — respondeu Charlie. — Sim.

— Você o matou? — perguntou um dos outros policiais.

Charlie riu, o que não passava uma boa impressão.

— Acha que eu poderia fazer tudo isso?

Eles trocaram olhares.

— Você fez? — perguntou a mulher.

— Não. Acabei de sair do trabalho. Minha irmã e eu passamos o dia de ontem inteiro na casa da nossa mãe. — Ela manteve as mãos para cima e abertas.

Uma pessoa da área forense entrou para fotografar. Pelo menos Charlie achava que era alguém da área forense. Ela se perguntou se alguém teria que escalar as paredes e pegar aqueles cabelos invisíveis. Ela se perguntou se a polícia recomendaria alguém da empresa de Vince para limpar tudo aquilo depois que levassem o corpo embora.

— Você conhecia o falecido?

Ela assentiu.

— Adam Lokken.

— Ele mora aqui? Seu vizinho disse que um homem dividia o lugar com duas moças.

Charlie considerou o que podia dizer. Não importava o nome que desse, as impressões digitais de Vince estavam por toda a casa. No minuto em que as verificassem, descobririam que Edmund Carver não estava morto. E acreditariam que ele era o assassino.

— Era meu namorado, Vincent. Mas ele se mudou.

— Sobrenome?

— Damiano — revelou ela, se perguntando se tal pessoa sequer existia.

— E a mensagem? — perguntou um deles. — Sabe o que significa?

RED.

Vermelho. A cor do sangue. O nome que um menino dera para a própria sombra.

"Nunca dê um nome a ela." As palavras de Raven ecoaram em sua cabeça. Mas as crianças dão nome para tudo. Para ursinhos de pelúcia e peixes dourados em lagos de patos e para chicletes na calçada. Óbvio que Vince nomearia a própria sombra.

Talvez tivesse ido procurá-lo, como a sombra no conto de fadas. Talvez tivesse confundido Adam com Vince e depois ficado furiosa ao perceber que era a pessoa errada. Ou matado Adam *por* Vince, que estivera ressentido. Ou tinha ido atrás dela e vira uma boa oportunidade para um pouco de sangue fresco.

Então assinara seu trabalho.

— Não sei — respondeu Charlie.

Um deles caminhou para atrás dela, puxando uma das mãos de Charlie para as costas dela.

Ela sentiu o metal frio das algemas.

— Acho melhor você vir com a gente. Vamos até a delegacia e você pode dar seu depoimento.

— Estou sendo presa? — perguntou Charlie.

— Estou te dando uma carona.

Era um cara baixo, com ombros largos e cabelos escuros e encaracolados. Seu distintivo brilhava. Ele lhe disse que seu nome era policial Lupo conforme a levava para o carro e empurrava a cabeça dela para baixo, colocando-a no banco traseiro. Os vizinhos haviam saído de suas casas em roupões de banho para conferir o drama. Charlie queria acenar, mas estava algemada.

O grande prédio de tijolos que abrigava a delegacia e o corpo de bombeiros ficava a apenas alguns quarteirões de distância. Não demorou muito para que ela fosse levada até a delegacia e colocada em uma sala nos fundos com uma grande mesa. Pediram suas impressões digitais para "a eliminarem da lista de suspeitos" e ela deixou que pressionassem cada dedo em uma almofada e depois em um papel. Pediram sua carteira de motorista e ela a entregou. Queriam que Charlie desbloqueasse seu celular e ela fez aquilo também. Na maior parte do tempo, eles a deixaram sozinha na sala, entrando uma ou duas vezes para ver como ela estava.

Após cerca de quarenta e cinco minutos, o detetive Juarez apareceu, com cara de quem tinha acabado de ser tirado da cama e não estava feliz com aquilo.

— Você de novo? — comentou ele quando a viu.

Ela não disse nada. O que poderia dizer?

— Isso tem alguma coisa a ver com o que aconteceu no Rapture? — perguntou ele.

Charlie deu de ombros.

— Se não tiver, acho que tenho uma sorte da porra.

— O que esse Adam estava fazendo na sua casa? — Ele olhou para as anotações. — Você o conhecia, certo?

Se você quer que uma mentira passe pelo teste, ajuda colocar o pior de si na história.

— Ele estava traindo a namorada dele comigo. Depois que ele terminou comigo, contei para ela. Anteontem ele foi atrás de mim no estacionamento de um hospital e me deu uma surra.

— Você fez um boletim de ocorrência? — perguntou ele, analisando o rosto dela.

— Eu deveria ter feito.

Charlie não duvidava de que ele tinha acreditado nela sobre levar uma surra, no entanto. A maquiagem que ela havia feito estava boa, mas ela estivera a usando havia horas e estava certa de que os hematomas estavam aparecendo. E nada disfarçava o inchaço.

Depois daquilo, alguém levou um café para ela, mas aquela foi a única coisa que fizeram por Charlie. As perguntas continuaram, dando voltas. A maioria era sobre Vince, mas ela também foi questionada sobre Doreen, as horas de Charlie no trabalho, quando tinha ido para casa, em que havia tocado. Repetidas vezes, Charlie perguntou se estava sendo presa.

Finalmente, disseram que ela poderia ir embora. Falaram para Charlie ficar longe da casa, pois era uma cena do crime ativa. Advertiram-na para ficar perto do telefone, porque entrariam em contato de novo.

— Tem muita merda estranha no mundo — comentou o policial Lupo a um dos outros policiais, em voz baixa. — Nem tudo precisa vir parar aqui.

Charlie estava saindo quando passou por Doreen, vestindo pijama, casaco e botas UGG. Seu rosto estava inchado e manchado de lágrimas. Ao ver Charlie, seus olhos se reviraram de ódio.

— *Você* — bradou ela, sua voz tão gutural que mais parecia emitir sons do que dizer palavras. — *Você fez isso.*

Charlie queria retrucar, mas não era justo. Doreen amara Adam, mesmo que ele tivesse sido péssimo, e ele estava morto.

— Olha, sinto muito que ele...

Antes que ela pudesse terminar a frase, Doreen a atacou. Enfiando as unhas na bochecha de Charlie.

Um policial pegou Doreen e a conteve, embora ela relutasse como se pensasse que pudesse se libertar.

— Calma — bradou ele. — Meu Deus, moça.

— Ai — disparou Charlie, colocando a mão no rosto. — *Porra.*

— Isso é por *sua* causa — gritou Doreen. — Você deveria ter ajudado. Deveria tê-lo levado para casa.

Difícil ser muito solidária quando ele estivera só esperando para machucá-la, mas ela conseguia entender o que Doreen queria dizer. Adam podia ter passado a perna em Balthazar e Doreen, mas Charlie com certeza tinha passado a perna nele.

— Você *é* o diabo, corrompendo tudo que toca — gritou Doreen. — Lembra aquele favor que meu irmão deveria fazer por você? Bem, está desfeito. Você está inadimplente.

Charlie deu de ombros, virando-se para a porta.

— Não pode me ameaçar com o que já aconteceu. Você mandou que ele fizesse isso no minuto em que te dei o anel.

Doreen, contida por dois policiais, ainda conseguiu cuspir na direção de Charlie.

Exausta, Charlie andou da delegacia até o carro conforme o amanhecer surgia no horizonte. O Corolla estava onde ela o havia estacionado, com a caixa de metal enfiada sob o assento. Ela entrou e olhou o rosto no espelho, analisou as marcas vermelhas recém-feitas, que ardiam muito.

De repente, sentiu um gosto salgado no fundo da boca e ardência nos olhos. Ela piscou para conter as lágrimas.

— Controle-se, Charlie Hall — disse a si mesma no espelho.

Era quinta-feira de manhã, o que significava que tinha mais dois dias antes do evento de Salt. Mais dois dias para descobrir o que a sombra de Vince queria, onde estava Vince e quem estava mentindo. Mais dois dias para decidir o que faria com o livro no cofre.

Mas do que ela precisava naquele momento era dormir. Não podia entrar em casa, pois era um local de crime ativo, isolado com fita. E ela não tinha certeza de se aguentaria voltar para a casa da mãe. A ideia de dormir no colchão inflável enquanto eles se moviam pelo cômodo, de evitar perguntas, de contar mais mentiras a fazia se sentir claustrofóbica e ansiosa.

Sem mencionar a ameaça de uma Praga solta por aí, procurando um livro que poderia estar com ela. Talvez procurando Charlie. Então ela também não poderia ir para a casa de Barb. Não poderia ir para a casa de nenhum amigo.

"Você é o diabo, corrompendo tudo o que toca."

O diabo, como dissera Suzie Lambton. Com uma sorte do diabo também.

Mas talvez sua sorte estivesse mudando, porque Charlie se lembrou de uma coisa. Suzie Lambton tinha ido a um retiro de ioga, deixando um apartamento vazio para ela invadir.

A casa de Suzie ficava a uma curta distância do centro de Northampton. Quando Charlie parou, ela percebeu imediatamente que entrar seria uma merda. Os prédios eram recém-construídos, com grandes janelas e sem árvores ou arbustos grandes para escondê-la dos vizinhos de Suzie enquanto arrombava a porta. A última vez que estivera lá havia admirado o lugar, mas não o tinha analisado o suficiente.

Charlie estacionou três ruas adiante, enfiou o cofre na bolsa, pegou suprimentos no porta-malas e caminhou. Passava um pouco das seis da manhã e ela tinha certeza de que os moradores estavam acordando, se preparando para mandar os filhos para a escola e ir trabalhar.

Indo por trás do prédio, Charlie notou que os apartamentos tinham varandas nos fundos. Aquilo era promissor. As pessoas eram mais propensas a dar a alguém no quintal o benefício da dúvida; além do mais, as portas de vidro deslizantes eram incrivelmente fáceis de abrir.

As pessoas colocam trancas nas entradas da frente, com teclados e portas de aço, e negligenciam a parte de trás. Charlie posicionou uma chave de fenda sob a parte inferior das portas deslizantes do pátio, então empurrou com força ao mesmo tempo que girou a maçaneta. Dez segundos depois, estava dentro, e as portas, intactas.

Os passos de Charlie ecoavam enquanto ela caminhava pela cozinha branca moderna com balcões de mármore grosso e imaculados azulejos de metrô. Por um momento se sentiu totalmente deslocada, como se não fosse apenas uma intrusa, mas uma viajante de outro mundo.

Ela se obrigou a subir as escadas. O quarto de Suzie tinha um papel de parede com padrão alegre de folhas tropicais. A porta do closet estava aberta e as roupas estavam espalhadas pelo chão, como se Suzie tivesse feito as malas às pressas.

Charlie cambaleou até a cama. Adormeceu em cima da colcha, ainda usando as mesmas roupas, com a luz do sol da manhã entrando pela janela panorâmica.

Ela acordou com o vermelho e dourado do pôr do sol. Sua cabeça parecia mole e sua boca estava seca. Por um momento de desorientação, Charlie não sabia onde estava. Então tudo voltou à mente e junto com aquilo, uma pontada de pânico.

Isto é um trabalho, lembrou a si mesma. Um trabalho, embora não tivesse certeza de ter um cliente. Ao trabalhar, você não podia se dar ao luxo de se assustar.

Forçando-se a se levantar, ela lidou com as coisas práticas. Conectou o telefone ao carregador e enviou uma mensagem à irmã e à mãe, dizendo que estava bem e dando um breve resumo do que havia acontecido com Adam. Então ela entrou no chuveiro.

Uma das coisas que Charlie sempre amou em invadir casas era a parte de fingir. Lá estava ela, experimentando a vida de Suzie, como a camiseta e o moletom limpos que havia encontrado no armário. Suzie tinha sabonete líquido que cheirava a vetiver e xampu com aroma de cânhamo. No armário de remédios, uma variedade de frascos de analgésicos pela metade a saudou. Um livro em sua mesa de cabeceira prometia os oito segredos de se tornar um comunicador eficaz.

Todas as luzes eram tão fortes que quase não havia sombras.

Enquanto seu jeans dava voltas e mais voltas na máquina de lavar, Charlie fez café. Na geladeira de Suzie, ela achou uma lata de Coca-Cola Diet e um pote de manteiga de amendoim. Charlie enfiou uma colher na manteiga de amendoim e comeu conforme despejava o conteúdo da lata de refrigerante na pia. Então ela pegou algumas tesouras de cozinha, a caixa de metal de Vince e começou a trabalhar no cadeado.

Primeiro, ela teve que cortar a lata para que se tornasse um grande retângulo de alumínio. Então cortou dois calços, cada um com uma cunha comprida. Como ele havia usado um cadeado de trava dupla com mola, ela sabia que precisaria bater nas duas abas do lado de dentro para abri-las.

Com cuidado, Charlie pressionou o primeiro calço de metal ao redor das manilhas, ajustou um pouco com os dedos e o tirou de novo. Então, posicionando a longa cunha do lado de fora, ela a empurrou para dentro do espaço entre a manilha e o corpo da fechadura. Com uma leve torção para a frente e para trás, ela conseguiu deslizá-la fundo o suficiente para girar. Não houve nenhum ruído audível, mas tinha uma sensação de resistência. Quando não conseguiu virar mais, ela achou um alicate embaixo da pia e o usou para ir até o fim. Depois trabalhou no outro lado. Quando terminou com os dois e os calços giraram, Charlie deu um puxão firme.

A fechadura se abriu.

Ela prendeu a respiração e abriu a caixa.

Não havia nenhum *Liber Noctem* ali. Apenas um pedaço fino de papel, com a borda rasgada por ter sido arrancado de um caderno.

Charlie bateu a palma da mão aberta contra o balcão de mármore. Porra, porra, porra, *caralho*.

O que ela faria?

Ela supôs que a caixa era uma pista falsa. Uma peça para desorientar. Vince a havia deixado para atrasar qualquer um que procurasse *O livro das Pragas*. O que significava que onde quer que estivesse, o livro estava com ele.

Desdobrando o papel, Charlie ficou surpresa ao ver que estava endereçado a ela.

Para a Charlatona,
Se você encontrou isto, as coisas deram muito errado.
A chave é abandonai toda a esperança.

V

Charlie se serviu de uma xícara de café e levou a carta para o sofá. Seu coração estava acelerado. A visão da caligrafia de Vince, letras atarracadas escritas às pressas, causou mais uma vez um desejo intenso de falar com ele. De gritar com ele. De fazê-lo acreditar que, desde que ele quisesse que alguém o conhecesse, ela queria conhecê-lo.

"A chave é abandonai toda a esperança." Talvez ela devesse o fazer. Talvez estivesse sendo uma tola.

Mas seu olhar voltou para as palavras.

"A chave é abandonai toda a esperança." Não abandonar toda a esperança, do jeito que se escreveria normalmente. As palavras pareciam uma charada, mas ela não estava entendendo.

Olhando para a parede, Charlie tomou um gole de café.

Ela continuava sem saber onde encontrar Vince. Sua mente seguiu por caminhos previsíveis para os mesmos becos sem saída. Ela já havia tentado o celular dele. Tinha ido ao endereço em sua carteira de motorista e conversado com Liam. Havia ligado para o chefe dele e descoberto que Vince não aparecera para trabalhar e que fora basicamente demitido.

E, de toda forma, o que ele estava fazendo em quartos de hotel sujos, limpando sangue no teto, se era o neto de um bilionário? Mas talvez tivesse se acostumado com aquilo, limpar as bagunças que sua sombra fazia.

Talvez gostasse de estar em todos aqueles quartos de hotel vazios, do jeito que ela gostava de invadir casas.

Mas então ela teve um pensamento bem diferente.

Havia uma história que Vince contara, sobre a esposa de seu chefe ter ficado furiosa porque o marido a levara para um hotel chique para o fim de semana, sem revelar que ele tinha a chave porque o quarto era o local recém-limpo de um assassinato. "Provavelmente mais limpo do que qualquer outro quarto do hotel", havia dito o chefe a todos no trabalho. "Sem motivo para ela reclamar." A esposa não tinha concordado e o fizera passar uma semana dormindo no sofá.

Se houvesse um quarto de hotel desocupado, Vince podia ter ido para lá. Não teria precisado de nenhuma identificação. Nem mesmo teria precisado invadir.

Charlie pegou o celular e vasculhou um pouco até encontrar o número de Craig, um dos colegas de trabalho de Vince. O cara novinho que tinha aceitado o trabalho de limpar corpos na esperança de que um dia pudesse fazer maquiagens de efeitos especiais superautêntica para filmes.

A última mensagem que ela havia recebido dele era de quatro meses antes:

A bateria do Vince acabou, ele quer que eu avise que estará em casa em uma hora e que vai levar lo mein veg.

Era uma mensagem tão normal que ela não conseguia parar de olhar para a tela.

Charlie pensou no momento horrível em que tivera certeza de que era o corpo de Vince no sofá, o sangue de Vince nas paredes. Ela tinha que o encontrar antes de Red.

Ela ligou para o número. Craig atendeu.

— Aqui é a namorada do Vince — afirmou Charlie. — Sei que ele está encrencado no trabalho e é por isso que estou ligando para você.

— Ele está bem? — perguntou Craig, com seu tom amigável de costume. — A Winnie e eu estávamos comentando que não é típico dele simplesmente sumir da face da Terra.

Ela sempre achava um pouco engraçado como Craig e Winnie eram bem-humorados, considerando o que faziam.

Já o chefe deles nem tanto.

— Ele ficou muito doente — explicou Charlie, pensando que aquilo cobria uma série de possibilidades. — Quando estiver se sentindo melhor, vai ligar para você, mas ele queria que eu perguntasse sobre um lugar que ele limpou. É o quarto que não poderia receber hóspedes por algumas semanas? Ele acha que deixou o relógio lá.

— Em Chicopee? — Ele parecia um pouco cauteloso, mas ainda não estava desconfiado.

— Isso — concordou ela. — Mas ele esqueceu o número do quarto e não quer perguntar na recepção.

— Me dá um segundo. — A tensão tinha desaparecido da voz. Ela não tinha pedido o nome do hotel, afinal, ou um endereço. Ele acreditava que ela sabia onde era o lugar. — Diz aqui que era 14B.

— Obrigada — respondeu ela. — O Vince vai ligar quando estiver se sentindo melhor.

— Melhoras para ele — adicionou Craig e encerrou a chamada.

Charlie digitou "assassinato" e "Chicopee" no mecanismo de busca do celular e ordenou os resultados pelos mais recentes. Parece que houvera um esfaqueamento no East Star Motel, em Armory Drive, oito dias antes.

Ela se parabenizou com uma colher de manteiga de amendoim e foi tirar o jeans da secadora.

O East Star Motel era um prédio de esquina, de um andar e com entradas independentes para os quartos, não muito diferente de onde a mãe de Charlie morava. Mas, se aquele lugar era feito para estadias longas, o motel diante dela era o contrário. Alugava por hora e seu letreiro prometia vagas, Wi-Fi, televisão em cores e discrição.

Charlie entrou no estacionamento. O Corolla fez um barulho estranho, uma espécie de engasgo. Então o motor morreu.

— Não — implorou ela para o carro, no que ela esperava ser um tom severo. — Isso não pode acontecer. Não agora. Vamos. *Vamos.*

Mas tudo o que fez foi seguir um pouco para a frente e depois parar, metade para dentro e metade para fora de uma vaga de estacionamento.

Ela bateu as mãos no volante, mas nada aconteceu. Girar a chave na ignição resolveu menos ainda.

Por fim, ela saiu, pendurou a bolsa no ombro e empurrou o carro para que a parte traseira não ficasse para fora. Estava em um ângulo estranho e ocupando mais de uma vaga de estacionamento por causa daquilo, mas não havia muito que ela pudesse fazer.

Pelo menos seu carro a tinha levado ao motel antes de pifar.

Não havia nenhuma van branca à vista, o que não era um bom sinal. Mas Vince podia ter saído ou até mesmo roubado um carro novo. Ela podia ouvir uma televisão ligada no quarto 12B e alguns gemidos no 15B. Ela observou as fechaduras dos quartos com um olhar profissional.

Eram digitais, mas baratas e nada seguras. A menos que alguém tivesse fechado o ferrolho, era possível que ela conseguisse forçar a fechadura com um chute certeiro.

As persianas do 14B estavam abaixadas e fechadas. Ela hesitou, com a mão na maçaneta, pensando em quando tinha entrado em outro cômodo escuro apenas algumas horas antes. Pensando no cadáver vazio de Adam e uma única palavra gotejante escrita por todas as paredes.

A ideia de que Vince podia de fato estar do outro lado da porta também a fez parar, por mais que quisesse aquilo.

Ela precisava estar pronta para a possibilidade de que Remy Carver não fosse muito parecido com Vince. Poderia tê-la enganado. Poderia ter estado atuando. Poderia até estar em um relacionamento com Adeline, o que era extremamente bizarro, mas pessoas em famílias bizarras faziam coisas bizarras.

Se Vince não existisse, então era melhor ela ver por si mesma. Como ir a um velório de caixão aberto: às vezes aquela era a única maneira de aceitar que alguém que você amava realmente havia morrido.

Charlie tentou o truque do cartão do Big Y na fenda, mas a tranca resistiu. No carro, havia um arame que ela dobrara e transformara em um dispositivo que poderia passar debaixo de uma porta. Não era ótimo, porque você tinha que se agachar e enfiar o arame na fenda entre a porta e o chão. Uma vez dentro, o arame se dobrava e, se você colocasse no ângulo certo, o laço no final pegava a alavanca. Você fazia força e a maçaneta girava.

Olhando ao redor do estacionamento, ela estava pronta para voltar e pegar o arame quando uma mulher saiu de um dos quartos, segurando um balde de gelo.

Ao esperar a mulher pegar o gelo e depois mexer na máquina de venda automática, Charlie se perguntou se havia uma maneira mais simples de entrar no quarto.

Sua sombra. Ela a enviou de forma deliberada pela primeira vez. Empurrou-a pelos espaços abertos entre a porta e o batente. Sua visão se partiu e uma dor de cabeça surgiu na região entre seus olhos.

Charlie tentou se concentrar em sua mão de sombra se tornando sólida o suficiente para girar a alavanca, mas era como pegar o nada. Parte dela estava consciente da mulher voltando para o quarto, de uma leve garoa começando. O resto dela estava tateando no escuro.

Charlie tentou empurrar energia para *dentro* da sombra. Ela não tinha certeza de se estava fazendo aquilo direito, até que sua mão ficou brevemente sólida e a alavanca girou.

A sombra fluiu de volta para dentro dela depressa e a sensação foi tão intensa e estranha que Charlie teve que se encostar na parede, com calafrios percorrendo o corpo. Foi como se mariposas pousassem em toda a sua pele e, então, fossem de alguma forma absorvidas para o interior dela.

E ainda mais avassalador: as possibilidades que se abriram, a vasta extensão de coisas que ela conseguiria fazer, os lugares em que conseguiria se infiltrar, desenrolando-se diante dela.

Respirando fundo para se recompor, Charlie empurrou a porta até abri-la por completo.

Ela acendeu as luzes e teve que abafar um grito. Uma enorme mancha de sangue cobria o tapete cinza estampado. Charlie ficou alguns momentos parada, tonta, lutando contra o pânico, até perceber que era apenas uma mancha, e uma mancha antiga. Estava turva nas bordas, onde esfregar tinha feito o sangue ficar borrado.

Era o motivo de o quarto não poder ser alugado. Precisava de um tapete novo.

Charlie fechou a porta lentamente, certificando-se de que não batesse.

Fotografias haviam sido coladas na parede, acima de um armário de compensado de aparência barata. A cama no meio do quarto tinha um colchão sem jogo de cama e havia muitas roupas em cima dela. As persianas da janela tinham sido cobertas por dentro com sacos de lixo e uma toalha enrolada estava perto da porta, provavelmente usada para esconder qualquer luz enquanto Vince estava lá dentro.

Embalagens rasgadas da Williamson's Clothier estavam espalhadas na cadeira perto do banheiro: uma caixa de sapatos, um cabide de madeira pesado e uma daquelas sacolas com zíper nas quais ternos caros eram guardados.

Ao entrar no quarto, ela percebeu que o abajur na mesa de cabeceira havia sido derrubado e quebrado. A cama em si estava um pouco na diagonal, como se alguma coisa pesada a tivesse empurrado. E do outro lado, ela encontrou uma cadeira, derrubada.

Houvera algum tipo de luta. A ausência da van no estacionamento era uma prova de que Vince havia escapado de seus agressores? Ou Salt tinha levado Vince e a van?

Charlie forçou-se a ir até a parede. Havia fotos do Hierofante presas de pé em uma esquina, encontrando-se com Malik da Confraria. Uma foto dele coberto com o que parecia uma armadura de sombras, como se fosse uma espécie de cavaleiro.

E, abaixo, um artigo impresso de dois anos antes: "Suspeito no caso de roubo de sombras tem todas as acusações retiradas; *vítimas indignadas*". A foto era pequena e borrada por ser uma impressão da internet, mas ela o reconheceu de imediato. O nome do Hierofante era Stephen Vorman.

Mas Charlie ainda não entendia a conexão entre ele e Red, a menos que a Praga a quem Stephen havia sido amarrada *fosse* Red. Mas ele quisera que *ela* desse uma mensagem a Red, então não era isso. Aquilo a incomodava: a ideia de que ela não conseguiria identificar se era ele. Se ela conhecia Vince, deveria conhecer sua sombra.

Na mesa de cabeceira, ela encontrou um caderno, pedaços de papel que sobraram das páginas que haviam sido arrancadas presos na espiral.

No banheiro, ela encontrou um pente e uma pomada de cabelo.

E na lata de lixo ao lado do vaso sanitário, ela encontrou uma caixa colada com argila dentro, um copo de isopor manchado de tinta preta, um frasco de esmalte incolor e dois recipientes de plástico vazios que continham uma resina de duas partes neles.

Ele obviamente estivera moldando alguma coisa, mas o quê? Virando a caixa, ela notou as depressões em forma de quadrado.

Charlie voltou para a cama, com o caderno. Remexendo a bolsa, ela pegou um lápis e fez o velho truque de passar o grafite levemente pela página para que as marcas da escrita anterior fossem reveladas.

Char,
   Não sei dizer adeus para você.

Charlie ficou sentada lá por um longo tempo, olhando para o fantasma de uma carta.

Embora ela não entendesse o que era, Vince estava em algum lugar executando um plano próprio. E dado o que ele havia escrito, não parecia otimista sobre como aquilo acabaria. Ela precisava *pensar*.

Paul Ecco tivera uma página do livro. Ele tinha conseguido aquilo de *alguém*.

E Knight tinha *visto* o livro, embora não tivesse encontrado o ritual que tornava *O livro das Pragas* famoso. O ritual que Red esperava pôr em vigor.

Talvez aquela parte tivesse passado despercebida por Knight. Afinal, uma rápida olhada em uma casa de leilões não seria tempo suficiente para dar certeza de que não havia nada de importante dentro. Charlie tinha visto muitos segredos que não eram aparentes de imediato. Pequenas palavras escritas em obras de arte. Impressões com suco de limão reveladas com o calor. Cifras que eram quase impossíveis de decifrar sem um segredo igualmente bem escondido. Qualquer um dos quebra-cabeças que os sombristas criavam uns para os outros.

Mas Knight dissera que tinha os meios para derrubar alguém e havia todas as razões para ela acreditar que aquela pessoa era Salt. Então havia de ter alguma coisa.

Pegando o livro de Knight Singh, ela alisou a capa de couro e folheou as páginas, procurando o nome de Salt. Qualquer coisa a ver com Pragas, ou imortalidade, ou o sopro da vida.

Nada. E Raven, que o lera, alegava não ter encontrado nada também.

Charlie examinou o livro de novo, com mais cuidado. Ela sentiu a espessura de cada página, para ver se alguma havia sido colada. Verificou a lombada, para ver se alguma coisa havia sido inserida nela. Então investigou as guardas, passando a ponta dos dedos para verificar se havia alguma irregularidade. Na contracapa, ela encontrou leves marcas de cola ao longo de uma borda, como se talvez o papel tivesse sido removido e recolocado. Pegando a faca conectada às chaves, ela tentou raspar a ponta. Deslizando-a na costura, ela ergueu a borda, afrouxando o couro. E lá dentro, havia papéis escritos com uma caligrafia desconhecida:

Parece haver várias maneiras de arrancar uma sombra adormecida de uma pessoa viva. Remy consegue fazer Red pegar a sombra de uma faca e empunhá-la. (De modo curioso, a faca perde permanentemente a sombra e, na manhã seguinte, percebi manchas de ferrugem na lâmina, o que justifica uma investigação mais aprofundada.) Remy, como um sombrista, pode usar os dedos e, enquanto faz um movimento de corte, usa essas "tesouras" para cortar o vínculo entre pessoa e sombra. Também consegui cortar uma sombra usando uma faca de ônix.

Todos esses meios também podem ser usados para remover uma sombra de um cadáver, mas esta sombra tem uma diferença perceptível na textura e no peso. Isto também merece uma investigação mais aprofundada.

Aquilo tinha que ter sido escrito por Salt. Não era bem uma confissão, mas era condenável, no entanto.

A página seguinte era pior.

Cortei seu pulso várias vezes, pensando que talvez fosse trauma suficiente para ativar sua sombra, mas ela morreu como todos os outros, apesar das alterações feitas nela.

Sim, aquilo era ruim. Charlie não sabia se qualquer coisa poderia ser usada no tribunal, mas levaria os investigadores a procurar provas, que quase certamente estavam por aí.

E aquilo acabaria com ele no tribunal da opinião pública. Sem mencionar o que a Confraria seria forçada a fazer, considerando que ele estivera mirando em outros sombristas.

A terceira página era sobre Red.

Remy tem feito experimentos próprios, os quais esteve escondendo de mim. Ele tem libertado sua sombra. Não tenho ideia de como conseguiu fazer isso, ainda mais com a sombra retornando depois, mas é o que acontece.

Ele a alimenta com sangue em excesso? E, se sim, quanto? Há quanto tempo tem feito isso? Agora vou prestar bastante atenção.

Outra coisa que preciso saber: ele a está controlando? E, se não, isto significa que Red é autoconsciente? Cogito ergo sum? E, se sim, o que a sombra roubou de Remy para ficar desse jeito?

E então uma página final.

Cometi um erro, um que espero conseguir corrigir.
Se eu não puder ter Red, então terei que o matar.

Se Salt sabia que Knight Singh estava com aqueles papéis, com certeza iria querê-lo Knight morto. Salt tinha que ter sido o cliente que pagara Adam, aquele que ele escondera de Balthazar.

Naquele momento Charlie tinha a vantagem, se conseguisse descobrir o que fazer com ela. Se conseguisse resolver o quebra-cabeça a tempo.

Um golpe, no fim das contas, se tratava de descobrir a verdade. Deformando-a, óbvio, mas descobrindo-a primeiro. Era a coisa mais próxima que Charlie tinha do tarô de Posey, uma crença em algo maior do que ela própria. Assim como Posey podia colocar cartas em fileiras ordenadas, Charlie podia planejar seus esquemas. Mas, em algum momento, ela tinha que se render ao improviso e confiar em seus instintos.

Charlie se lembrava de estar deitada no tapete da casa de Salt, a poucos passos de distância de um cômodo escondido e um cofre. Onde todos seus bens mais valiosos estariam guardados, incluindo aqueles que nunca deveriam ser encontrados. Era ali que ela precisava entrar.

Apenas para o caso de Vince voltar, Charlie rasgou um pedaço de papel da parte de trás do caderno dele e usou o lápis para deixar uma mensagem.

Encontrei a carta que você não me enviou. Me ligue se encontrar isto. E não faça nada estúpido.

Com amor, Char

Ela colocou o bilhete no colchão. Então apagou as luzes e fechou a porta do quarto do hotel com cuidado, mantendo a cabeça baixa enquanto atravessava o estacionamento.

29
O PASSADO

Vince estava sentado no bar, cada parte de seu corpo alerta para a aglomeração de pessoas ao redor, para o cheiro de suor e a podridão adocicada de bebidas com xarope entranhadas nas ranhuras do chão. A música estava alta o suficiente para desencorajar muita conversa, mas, à direita dele, um cara estava tentando, gritando com outro cara sobre um videogame onde se construía uma casa debaixo da água.

— Esse é o ponto — gritava o homem. — Sobreviver. Construir sua base. Você precisa se preparar para quando eles lançarem a atualização e os tubarões chegarem.

Fazia um mês e meio desde que Vince havia saído da casa de Salt e a cada dia que estava longe odiava mais o lugar e, ao mesmo tempo, sentia a falta. Ele sentia saudades do que nunca tinha sido seu lar. E da pessoa que mais havia importado para ele e que se fora.

A parte mais difícil era ter tanto tempo para pensar. Ter que tomar decisões próprias. Lutar contra a culpa de estar vivo quando, na verdade, não deveria estar. Vince estava acostumado a medir sua vida em pequenos momentos, nunca se deixando olhar muito para a frente e nunca ousando olhar para trás.

Aqui estamos nós, em um barco.

Aqui estamos nós, com uma faca.

Aqui estamos, no quarto de um chefão no meio da noite.

E naquele momento Vince precisava fazer planos se quisesse sobreviver. Tinha algo que poderia usar para derrubar o velho, mas não poderia fazer aquilo sozinho. Melhor passar para Knight Singh, com sua teia de conexões e sua aversão a Salt. O item estava na bolsa estilo carteiro pendurada no ombro de Vince e ele não queria nada além de se livrar daquilo.

Talvez ele pudesse ter um futuro em que não precisasse ficar olhando o tempo todo por cima do ombro. Aquele pensamento o causou uma onda de culpa.

O problema era que Vince não estava acostumado com a parte de preparar as coisas. Seu negócio sempre tinha sido a execução.

— Outro? — perguntou o bartender.

Vince permitiu ser convencido a tomar uma cerveja de abóbora, sem ter ideia do que pedir em um lugar como aquele. Adeline teria bebido champanhe com vodca para "dar uma acordada". Salt teria pedido um *single malt* de um lugar que Vince tinha certeza de que destruiria com sua pronúncia e que provavelmente faria um buraco em sua reserva financeira.

Remy sempre pedira o que todo mundo estava bebendo. Mas Vince não precisava mais agir como Remy.

A cerveja de abóbora tinha a virtude de ser barata. Infelizmente, na opinião de Vince, aquela era sua única virtude.

— Acho que vou experimentar outra coisa.

Enquanto o bartender dizia quais chopes eles tinham e Vince escolhia algo ao acaso, ele notou dois sombristas entrando. Pela visão periférica, ele os viu se separando, seus olhares vasculhando a sala e tentando localizar alguém com a descrição que Vince havia dado. Ele imaginou que estavam tentando ser sutis, permitindo que suas sombras parecessem adormecidas, mas Vince as detectou de cara. Havia uma energia nelas, um redemoinho escuro nas bordas, como fumaça saindo de brasas quentes escondidas sob o carvão.

Knight Singh prometeu encontrá-lo a sós. Ele mentiu. O que significava que Vince provavelmente tinha caído em uma armadilha.

Ele tinha escolhido aquele lugar porque era cheio e estava feliz com aquilo agora. Não poderia ter muitas pessoas no bar, se houvesse alguma, sem sombra. Mas, desde que continuasse a ser parte da multidão, o que estava faltando nele não seria aparente.

Vince estava feliz por ter dado a descrição para Knight apenas como o cara "usando um lenço vermelho", que ainda estava guardado na bolsa, esperando para ser colocado.

Ele se virou para a mulher que estava ao seu lado. Participar de uma conversa daria aos sombristas outro motivo para ignorá-lo. Ela era mais ou menos da sua idade, as bochechas dela estavam coradas pelo calor do bar. Ela fez um sinal para o bartender, que a estava ignorando de maneira grosseira. Seu cabelo preto alcaçuz pendia nas costas e uma tatuagem de escaravelhos formava um colar logo abaixo de seu pescoço.

Do outro lado do cômodo, um sombrista havia se posicionado perto da entrada e o outro estava de pé na frente de uma cabine vazia. Knight devia estar a caminho.

Vince levantou a mão e de alguma forma chamou a atenção do bartender.

— Acho que ela quer uma bebida — afirmou ele.

A mulher lhe lançou um olhar que ele teve dificuldade de entender.

— Um gim-tônica — pediu ela. — O gim mais barato que você tiver, com três limões.

O bartender virou-se para Vince e ele percebeu que sua segunda cerveja estava na metade. Ele não se lembrava de tê-la bebido. Também não lembrava se tinha gostado.

— Bourbon. Puro — pediu ele, lembrando-se de ter ouvido o nome do drinque em um filme ou algo assim.

Quando chegou, ele aprendeu que "puro" significava sem gelo.

— Não costumo pedir bebidas horríveis — comentou ela, espremendo o primeiro dos limões desidratados e levemente marrons enganchados na lateral do copo.

— Então esta noite é especial — respondeu ele.

Aquilo lhe rendeu um sorriso rápido. Surgiu e sumiu. E, de repente, Vince teve a terrível certeza de que a conhecia. Não conseguia lembrar de onde, ou em quais circunstâncias, mas eles haviam se encontrado antes.

A multidão se aglomerou mais e ele colocou a mão no balcão do bar para se segurar.

— Você cresceu por aqui? — Não era uma pergunta particularmente inteligente, mas talvez a resposta o ajudasse a determinar onde a havia encontrado.

A mulher jogou o cabelo preto para trás e deu um gole longo na bebida, tentando evitar ser empurrada para fora do banco por um cara do outro lado dela.

— Sim, sou daqui. Mas aposto que você não é.

Ele assentiu, adaptando a história ao comentário dela.

— Cheguei à cidade faz alguns meses.

Ela ergueu as sobrancelhas.

— Faculdade?

Ele mudou de posição para ficar entre ela e a multidão. Recebeu uma cotovelada nas costas em resposta. Balançou a cabeça.

— Queria uma mudança de ares.

— Temos muito aspargo. — Ela riu da incompreensão dele. — Tanto que dizem que Hadley é a capital do aspargo. Tem até um festival. E três sorvetes de aspargos diferentes. Esse é o tipo de diversão que você gosta?

— Parece o tipo com que eu consigo lidar.

O engraçado era que poderia muito bem ser verdade que ele não era local, por tudo o que tinha visto das cidades.

— Parece que tem uma escola de arco e flecha. E um lugar onde você pode aprender a brandir uma espada. — Havia um ligeiro arrastar na voz dela que o fez se perguntar se o rubor nas bochechas era tanto por causa da bebida quanto do calor.

— Caso eu queira matar dragões.

As unhas dela estavam irregulares nas pontas, o esmalte lascado por ela roê-las.

—Você quer?

Uma rápida olhada mostrou-lhe que Knight Singh havia chegado. Ele estava sentado em uma cabine no outro lado do bar. O pessoal de Knight havia se posicionado em locais estratégicos para que, assim que avistassem Vince, pudessem se aproximar e barrá-lo das saídas. Ele contou cinco deles.

Definitivamente uma armadilha. Vince olhou para a porta corta-fogo próxima à qual a multidão tentava pressioná-lo.

— Matar dragões? — repetiu ele. — Não quero matar nada.

O bartender passou e deixou a conta na frente dela, e parecia prestes a perguntar a Vince se ele queria outra rodada.

Ela ergueu o papel e olhou para o cara.

— O que é isso?

Ele deu de ombros.

— Sua conta.

— Talvez eu quisesse outra bebida — contrapôs ela, com a voz cortante.

— Então pague pela última. — Ele exibia um sorrisinho arrogante, ciente de que mandava no bar.

Ela se inclinou para ele, sua voz alta o suficiente para que as pessoas esperando por bebidas pudessem ouvi-la.

— Estou sentada aqui vendo você servir menos do que uma dose para os clientes, dando às pessoas o troco errado, usando mistura cítrica em vez de suco de limão e puxando água dos balcões direto para a caixa de gelo — comentou ela, enfiando a mão na bolsa e tirando um punhado de moedas. — Vai queimar no inferno dos bartenders.

— Você está bêbada — retrucou ele na defensiva.

— Se estou, não é graças a você.

Ela contou o que devia em moedas de 25 e de 10 centavos, deixando-lhe tantas moedas de um centavo quanto pôde encontrar no fundo da bolsa.

A mulher se virou para Vince, ainda com fogo nos olhos.

— Você acha que sou mesquinha, não é?

Ele achava que ela era tudo que Remy tinha temido ser.

— Acho que você é uma justiceira — respondeu ele, sorrindo.

Ela o contemplou por um longo momento.

— Vamos comigo lá para fora — pediu ela. — Está muito quente aqui.

Vince estava dividido. Se saísse com ela, Knight e seu pessoal estariam menos propensos a localizá-lo. Andando ao lado dela, sua sombra ausente poderia ser facilmente ignorada.

Mas parte dele se perguntava se Knight tinha ido até lá também esperando uma armadilha. Se o sombrista estava tomando precauções em vez de fazer uma jogada contra Vince, a situação ainda tinha salvação.

O que ele *queria*, no entanto, era sair com a mulher.

Ele pegou a carteira e jogou algumas notas no balcão.

Ela pegou a mão dele e o levou até a porta.

Vince observou o balanço confiante dos quadris dela. Ela atravessou o bar como se esperasse que todos saíssem de seu caminho. E, de modo surpreendente, saíram.

— Me chamo Vince.

Mas o olhar dela estava em Knight Singh e sua expressão demonstrava que ela o conhecia. Então seu olhar voltou para Vince.

— Charlie — respondeu ela, apontando para si mesma. — Charlie Hall.

Vince havia contado cinco sombristas, mas aquilo não significava que Knight não tivesse contratado pessoas que não fossem sombristas.

Pessoas como Charlie.

Ela poderia conduzi-lo para a parte atrás do bar e enfiar uma faca nele. E se Vince tivesse sorte, seria quando o pessoal de Knight Singh o conteria e o venderia de volta para Salt. Se não tivesse sorte, as ordens dela seriam para acabar com ele.

O ar frio do beco atingiu o rosto de Vince e ele sentiu uma onda de indiferença em relação aos riscos. Ele *gostava* dela. Gostava de ela ser má, engraçada e disposta a fazer uma cena.

Gostava do fato de não ser nada parecida com ele nem com qualquer um de sua antiga vida.

Gostava dela o suficiente para segui-la mais fundo no beco, apesar das suspeitas. Quando ela escorou as costas na fachada de tijolos do prédio e lhe lançou um olhar que parecia um desafio, ele a pressionou na parede e a beijou.

Os lábios dela estavam rachados. Ele podia sentir o cheiro do perfume dela, algo como fumaça e aroma de rosas. A boca tinha gosto de gim.

Dane-se Knight Singh. Vince poderia fazer a troca em outra ocasião.

Afastando-se, ele olhou para ela. Traçou a linha de escaravelhos em sua clavícula.

— Você quer ir para algum lugar? — sussurrou no cabelo dela, embora não tivesse certeza de para onde poderiam ir.

Ele havia passado a última noite em uma van. Tudo o que sabia era que ele a queria.

— Aqui — afirmou ela, baixinho, colocando as mãos no cinto dele.

Ele não tinha certeza se ela realmente gostava dele. Talvez só quisesse esquecer de qualquer tristeza que fosse o motivo dela ir ao bar para beber e deixar de lado. Ele poderia fazê-la esquecer.

Ele se concentrou no hálito quente de sua respiração.

Na maciez do quadril quando a levantou.

Na superfície áspera do tijolo na palma de sua mão.

Vince não ousou pensar no passado e não se permitiu pensar no futuro. Tudo o que se permitiu pensar foi nela.

30
Ó, VÓS QUE ENTRAIS

No sábado à noite, Charlie encostou o carro de sua mãe no meio-fio, longe o suficiente da casa de Salt para que ninguém notasse a chegada delas. Pressionando a testa no volante, ela respirou fundo.

Então se virou para a irmã no banco do carona.

— Você não tem que fazer isso.

Posey fez uma careta.

— Você também não. Pelo menos estou ganhando alguma coisa com isso. Não sei o que você está ganhando.

— Um ataque preventivo — informou Charlie.

Ela sabia que Salt era perfeitamente capaz de cumprir todas as suas piores promessas. Se Charlie não fizesse aquilo direito, poderia não ter outra chance.

Ela saiu do carro.

— Tchau, tchau, tchau — despediu-se ela, apoiada na porta.

Posey sorriu.

— Foi muito legal.

Charlie seguiu ao longo da estrada, com a mochila pendurada em um dos ombros. Quanto mais se aproximava da casa de Salt, que parecia um castelo de conto de fadas, com mais nitidez se lembrava da última vez que estivera lá, o pânico que sentira ao correr por aqueles bosques. A arrogância de Rand ao entrarem. O revirar das próprias entranhas.

E lá estava ela, anos depois, prestes a dar um golpe numa festa. Vestida com uma camisa branca que pinicava, calça preta barata e um colete, parecendo uma garçonete de bufê. Ela gostava de pensar que Rand ficaria orgulhoso.

Charlie passara toda a sexta-feira se preparando. Abandonando a coleção de perucas, ela foi ao shopping e pediu a uma recém-formada na escola de beleza que lhe fizesse um corte *pixie*. Aquilo fazia sua nuca coçar, mas ela definitivamente estava diferente. Junto àquilo ela adicionou uma nova camada de maquiagem de Halloween para cobrir os hematomas e colocou todos os suprimentos que imaginou que precisaria na mochila. O inchaço no rosto havia diminuído um pouco e ela tinha quase certeza de que sua costela estava bem.

Ela estava ótima.

Charlie tentou entrar na personagem: funcionária ressentida e mal paga chegando atrasada para um trabalho o qual já se arrependia de ter aceitado. Não era tão difícil.

Ao passar pelos portões abertos, que, ela não pôde deixar de notar, estavam conectados a uma cerca que parecia ter um fio elétrico em cima, Charlie quase havia se convencido de que não a incomodaria ver a propriedade. Mas então a casa apareceu e seu estômago tentou rastejar garganta acima.

Construída com alguma pedra cinza e coberta de hera de Boston, vermelha e dourada por causa do final do outono, a propriedade surgia ao longe. Havia gárgulas feitas de bronze e esverdeadas pela oxidação acocoradas acima do telhado, observando-a se aproximar. Quanto mais olhava, mais nítidas suas lembranças se tornavam, então ela voltou o olhar para a grama e continuou.

"Corra. Você tem que correr. As pessoas do palácio estão me caçando."

Charlie tinha feito trabalhos suficientes para que confiasse na intuição, aquela antena dentro dela sintonizada com alguma coisa que pudesse parecer errada. Havia algo que ela não via, como se estivesse olhando para os pontos de perto, mas só veria outro padrão se desse um passo para trás. Aquele sentimento a tinha impedido de ser pega antes. Às vezes você sentia o ar mudar e sabia que tinha que desistir do golpe.

Mas não importava o quão errado aquilo já parecesse, ela iria até o fim naquela noite.

Um manobrista a observou de maneira ponderada conforme ela se aproximava da casa. Charlie deu-lhe o aceno sofrido de uma pessoa trabalhando em um sábado para outra. Aquilo pareceu bom o suficiente para convencê-lo de que ela era uma funcionária e logo ele deixou de dar atenção a ela.

Nos fundos, Charlie encontrou a cozinha. Ela havia feito ligações até descobrir alguém envolvido na festa. No fim das contas, José fazia parte do bufê local.

Ele tinha deixado a porta aberta para ela.

Lá dentro, camarões frios estavam sendo colocados em travessas de prata cobertos com folhas de alface e algum tipo de molho cremoso. Bolas de risoto estavam sendo colocadas em uma fritadeira portátil depositada em uma ilha de mármore grande o suficiente para acomodar um cadáver.

Ela afastou aqueles pensamentos.

Era fácil passar despercebida em uma festa como aquela, com vários fornecedores e garçons autônomos. O serviço de bufê de José seria complementado por cardápios especiais, como uma estação de caviar, ou uma estação de sushi, ou uma estação de sacrifício humano. Ela esperava conseguir se esconder no meio daquilo.

Charlie estava entrando no corredor quando alguém a chamou.

— Você está atrasada — disse uma mulher, parecendo estressada, com uma prancheta e um cabelo loiro encaracolado.

Provavelmente a coordenadora do evento.

Com o que Charlie esperava ser um olhar suficientemente neutro, ela se virou.

— Desculpe. Eu estava procurando o banheiro antes de começar.

— Não dá tempo. Jogue suas coisas em algum lugar e pegue esses aperitivos.

Charlie enfiou a mochila debaixo de uma mesa onde poderia pegar com facilidade mais tarde e pegou a bandeja de metal.

Do outro lado da sala, ela viu José, fazendo rosas de presunto de parma. Ele deu uma piscadela.

Com as bochechas ardendo de calor depois de passar do ar frio do outono para salas cheias de gente, Charlie andou pela mansão de Lionel Salt. Servir folhas salpicadas com roquefort e nozes cristalizadas para qualquer um com as mãos vazias era um bom disfarce para voltar a se familiarizar com a casa e tentar localizar Vince.

Charlie trincou os dentes por conta da desconfortável mistura de familiaridade e pavor que sentiu ao caminhar pelos cômodos. Ela manteve um pequeno sorriso no rosto e não fez contato visual com ninguém. Balthazar a tinha protegido do contato direto com os clientes, mas roubar coisas ocasionalmente significava enganar pessoas, então não era como se nenhum sombrio não a conhecesse. Ela só esperava que ninguém a identificasse.

Passando por um corredor semelhante a uma galeria perto da entrada, ela observou de forma velada uma exposição de livros antigos protegidos por um vidro. Ao lado, havia uma placa que dizia: "A Biblioteca Lionel Salt estará aberta a todos os sombristas e cultivará um espaço onde o conhecimento arcano poderá ser compartilhado". As cabeças de animais empalhados das quais Charlie se lembrava olhavam para baixo de onde estavam penduradas, com olhos de vidro brilhantes, galhadas polidas e chifres afiados refletindo a luz.

Em geral, coleções como a de Salt eram particulares, então a ideia de dar uma olhada deve ter deixado os sombristas, em particular os mais jovens, com água na boca.

Como uma ladra de segredos de magia, Charlie não era diferente de uma abelha, polinizando muitas flores. Uma vez que os sombristas digeriam um livro antigo, copiando os experimentos ou técnicas que achavam que poderiam ser úteis em suas próprias anotações, a única razão pela qual se agarravam à cópia original era garantir que o conhecimento descoberto permanecesse exclusivo. Charlie uma vez não conseguiu roubar um exemplar de um cara, porque, ao chegar, ela descobriu que ele queimava todos os livros que adquiria assim que copiava as partes em que estava interessado. Ela ainda ficava com raiva às vezes, pensando nele.

Se Salt quisesse fundar uma biblioteca, aquilo o tornaria muito popular. Mostrava uma vontade de compartilhar seus segredos. Uma generosidade de espírito.

Ou que seus segredos eram tão maiores e mais terríveis que ele podia se dar ao luxo de ter uma coleção como aquela porque não significava nada para ele. De qualquer maneira, Salt não deveria ter nenhum problema em convencer sombristas locais de que já não era sem tempo a sua elevação à Confraria. Sua influência cresceria, assim como o terror que seguiria em seu rastro.

O olhar de Charlie foi para sua sombra, depois para longe.

No final do corredor havia uma pintura a óleo de uma mulher de cabelos escuros, deitada em um sofá, usando uma coroa incrustada de diamantes. Seu vestido estava aberto, mostrando o corpo nu da cintura para baixo. E suspenso sobre ela por tiras estava um cavalo garanhão. Charlie franziu a testa para o quadro, então olhou ao redor. Estava longe de ser a única obra de arte perturbadora. Uma pintura de um rei romano sendo devorado por cavalos estava pendurada perto de uma porta. Sob uma arandela, ela viu um esboço de um cervo em decomposição.

Como se a casa de Salt precisasse ser mais assustadora.

Charlie passou por escadas enormes e magníficas, esculpidas em formas de leões, e através de um arco, então entrou em uma sala de estar. Lá, dois garçons serviam bebidas atrás de um balcão de madeira com tampo de estanho. Um pequeno grupo de pessoas esperava por suas bebidas. Gângsteres estavam ombro a ombro com acadêmicos, artistas conversavam com místicos. O sombrismo era uma nova ciência e seus praticantes, tão famintos quanto as sombras que esvoaçavam atrás deles em formas de capas, ou envolviam seus corpos como cobras. Outras vagavam um pouco atrás do usuário, presas por um único cordão de prata, movendo-se para espiar pela janela ou buscar uma bebida.

Uma sombra até deslizou até a bandeja de Charlie, pegando uma endívia antes que ela pudesse fazer uma pausa. Assustada e parando de repente, ela engoliu um palavrão quando quase deixou a comida cair.

Ela ouviu uma gargalhada do outro lado da sala.

Uma pegadinha. Aquilo a lembrou que não importava o quanto estivesse tensa e não importava quão terríveis fossem suas suspeitas, para a maioria dos sombrios presentes, se tratava de uma festa.

Com esforço, ela engoliu a irritação e olhou para o grande salão de pé-direito altíssimo e a parede de janelas.

Ela viu Salt de smoking, parado ao lado de um de seus quatro sofás enormes, discursando para alguns sombristas mais velhos. Adeline, em um elegante vestido preto reto, estava ao lado da lareira de pedra calcária, na qual ardiam chamas verdes e azuis. Uma enorme pintura de uma floresta pendia sobre a lareira. Só olhando de perto era possível notar que o quadro estava cheio de sombras usando barras vermelhas profundas como bocas e que partes do corpo cinza haviam sido retratadas entre as samambaias no solo da floresta.

Dois outros membros da Confraria também estavam lá. Bellamy estava em um canto e Malik parecia particularmente majestoso. Seus dreadlocks foram puxados nas laterais e envoltos em fios reluzentes de ouro, e sua sombra estava pendurada no corpo como uma faixa.

Um trio de músicos com máscaras de animais tocava música clássica. Uma coruja com um violino. Uma raposa com um violoncelo. Um urso com uma viola. Pelas janelas, podia-se ver o jardim iluminado com lâmpadas baixas que mostravam estátuas de mármore de figuras encobertas.

Como deve ter sido crescer em um lugar como aquele? Cercado por tanta riqueza? Alimentado à força com uma depravação incalculável?

Charlie terminou o circuito e comeu os aperitivos restantes para ter uma desculpa para voltar à cozinha. Colocando a bandeja de prata na ilha de mármore para ser limpa e reabastecida, ela aproveitou a oportunidade para pegar a mochila. Então foi diretamente para a biblioteca.

As lembranças de Charlie da casa eram borradas e indefinidas, mais um pesadelo do que uma recordação. Uma voz perto o suficiente a ponto de ela sentir a respiração em seu pescoço. Salas cavernosas conectadas em um labirinto complexo.

A biblioteca, com uma porta secreta que levava a uma sala de tesouros, incluindo um cofre. Com o tapete em que vomitou e onde poderia ter morrido.

Ao olhar para dentro, ela viu dois homens nas cadeiras de couro, conversando de forma intensa, um gesticulando com uma taça de conhaque. Um copo vazio e um guardanapo jaziam um ao lado do outro. Não pareciam estar com pressa de se mexer.

Charlie precisava fazer com que saíssem, e rápido.

— Com licença, senhor — interrompeu ela, agachando-se na frente daquele que parecia mais cheio de si. — Desculpe, mas havia uma mulher perguntando pelo senhor na outra sala. Alta, com cabelo ruivo. Muito bonita. Descreveu o senhor e me disse que, se eu o visse, deveria informá-lo do interesse dela.

Com uma expressão presunçosa, ele se levantou.

— Volto em um segundo — informou ele ao amigo, mas seu amigo também estava se levantando.

— Vou pegar outra bebida — anunciou o homem com um alívio um pouco óbvio demais e Charlie teve o pensamento repentino de que talvez o tivesse salvado de ficar sendo alugado a noite inteira.

Ela pegou o guardanapo amassado e começou a varrer migalhas imaginárias até ficar sozinha. Então foi até o interruptor de luz na parede, apertando-o para que o cômodo escuro parecesse uma área restrita.

Charlie enfiou a mão na mochila e colocou luvas e óculos com pequenas luzes presas em ambos os lados. Uma vez que as ligasse, tornariam seu rosto um borrão confuso para as câmeras, além de fornecer uma maneira de trabalhar no escuro.

Enfim, ela foi até a parede de livros. Vermelho e dourado. Vermelho e dourado. Algo com chamas, algo com um título que começava com a letra I. Não conseguia encontrar a alavanca. Puxar os dois livros com lombadas vermelhas e letras douradas não deu em nada. Então ela o viu, uma prateleira mais abaixo de onde estivera olhando e trinta centímetros para a esquerda. *Inferno*. Charlie o ergueu, e a porta da estante se abriu de modo brusco para dentro, revelando a biblioteca menor e a pintura com o cofre atrás.

Ela entrou na sala secreta, as paredes cobertas de prateleiras cheias de livros mais antigos. De repente ela sentiu a náusea tomando a garganta. A lembrança de estar deitada no tapete da biblioteca voltando para ela como se nenhum tempo tivesse passado entre aquele momento e o presente, como se ainda fosse uma criança aterrorizada. A textura áspera da lã merino na pele da bochecha, a umidade do próprio vômito, a voz vinda do escuro.

"Não olhe para trás."

O cheiro de beterraba ainda fazia com que tivesse vontade de vomitar.

Charlie passou pelos ladrilhos de ônix da câmara menor. Prateleiras cobriam as paredes ali também, com livros mais antigos e preciosos as preenchendo. Livros de memórias, cadernos e revistas acadêmicas, cem pelo menos, todos dignos de serem roubados. *As descobertas místicas de Tovilda Gare* estava ao lado de *Confissões de Nigel Lucy, Magus* e *Diários de Juan Pedro Maria Ugarte*. Havia outros livros, em português, chinês, árabe, latim e grego, além de metade de uma parede só em francês. Seus dedos coçavam para escolher alguns ao acaso e enfiá-los na mochila.

Empurrando a porta da estante para fechá-la, ela verificou se havia alguma fiação adicional indicando uma surpresa.

Charlie não encontrou nada que parecesse preocupante e se virou para os fundos da sala escondida.

Um *trompe l'oeil* de uma cabra morta, com as entranhas se espalhando e se misturando com romãs partidas, estava pendurado acima de uma poltrona, a única peça de mobília.

Com cautela, ela apalpou a moldura da pintura hedionda. Encontrou dobradiças, sem fechadura do outro lado.

Ela abriu, revelando o cofre de parede de que se lembrava.

Feito pela empresa alemã Stockinger, conhecida por oferecer modelos sólidos e sob medida com os atrativos comuns de todos os fabricantes de cofres de luxo personalizados como Buben & Zorweg ou Agresti. Haveria enroladores de relógios, gavetas de madeira forradas com tecido, mas nada das ridículas extravagâncias neovitorianas douradas e cravejadas de joias das peças Boca do Lobo. Stockinger fazia cofres sérios para pessoas sérias.

Um disco se localizava na frente, ao lado de uma maçaneta reluzente gravada com as iniciais de Lionel Salt. E, ao lado, havia um teclado.

A maioria dos cofres atuais era digital, sem oferecer nada do romantismo de arrombar os antigos. Nada de ouvir quando o giro mudava, o encaixe infinitesimal, o *clique* mais suave, tão satisfatório quanto estalar os dedos. Se ela pudesse ignorar o teclado por completo, ela o faria. Cofres digitais não eram apenas pouco românticos, eram quase impossíveis de abrir sem o código.

Respirando fundo, ela reajustou a tranca girando no sentido horário, então começou a girar no sentido anti-horário. Charlie ouviu o primeiro encaixe no cinco. Então reajustou e girou de novo e de novo até obter cinco números: 2-4-5-63-7. Ela tinha certeza deles. Estava tão certa quanto podia estar.

Mas o que não havia como saber era a ordem. E cinco números significavam cinco eixos, cinco rodas internas e cento e vinte combinações possíveis.

Tudo o que ela podia fazer então era passar por elas, enquanto o suor surgia em sua testa e na cavidade do pescoço. Ela estava consciente da festa acontecendo, do tempo passando, da possibilidade de alguém a encontrar.

Charlie pôde ouvir quando a vedação cedeu e soltou o mecanismo de tranca. Ela soltou um suspiro longo e instável e girou a alavanca.

A alavanca só foi até a metade.

Então o teclado digital acendeu, verde, brilhante e piscante.

Charlie olhou, incrédula. O cofre não era digital *ou* de disco; era os dois. Seu batimento cardíaco disparou e ela sentiu o gosto azedo do pânico. Não tinha como ela saber se havia um cronômetro ao digitar o código e o número de tentativas era limitado. Cofres como aquele ofereciam três chances, em geral, antes de se trancarem e dispararem um alarme.

Tirando uma lanterna UV do fundo da mochila, Charlie apagou as luzes dos óculos, empurrando-os para cima da cabeça. Então direcionou a luza para o teclado.

Pouquíssimas pessoas limpavam as teclas após o uso. A luz revelava a gordura das pontas dos dedos, limitando o número de opções para a combinação.

2-3-4-5-6-7.

Os mesmos números do outro lado. Aliviada, ela foi digitar a ordem que tinha funcionado no disco. Ela parou um momento depois, com o dedo pairando sobre o teclado. Havia mais marcações no dois e no seis do que nos outros números, sugerindo que se repetiam. Se aquilo fosse verdade, então era um código de sete dígitos, no mínimo.

Se arrombar um cofre mecânico era entender a máquina, arrombar um cofre digital era entender a pessoa que o instalara. Ela escolheria um número aleatório e depois esconderia a combinação em algum lugar onde pudesse encontrá-la? Ou escolheria algo menos aleatório e, portanto, mais memorável?

Lionel Salt era o tipo de pessoa que precisava ser melhor do que todo mundo. Com suas escadas esculpidas, suas pinturas horríveis e sua disposição para matar apenas por diversão.

Não era seu aniversário, pois seria um lembrete de sua idade e mortalidade. Nem seu nome em números, porque até ele saberia que era óbvio demais. Talvez uma palavra, então? *Praga? Sombra? Sombrista?*

Ela parou.

"A chave é abandonai toda a esperança."

Abandonai toda a esperança.

Abandon all hope! Usava todas as letras convertidas numericamente e usava seis e dois mais vezes. E Salt gostaria da ideia de dar uma pista na forma do livro que abria a porta secreta, fazendo referência à citação mais famosa do *Inferno* de Dante, aquela que até Charlie, que nunca o tinha lido, sabia: "Ó, vós que entrais, abandonai toda a esperança". Ela apostava que ele se sentia bastante orgulhoso de sua esperteza.

Charlie ignorou seu coração acelerado, as mãos suadas e os pensamentos aterrorizados. Ela repassou a palavra novamente, escrevendo-a em números na poeira do chão de ônix: *22263662554673*.

Com cuidado, ela digitou o código no teclado ainda piscando. Houve um bipe agudo, como se um alarme estivesse prestes a soar. Então ela ouviu o segundo mecanismo de travamento se abrindo.

Ela virou a alavanca outra vez.

Um brilho suave surgiu no interior, mostrando gavetas forradas de feltro e várias prateleiras de itens. Charlie abriu uma. Havia um pequeno saco de diamantes. Em outra, ela achou uma pistola antiga entalhada em ouro. E, no fundo, embrulhada em um pano, a coisa que ela fora procurar.

Rapidamente, Charlie fez a troca, enfiando o item no fundo da mochila, esperando com todo seu ser que ela soubesse o que estava fazendo.

Então, na privacidade do cômodo escondido de Salt, ela pegou a roupa de festa. Suzie Lambton, a única pessoa a cujo armário ela tinha acesso naquele momento, não era nem remotamente de seu tamanho. Mas Charlie ainda tinha a chave do Rapture e não havia melhor momento para pegar emprestado aquele terno de cetim vermelho abandonado lá nos fundos. Com um pouco de elasticidade no tecido, ele se ajustou a ela como uma segunda pele. Adicione um pouco de batom vermelho chamativo e Charlie pareceria como se tivesse acabado de chegar à festa em vez de ter estado a roubando durante quase uma hora.

Antes de ficar pronta para sair, ela colocou um anel de três dedos com ônix e enfiou a adaga de ônix que havia comprado de Murray no sutiã. Acomodada em um coldre improvisado de fita adesiva, estaria lá caso fosse necessário. Ela esperou a descarga familiar, aquela dose prazerosa de adrenalina, mas não apareceu.

Charlie virou-se para o cofre, com a intenção de fechá-lo, quando notou um botão preto no canto superior, perto do fundo. Poderia haver algo atrás do cofre? Um compartimento que ela ainda não tinha aberto?

Qual é, Charlie Hall! Não precisa enfiar o dedo em cada tomada.

Mas o instinto cauteloso parecia pertencer a alguém que ainda não havia escolhido o caminho da imprudência. Ela apertou o botão.

Um clique surgiu da prateleira à esquerda. Outra estante se abriu, revelando um corredor. Uma passagem que devia correr por trás das paredes da casa.

Pegando o celular, Charlie verificou a hora. Ela havia chegado à casa às 18h30. José lhe dissera que a festa deveria ir oficialmente até as 22h e que teria um brinde com champanhe às 20h30. Eram 19h45. Não havia muito tempo.

Ainda assim, Charlie deu um passo para o corredor, entrando no escuro.

Ela voltou a acender as luzes dos óculos. Elas iluminaram algo que era uma mistura da arquitetura de uma adega e a de um mausoléu. Havia mais ladrilhos de ônix pelo chão. Duas celas estavam adiante, com uma porta oposta a elas. Um entalhe tinha sido gravado no chão, correndo na frente das barras, a linha azul de uma chama de gás delineando a borda. O ar tinha um leve cheiro de podridão e incenso.

Suor umedecia a testa e a palma das mãos. Aquele era o tipo ruim de adrenalina. O tipo que a deixava nervosa em vez de cuidadosa, que fazia seu estômago queimar e suas mãos tremer.

O lugar parecia assombrado.

Ainda assim, ela continuou andando. As solas macias das sapatilhas se arrastavam no chão. As celas eram fundas o suficiente para que as pequenas luzes de Charlie não pudessem perfurar a escuridão.

Ao longo da parede havia uma série de diferentes itens de captura. Uma corda entrelaçada a contas de ônix. Um par de algemas com estofamento de seda azul por dentro, o pano costurado firmemente com ladrilhos retangulares de ônix. Acima deles, uma prateleira com caixas de contenção feitas de ônix.

A porta do lado oposto estava entreaberta, com cores tremeluzentes lá dentro. Ela empurrou devagar com o pé e se viu olhando para um monte de telas. Imagens de vigilância da casa.

Funcionários do bufê na cozinha. Convidados da festa movendo-se pelos cômodos. O Hierofante, falando com Vicereine, parecia perfeitamente composto. Ela olhou para ele mais de perto, esperando ver algum sinal. A única coisa notável era que estava mais magro e mais pálido do que nunca.

Em outra sala, dois homens estavam se beijando, um deles era um contorno borrado. Ele estava beijando a própria sombra? A de outra pessoa? Charlie não conseguia definir.

Lá fora, no jardim, três homens discutiam. Um segurava o outro pela camisa, suas sombras pairando grandes atrás deles como plumas abertas de pavões brigando.

Salt estava andando pelos cômodos com propósito, uma bebida na mão, parecendo que tudo estava indo do jeito que ele queria. Ele olhou para cima, por um momento aterrorizante, focando diretamente na câmera. A hora no canto superior direito marcava 19h52.

— Charlie? — A voz de Vince saiu da escuridão.

Ela se virou.

Ele estava na cela, parado logo atrás das grades. Ombros largos, cabelos de um dourado envelhecido. Um pequeno sorriso curvava o canto de sua boca. Tão familiar quanto o próprio coração de Charlie.

— O que aconteceu com seu olho? — perguntou ele.

— Espere — murmurou ela, tão aliviada ao vê-lo que sua voz falhou. — Posso tirar você daí.

Antes que Charlie pudesse arrombar a fechadura, precisava desativar o que quer que a linha de gás correndo ao longo da emenda sob as barras estivesse fazendo. Ela imaginava que fosse algum tipo de cerca de segurança que enviaria uma explosão de chamas quando a porta da cela se abrisse. Tinha que haver uma maneira de desligar aquilo.

Charlie hesitou. Alguma coisa na cena a incomodava, como uma coceira na mente.

Olhos pálidos e vazios seguiam seus movimentos. Ela queria acreditar que era Vince na cela, atrás das grades de ônix, com um canal de fogo entre eles. Mas aquelas não eram restrições destinadas a um ser humano.

— Você não é o Vince, né? — perguntou ela, baixinho, caminhando até as grades.

O silêncio da cela foi sua resposta.

O olhar de Charlie encontrou o da Praga.

— Você é a sombra dele. Você é o Red.

31
O LOUCO, O MAGO E O HIEROFANTE

Só quando suas costas bateram na parede ela percebeu o quanto havia andado para longe da cela.

— Você encontrou o *Liber Noctem* — conseguiu dizer ela. — Você fez o ritual.

— Porque pareço uma pessoa? — perguntou a sombra. — Foi o Edmund que me fez assim.

— Ele não faria isso. — Sua voz saiu alta demais. Charlie não sabia como entender o ser na frente dela. Era uma cópia. Um reflexo de espelho que havia ganhado vida. Uma criatura que foi misturada como um Frankenstein a partir dos pedaços descartados de Vince: "Slime and snails? Or puppy dog tails?", como canta David Bowie. — Ele está aqui? O Vince está bem?

A sombra deu de ombros. Até a expressão era típica de Vince, um pouco insatisfeito. O terno sob medida era da cor de seus olhos.

— A gente já se conhece. Você se lembra?

"Não olhe para trás."

Charlie não falou por um bom tempo. Não que a ideia não tivesse passado por sua mente, mas ela era difícil de acreditar.

— Na biblioteca.

— Imagino que você queria que o Remy tivesse te salvado — comentou a sombra, com a voz suave. — Não o Red.

Charlie não estava disposta a responder. Sim, tinha um desejo ingênuo por um romance daqueles traçados na palma da mão e lidos por um quiromante. Um amor predestinado, iniciado na infância. O amor era uma religião de família, transmitida a ela quando era muito jovem para se proteger da crença.

— Naquela época, você já era uma Praga?

A sombra assentiu, permitindo que ela mudasse de assunto.

— E você matou pessoas para Salt. — Ela manteve a voz dura.

— Sim — respondeu a sombra.

Charlie tinha que lembrar a si mesma e à sombra que não era uma tola que confiaria nela só porque compartilhavam um passado estranho.

— Me conta... como você matou o Adam, foi especial? Abrindo as costelas dele como se fosse um frango partido ao meio para ir ao forno e pintando as paredes com o sangue dele? Ou foi assim que você fez com todos?

A sombra se aproximou das barras.

— *Adam?*

— Tem que se lembrar do cara que você assassinou no meu sofá. De uma forma muito nojenta.

A sombra a encarou com o que parecia ser verdadeiro horror.

— Eu nunca faria isso com você. Nunca.

Charlie odiava a semelhança com Vince e o quanto aquilo a fazia querer confiar na sombra.

— Certo, me conte sobre todas as outras pessoas que você não matou.

— Você é inteligente — respondeu ele, com um pequeno sorriso de pesar. — E não estou acostumado a explicar as coisas. Eu não falava muito... antes. Acho que não sou muito bom nisso.

— Tente — insistiu Charlie.

— Você não deveria ter precisado voltar aqui. — A sombra parecia triste e cansada. Charlie não tinha como saber se aquilo era um teatro, ou se ser de carne e osso lhe conferia fraqueza. — Deveria ter ido e nunca mais voltado, como eu te disse naquela noite.

— Então, o quê? Eu deveria pegar minha irmã e minha mãe e sumir da cidade? Deixar Salt vencer? Fazer o que ele quiser com o Vince?

— Sim — respondeu a sombra, com mais intensidade do que ela esperava. — Ele sabe cuidar de si.

— Ele não deveria ter que fazer isso — retrucou Charlie.

— Ele te deixou — lembrou a sombra.

— E a você também, não é? — perguntou Charlie. — Deve te irritar isso, ele ter te criado e depois se livrado de você como se estivesse saindo de um casulo. Te abandonando.

Red olhou para ela com os olhos de Vince, mas havia um pouco de diversão neles.

— Sou feito da raiva dele. O que você acha?

— Não sei — retrucou Charlie, recusando-se a se distrair. — Não sei nada sobre você.

A sombra virou o rosto para Charlie, sem mais o olhar de diversão.

— Sempre fui a parte dele que cuidou das coisas quando ele não conseguiu. Recebia tudo que o incomodava, o desejo de causar dor, o pavor pelo o que Salt nos fazia fazer, a capacidade de intuir como as outras pessoas se sentiam quando as coisas ruins aconteciam. Fui feito para ser forte para que ele não precisasse ser. Então, sim, fiquei com raiva quando ele se foi, mas eu amava o Remy, independentemente do que ele fazia e do que ele me fazia fazer.

Um arrepio passou pelos ombros de Charlie.

Red continuou:

— Ele queria bloquear o que estava acontecendo quando eu estava nas missões do avô, então pedi a ele que tentasse me soltar. Nós não entendíamos sobre Pragas na época; tudo o que sabíamos era que funcionava. Cada vez que eu voltava para ele, estava mais forte do que antes. Mais sólido e por mais tempo. Escondemos isso do Salt — revelou ele. — Adeline sabia, mas guardou nosso segredo.

— Porque ela e Vince eram próximos — intuiu Charlie.

Os cílios dele roçaram a pele embaixo dos olhos conforme ele olhou para baixo e para longe.

— Nós três éramos, na época. Próximos demais, talvez. Só tínhamos um ao outro.

Uma das coisas que Charlie tinha ouvido naquela noite retornou à mente. A voz do menino. "Ele não gosta de você."

E então a garota. "Isso não é verdade. Jogamos jogos que ele nunca jogaria com você."

Havia algo ruim ali, escondido sob a superfície, mas Charlie era covarde demais para perguntar.

Ela olhou para a sala com os monitores. Nas telas, podia ver que os discursos estavam em andamento. Estava atrasada.

— Onde está o Vince? — perguntou Charlie.

A sombra olhou para ela com os olhos pálidos de Vince e ela podia sentir o cabelo na nuca começar a se arrepiar. A sensação de que havia alguma coisa errada estava de volta, mais forte do que nunca.

— Conheço esta casa — afirmou Red. — Posso te ajudar a sair daqui sem ninguém saber que você esteve aqui.

— *Não sem o Vince* — retrucou Charlie. — Você diz que se importa com ele. Me ajude a salvá-lo. Me ajude a *encontrá-lo*.

— Eu faria qualquer coisa por você, Char — garantiu ele. — Mas não me peça isso.

Havia apenas uma pessoa que a chamava de Char.

— Não. Você não é ele. Pare de agir como ele.

— Char — advertiu ele.

— *Onde ele está?* — exigiu Charlie, com o coração desesperado.

— Você já sabe — respondeu ele.

Ela não queria juntar as peças. Vince havia quebrado o pescoço de Hermes e se livrado do corpo. Seu trabalho era limpar cenas de crime inundadas de sangue. Nada daquilo soava como Remy. Mas parecia muito com Red.

— O Vince forjou a própria morte — contrapôs Charlie. — Ou o Salt forjou para ele. Ele estava foragido. E dois dias atrás, ele estava em um quarto de hotel…

A sombra não falou.

Era difícil forjar uma morte. Havia registros dentários. Havia evidências de cirurgias passadas ou de fraturas. A perícia podia descobrir muita coisa a partir dos ossos: gênero, ascendência, idade, altura.

Salt poderia ter pagado alguém, ou vários alguéns, para encobrir tudo aquilo. Mas havia outra resposta: que o corpo queimado encontrado no carro pertencia a Edmund Carver, e a pessoa que ela conhecia simplesmente não era ele.

A sombra não era uma entidade malévola tomando a forma de Vince. Era Vince. *Ele* era Vince. E Vince sempre havia sido apenas as partes perdidas de Edmund Carver, os restos de uma refeição, seu eu ao contrário, seu eu refletido, seu eu noturno.

Ele estava certo, parte dela soubera desde que ele havia ficado horrorizado sobre Adam. Ela não quisera admitir para si mesma. Charlie Hall, hesitando, finalmente descobrindo o quebra-cabeça que não quisera resolver.

— Quando o Remy estava morrendo — contou Vince. — Depois que o avô o esfaqueou. Enquanto a Adeline gritava. O Remy me puxou para ele, assim eu teria todo o seu sangue, toda a sua força. Quando a força o deixou, se tornou minha. Ele deu seu último suspiro na minha boca.

"Por um momento, não entendi como eu podia estar nu, como podia sentir o chão frio sob mim. Então fugi. Horas depois, acordei debaixo de uma passagem subterrânea, deitado no asfalto e em cacos de vidro, sem saber como tinha chegado lá. E então tive que aprender a ser uma pessoa o tempo todo. Tentei ser, por você."

Charlie se lembrou das palavras dele durante a última briga dos dois, a única briga de verdade: "Eu gostaria de poder dizer que sinto muito, que queria ser sincero o tempo todo, mas não queria. Nunca quis ser sincero. *Só queria que o que eu te* contei fosse a verdade."

Se aquilo era o que estava por trás da máscara, ela entendia por que ele não quis removê-la.

— E você se chamou de Vincent — afirmou Charlie.

— A única coisa que o Remy não me deu e que eu peguei de qualquer maneira — contou a sombra, levantando o queixo, como se a desafiasse a julgá-lo por aquilo.

No final do corredor, as engrenagens mudaram na parede, fazendo um ruído suave, mas perceptível. Alguém havia entrado na sala secreta atrás da biblioteca. Em instantes, a pessoa entraria no corredor onde Charlie estava.

— Vince — murmurou ela.

Os olhos dele encontraram os dela.

— Se esconde — instruiu ele.

Charlie foi para as sombras da sala de segurança e rastejou para debaixo do sofá de couro ao mesmo tempo que ouviu passos no corredor. Quantas vezes Salt tinha se sentado naquele sofá, assistindo a algo horrível nas telas? Rand talvez tivesse morrido em uma daquelas celas. A própria Charlie poderia ter morrido ali.

Ainda poderia, se não tomasse cuidado.

— Red. — A voz de uma mulher, baixa e preocupada. Adeline, percebeu Charlie. — Ele não me disse que você estava aqui até agora. Ele te machucou?

Apenas o silêncio a respondeu.

— Eu sei. Eu deveria ter ido embora quando você foi — afirmou ela, com um grande suspiro. — Você deve estar com muita raiva de mim.

A voz de Vince tinha um verniz de calma, mas por baixo dava para perceber a vibração de algum sentimento muito diferente.

— Depois da morte da mãe dele, ele não descansaria até que o mundo soubesse o que seu pai tinha feito. Você deveria ter avisado a ele que ela estava em perigo.

— Eu não *sabia*. Como eu poderia saber que ela teria uma overdose? Achei que estava melhorando. Todo mundo achou.

— Você sabe por que ela nunca melhorou — retrucou Vince. — Seu pai precisava que ela continuasse doente e então precisava que ela estivesse morta.

Vince soava como se estivesse falando sobre uma família que não era a dele também. *A mãe dele. Seu pai.* A única pessoa que ele considerava sua família era Remy.

— Juro que não sabia de nada — contrapôs ela.

O corredor estava escuro, e Charlie pensou que talvez fosse possível passar por Adeline enquanto ela estava distraída. Em silêncio, ela saiu de baixo do sofá. Mas quando se aproximou da porta, todo o plano começou a parecer frágil.

Talvez ela devesse golpear Adeline na cabeça e tentar tirar Vince da cela. Mas se Adeline não tinha a chave, e nem Adeline nem Vince estavam se comportando como se houvesse uma possibilidade de ela libertá-lo, então estavam todos ferrados.

Com cuidado, Charlie deslizou por trás de Adeline, movendo-se devagar e ficando nas sombras.

— Você ainda pode me ajudar. — A voz de Vince era suave.

Ele não olhou na direção de Charlie, mas havia algo tão cuidadosamente neutro em seu olhar que o esforço era visível.

Adeline colocou a mão em uma das barras de ônix da cela.

— Como?

Charlie estava longe o bastante àquela altura para não ouviu o pedido de Vince. Talvez fosse injusto pensar que ele não podia confiar em Adeline desde que pudesse despistá-la.

Se o plano de Charlie funcionasse, não importaria. Ela voltaria com um martelo e um cobertor antichamas e o tiraria de lá.

Iria. Mesmo que tivesse medo dele.

Deslizando a porta e a abrindo, Charlie deixou a sala secreta. Então passou pela segunda estante escondida e entrou na biblioteca. Ela precisava sair e encontrar Posey, mas estava distraída, pensando em como ele a guiara pela casa naquela noite.

"Não olhe."

O que ela teria visto se tivesse virado, naquela época? Talvez uma forma borrada, como um fantasma. Talvez fosse metade menino e metade sombra.

"Não olhe para mim."

Ela entrou, sorrateira, em um jardim de inverno. Plantas sinistramente grandes com folhas cerosas preenchiam os espaços entre os móveis de ferro fundido branco. Pelas janelas, dava para ver o jardim. Charlie pegou o celular e enviou uma mensagem. O relógio na tela marcava 20h16. Catorze minutos para fazer o que precisava fazer e não havia espaço para erros.

Mas pelo menos ela havia conseguido uma resposta que não tivera antes. Se Red não era a Praga que Salt usava para fazer seu trabalho sujo, Charlie sabia quem estava a seu serviço.

Abrindo uma porta de vidro de múltiplas camadas, ela saiu no ar frio da noite.

Arfando, Posey a encontrou na lateral da casa.

— Consegui! — Seus olhos estavam arregalados de pânico.

— Ainda tem certeza? — perguntou Charlie.

— É você quem tem que ter certeza — respondeu ela, embora estivesse obviamente nervosa, e não apenas pela possibilidade de ser pega. — Ainda podemos fugir.

Fugir. Não era aquilo que ela tentara fazer durante anos? Havia fugido da morte de Rand, fingindo que não a tinha marcado. Fingindo que não se lembrava. Que não se culpava por ter sobrevivido.

Fugiu de ser uma ladra e disse a si mesma que era por causa da bala na lateral do corpo, que havia perdido a coragem, em vez de admitir que tinha se assustado com a facilidade e a brutalidade com que havia dado o troco pela traição de Mark. Ela nunca tinha tido muito medo de se machucar nem de morrer. Mas sempre de suas habilidades, de sua capacidade de resolver um quebra-cabeça, de fazer um trabalho a qualquer custo. Estava apavorada com o que seria capaz de fazer se tentasse.

Desde o momento em que havia fingido canalizar Alonso e aquilo realmente a tinha livrado de Travis, tivera medo de si mesma.

Alguém precisava mantê-la sob controle, e então esse alguém se tornou a própria Charlie. Garantindo que ela fosse derrubada toda vez que as coisas estavam indo muito bem, escolhendo as pessoas erradas para amar, sendo demitida de empregos, estragando tudo.

Ela estivera fugindo de si mesma a vida toda.

Charlie se sentou na grama.

Posey se sentou diante dela, os pés das duas se tocando. Charlie tirou a adaga de ônix da bainha.

— Pronta? — perguntou ela.

Posey assentiu.

Charlie não sabia o que esperava, mas o primeiro corte não pareceu nada de mais. Os verdadeiros desafios eram o luar irregular e a inexperiência, e ela ficou aliviada quando sua parte terminou e Posey assumiu.

Dentro da casa, ela viu Salt se direcionar para a frente do grande salão. Ele segurava uma taça de champanhe em uma das mãos. Aquela devia ser a parte em que agradecia a todos por terem comparecido e à Confraria por aceitá-lo como membro.

Charlie se levantou, cambaleando, sem ter certeza de como se sentia. Não mais leve. Não menos ela mesma. Mas diferente.

Talvez realmente existisse algo como o destino. Talvez as pessoas realmente tivessem destinos que pudessem ser decifrados por meio das cartas. Talvez Charlie precisasse parar de lutar contra o dela.

Com um último olhar para Posey, ela abriu uma das portas de vidro que davam no grande salão. Uma forte rajada de vento frio passou pelo cômodo atrás dela, movimentando as longas cortinas brancas como se fossem velas de um barco. As conversas cessaram quando os sombristas se voltaram para ela.

Ela não esperara fazer uma entrada tão dramática.

Charlie ficou perto das portas, certificando-se de que a luz estava vindo em sua direção.

— Olá — cumprimentou ela, sua voz ecoando na sala de pé-direito alto e permanecendo firme, apesar de todos os olhares em si. — Me desculpem pelo atraso.

— Charlie Hall — murmurou Lionel Salt, furioso com a interrupção e fazendo um péssimo trabalho em disfarçar. — Não achei que fosse conseguir vir.

A tensão a fez endireitar as costas, empurrando os ombros para trás. Charlie estava certa de que ele estivera contando com ela não aparecer. Afinal de contas, havia feito uma ameaça terrível e, em seguida, lhe dado uma tarefa na qual ela com certeza falharia. O último lugar que ela deveria estar era na festa dele. A coisa inteligente a fazer seria deixar a cidade por umas duas semanas, até que as coisas se acalmassem. Talvez nem voltar.

Mas é óbvio que, qualquer que fosse o tipo de inteligência de Charlie, não era aquele.

— Você me disse o que aconteceria se eu não viesse.

Algumas conversas silenciosas se tornaram menos silenciosas depois daquilo. A fofoca era a alma de qualquer festa.

Um músico, o da máscara de coruja, dirigiu-se para a saída, com o instrumento na mão. Um garçom sussurrou para José. O garçom apontou. José pegou um canapé de uma bandeja de prata e comeu. Aquilo definitivamente não ajudaria a reputação dela em casa.

Do outro lado do salão, o Hierofante saiu de onde estava e começou a ir em direção a ela. Os olhos estavam mais fundos do que nunca. Os lábios tinham um tom levemente azulado.

— Eu imaginaria que isso é uma performance para nosso entretenimento, exceto que Lionel parece realmente desconcertado — comentou Vicereine. A chefe dos alteracionistas estava de smoking, sua sombra assumindo a aparência de um grande gato caçador arranhando o chão ao lado dela. — Talvez você tenha perdido sua deixa?

Salt pigarreou.

— Eu a contratei para roubar de volta um livro que perdi, o *Liber Noctem*. É uma joia na minha coleção, e esperava expor o exemplar esta noite. Então, Srta. Hall, está com meu livro?

— Sim — afirmou ela.

Ele sorriu ao ouvir aquilo, com toda a satisfação de alguém dando um xeque-mate em um rei desonesto.

— Bem, então venha me entregar.

Afinal, ele havia orquestrado uma situação em que todas as escolhas dela seriam ruins. O único livro que ela tinha era o que pertencera a Knight Singh. Ela poderia blefar e lhe dar aquilo. Salt provavelmente gostaria de tê-lo, considerando que a capa estava preenchida com páginas cheias das merdas hediondas que ele havia feito. Mas não importaria se Charlie lhe desse algo valioso, ele ainda a acusaria de jogar sujo. De tentar passar aquele livro como o volume perdido.

Charlie respirou fundo, deixando Salt realmente aproveitar o momento. Então enfiou a mão na mochila e tirou o que ela pegara do cofre na biblioteca, onde o livro estivera trancado o tempo todo. O famoso *Livro da Noite*. O genuíno *Liber Noctem*. A luz que fluía através dos cristais do candelabro refletiu na tampa de metal polido, projetando vários arco-íris pela parede.

O sorriso deixou o rosto de Salt tão rápido que parecia ter sido retirado com uma bofetada.

— Onde você achou...

— Eu o roubei — retorquiu Charlie. — É o que eu faço. Você me disse para pegá-lo, então peguei.

O Hierofante estendeu os dedos pálidos e trêmulos em direção ao livro.

— *Meu*. Esses segredos pertencem a mim.

32
A CHARLATONA

Tão perto, Charlie podia sentir o cheiro do suor azedo do corpo do Hierofante. Ela segurou o livro com firmeza e olhou para Salt.
— Devo entregar para ele?
— Não! — bradou Salt, então viu o aviso no rosto do Hierofante e modificou o tom. — Traga-o até mim, para que eu possa verificar se é autêntico.
Charlie franziu a testa.
— Então você *não* quer que eu entregue o livro para ele?
— Não me faça repetir — alertou Salt. — *Traga-o até mim*.
Seu coração estava disparado. Havia tantas chances de errar e apenas uma chance de acertar. As pessoas estavam assistindo. Vicereine estava perto, mas até então sem nenhuma razão para achar nada além de uma cena divertida.
— Posso prometer que esta cópia do *Liber Noctem* é autêntica — comentou Charlie. — Afinal eu peguei o livro do seu cofre, junto com um certificado da Sotheby's e um recibo do leilão. O livro nunca saiu da sua casa. Você apenas deixou todos acreditarem que tinha sido roubado.
— Isso é verdade? — perguntou o Hierofante, com a voz rouca.
Salt começou a caminhar na direção de Charlie, o que permitiu que ele baixasse o tom de voz, tornando mais difícil para o resto das pessoas ouvir.
— Vamos continuar a conversa em particular.
Charlie havia ficado intrigada com o motivo pelo qual Salt tinha dado a ela uma tarefa impossível com um prazo ainda mais impossível, a menos que ele quisesse que ela falhasse. Pensar naquilo fez com que se lembrasse da opinião de Knight Singh sobre o *Liber Noctem*.
Se houvesse um ritual no livro para fazer com que uma Praga tomasse forma humana, então nada fazia muito sentido.

No entanto, se não houvesse *nenhum* ritual, se o livro fosse tão inútil quanto Knight alegara, Salt ficaria livre para usar o boato para convencer uma Praga a ajudá-lo. Mas aquilo dependia de manter o livro para sempre longe das mãos da Praga e ainda aparentemente acessível o suficiente para mantê-la interessada. Daí a necessidade de um ladrão do volume original (Edmund Carver), um novo possível protagonista (Paul Ecco) e o mais recente ardil (Charlie Hall).

Se ela não tivesse aparecido, Salt poderia ter convencido o Hierofante de que ela estava com o livro e estava escondendo dele. E Charlie acabaria com as tripas espalhadas pelo teto, assim como os outros.

Ou ela poderia ter aparecido na festa para dizer que não havia encontrado o *Liber Noctem*. Aquilo poderia ajudar um pouco, mas Salt a acusaria de estar escondendo o livro em algum lugar e suas tripas ainda acabariam pelos ares.

O que Salt precisava era de alguém para o Hierofante culpar. Qualquer pessoa que não fosse ele. O que significava que ele sabia onde estava o livro e a resposta mais simples para como sabia era que ainda o possuía.

Ela perdera o prumo ao ver Red na cela, não apenas por ter sido surpreendida por ele, mas pela certeza abrupta de que estivera errada a respeito de tudo. Mas então tinha percebido que ele devia ter sido usado para convencer a todos. A razão pela qual o Hierofante havia acreditado em Salt. Se não houvesse um ritual, então como ele poderia existir?

— Em particular? Acho que não — retrucou Charlie, balançando a cabeça. — Você é responsável por muitos assassinatos. Knight Singh, por exemplo. Prefiro não ser a próxima.

Uma onda de murmúrios percorreu a multidão. Uma coisa era rir do anfitrião de uma festa brigando com uma convidada; uma acusação como a que Charlie estava fazendo exigia uma resposta mais séria da Confraria.

— Venha comigo. — Salt pegou o braço dela.

— O que essa jovem disse? — perguntou Malik.

O homem deu um passo à frente, vários outros o acompanharam. Charlie não achava que cercar Salt era intencional, mas mostrava como o clima do salão havia mudado.

Duas coisas que ela soubera desde o momento em que Salt a tinha forçado a entrar em seu carro sob a mira de uma arma eram que ele queria controle mais do que tudo, talvez até mais do que poder, e que esperava obediência total daqueles considerados abaixo dele.

Ele enviou sua sombra para cima dela. Os dois estavam perto o suficiente para que não fosse imediatamente perceptível para as pessoas, mas ela a sentiu roçar seu ombro e a bochecha, como se tivesse sido tocada por um pedaço de musselina levado por uma brisa.

Charlie só teve tempo de ofegar uma vez antes de a sombra inundar sua pele. Podia senti-la rastejando dentro dela, tentando forçá-la a falar. Tentando fazer sua língua formar as palavras que a fariam negar tudo.

Muito tempo antes, quando foi à casa de Salt com Rand, Charlie praticara revirar os olhos para indicar que estava possuída. Estivera pronta para falar com outra voz. Desde Alonso, achara perturbadoramente fácil ser outra pessoa além de Charlie Hall. Um alívio, ceder a um desejo tão antigo.

— Estou bêbada! — gritou ela em uma voz mais grossa do que sua voz natural. — E sou uma mentirosa! Uma mentirosa bêbada! Além disso, tenho um ressentimento secreto em relação ao fantástico, bonitão e nem um pouco assassino Lionel Salt! Que com certeza não está tentando me fazer de títere!

Ele a encarou, boquiaberto. Todo mundo estava olhando para a sombra dele, o jeito que ela havia se curvado contra a luz para chegar até ela.

— Saia da minha cabeça, Sr. Salt — comandou ela em sua voz normal.

O riso estourou ao redor deles. Charlie se permitiu se afastar da porta do jardim, aquela cuja proximidade com a escuridão tinha escondido o que havia mudado nela, o que estava faltando.

"Os sem sombra não podem ser controlados. Há uma porta fechada dentro deles."

Não haveria nenhuma maneira de Charlie ir até ali e confrontar Salt se fosse possível que ele a fizesse de títere. Fora surpreendentemente difícil abrir mão de sua sombra, mas ela a havia costurado nos pés de Posey e confiava que sua irmã cuidaria dela. Charlie não estava destinada a ser uma sombrista. Ela estava destinada àquilo.

— Lionel — proclamou Vicereine. — Isso foi baixo da sua parte.

— Eu queria forçá-la a confessar a verdade — explicou Salt, com um rubor frenético nas bochechas. Ele conseguiu parecer calmo, no entanto, como se tudo fosse apenas um desentendimento pequeno e vergonhoso. — Não deveria ter feito isso, mas ela mesma se engana.

— Sabe alguma coisa sobre a morte de um membro da Confraria? — perguntou Malik a Lionel. — Porque isso seria algo grande demais para manter para si, não importa qual seja a verdade sobre seu envolvimento.

— Não achei que teria que revelar isso, sem dúvida não aqui — comentou Salt, olhando ao redor, irritado. — Mas, veja, tenho trabalhado com o Hierofante para pegar o assassino de Knight Singh. E conseguimos.

— Ah, ele se pegou, então? — perguntou Charlie. — Porque foi ele quem matou Knight, sob ordens suas.

— Fique quieta! — disparou o Hierofante.

Salt se virou para Charlie com um sorriso de escárnio.

— O Hierofante serviu a Confraria fielmente — proclamou Salt. — Quem é você para questionar a lealdade dele, ladra?

— Stephen, que história é essa? — perguntou Bellamy, olhando para o Hierofante.

O nome do ser humano, aquele que Charlie tinha quase certeza de que não estava mais no controle do corpo. Não era apenas o jeito como ele falava, mas o fato de ter a aparência pálida e doentia de alguém cuja energia estava sendo consumida.

— Ela é uma mentirosa — garantiu o Hierofante.

Salt olhou para Charlie e balançou a cabeça com tristeza.

— Ah, querida, sim, nosso menino enganou você, não foi? A enganadora enganada. Você não é a primeira. — Ele se virou para os outros, com a confiança de que poderia se safar aumentando. — Agora, talvez possamos fazer essa parte em particular? Tenho uma coisa para mostrar. Algo que eu preferiria que mantivéssemos entre nós quatro.

Vicereine e Malik trocaram um olhar. Malik acenou para Bellamy.

— Sim, acho que sim — disse Vicereine, com um olhar para Charlie. — Acredito que você disse que seu nome era...

— Charlie — respondeu. — Charlie Hall.

— Srta. Hall, prometo que ouviremos suas acusações e as julgaremos.

Malik assentiu. Bellamy a olhou com interesse.

— Podemos ser justos.

Charlie estava certa de que podiam, mas menos certa de que o fariam.

— Vamos para a biblioteca — convidou Salt. — E vou contar tudo a vocês. — Ele sinalizou para um jovem de terno e gravata. — Pegue-o para mim. Leve-o algemado.

Os outros sombristas os observaram partir. Alguns pararam um ou outro membro da Confraria para fazer uma pergunta ou algum comentário. Alguns riram. O Hierofante caminhou atrás deles, com o olhar voltando várias vezes para o livro nas mãos de Charlie.

— Você — disse Salt para ela, baixinho. — Não é nada mais do que um pedaço de carne preso nos meus dentes.

Ela tentou ignorá-lo, tentou ignorar o tremor que aquilo causou no próprio corpo. Ele estava apenas cutucando os pontos, esperando que ela se desmanchasse.

Era desconfortável voltar à biblioteca, seu olhar indo por reflexo para a pequena mancha no tapete. Mas apenas por um momento, porque Vince já estava lá, encostado em uma estante, com os braços presos nas mesmas amarras de ônix que estiveram penduradas na parede do corredor escondido.

Ela notou o desespero em seus olhos cinza, os ombros largos e os músculos sob eles. Notou o dourado escuro de seu cabelo e a linha raivosa de sua boca. Olhar para ele fez a barriga de Charlie doer.

— Char — murmurou ele. — Você deveria ter ido embora quando teve a chance.

Ela virou o rosto, não tendo certeza se conseguiria fazer o que era necessário com ele assistindo.

— E quem é esse? — perguntou Malik.

— Esse é Edmund, o neto dele — respondeu Bellamy, olhando para Vince como se tentasse se convencer de alguma coisa. — Achei que estivesse morto.

— Ah, vamos chegar a esse ponto — comentou Salt.

Adeline entrou na sala em seu longo vestido preto e se empoleirou no braço de uma cadeira.

— Posso pegar uma bebida para algum de vocês?

Charlie, já tendo sido drogada uma vez naquela sala, balançou a cabeça.

Vicereine se acomodou em uma cadeira em frente a Adeline.

— Certo, Lionel. Agora, explique-se.

Ele parecia relaxado, satisfeito. Charlie imaginou que devesse até estar se divertindo.

— Eu me envolvi com o Hierofante porque tínhamos um interesse comum. O assassino de Knight Singh também foi o assassino do meu neto. Está diante de vocês, em aparência. Mas não é ele. Vocês estão olhando para a sombra dele.

— Isso é impossível — declarou Malik.

— Está dizendo que este *homem* é uma *Praga*? — perguntou Bellamy, caminhando até Vince.

Vince fez uma carranca, mas não tentou se afastar.

Bellamy estendeu a mão. Quase imediatamente ao tocar o braço de Vince, ele recuou, surpreso. Então se virou para Vicereine, que não disse nada.

— Meu neto sempre adotou uma abordagem pouco ortodoxa com relação à magia das sombras. Ele tratava a sombra como um ser totalmente separado, um que ele deixava tomar decisões por ambos. A sombra acabou se tornando independente o suficiente para enganá-lo.

— Enganá-lo? — repetiu Bellamy, mais intrigado do que surpreso.

Mascaradores eram quase exclusivamente interessados em mistérios, o que resultava em muitos acadêmicos e cientistas ainda mais desequilibrados. Charlie sempre acreditou que eram uma mistura das outras especialidades e ela podia ver por que alguém como Vince seria especialmente intrigante para eles.

— Ele foi enganado e levado a conduzir um ritual do livro, que se provou fatal...

Charlie o interrompeu.

— Isso não é verdade. Foi *você* quem matou o Remy.

— A sombra lhe disse isso? — perguntou Salt, fazendo sua voz soar gentil. — A sombra usou a vida do Remy e criou essa carcaça na qual se esconde. Então fugiu com o livro e começou a assassinar qualquer um que soubesse disso. Um negociante de livros raros. Knight, que tinha tido acesso ao *Liber Noctem* enquanto o livro estava na Sotheby's. E, enfim, um ladrão que contratei para roubá-lo de volta.

Tudo parecia razoável conforme ele contava, Vince ficou ali, sem negar nada. Charlie podia sentir seu controle da situação se esvaindo.

— Sombras mentem, minha querida — continuou Salt. — Se você tiver uma Praga costurada em você, ela vai sussurrar no seu ouvido, e todo sombrista sabe que não se deve acreditar em tudo que é dito. É por isso que é um fardo pesado se envolver com a sombra de outra pessoa.

Charlie olhou para o Hierofante. Por mais que Salt pudesse estar gostando daquilo, o Hierofante não estava.

— Vocês dois estão alegando ter resolvido o assassinato. Você está dizendo que ele é uma Praga e é responsável por todas aquelas mortes — disse Malik para Salt, então se virou para Charlie. — Enquanto você, por algum motivo, acredita que foram Lionel e Stephen?

Ela assentiu, olhando para Vince, que continuava sem falar.

— E o Knight também não foi o primeiro sombrista que Lionel Salt matou.

Salt sorriu e se levantou, andando pela sala, visivelmente acreditando que já tinha vencido.

— Permita-me oferecer provas da minha versão dos fatos. Adeline, minha querida, como o Edmund chamava sua sombra?

Charlie estava vestida com aquela cor. Red, vermelho, o escarlate de papoulas e degolados.

Adeline sorriu para ela.

— Red.

— E o que havia nas paredes onde Adam Lokken, aquele ladrão que eu contratei, foi morto? — perguntou ele a Charlie.

— A palavra "red" — respondeu ela, relutante. — Escrita em sangue. Mas era para ser uma ameaça ao Vincent, porque o Hierofante acreditava que ele tinha o livro.

— Vincent? — repetiu Bellamy.

— Ela está falando de mim — respondeu Vince.

Adeline se assustou e os outros também pareceram surpresos, como se tivessem esquecido de que ele podia falar.

— Não é mais provável que a Praga desejasse que todos soubessem quem assassinou o Adam e por isso cobriu as paredes com o próprio nome? — ponderou Salt. — Mais uma vez, lembro a vocês que o Hierofante não mostrou nenhuma tendência para o derramamento de sangue.

— O caralho que não — retorquiu Charlie.

O olhar semicerrado de Salt focou nela, implacável.

— Agora, a que distância de onde Red morava Paul Ecco foi assassinado?

— Alguns quarteirões, mas não vejo o que isso tem a ver com...

— E a que distância de onde Red morava Adam Lokken foi assassinado?

Charlie suspirou, frustrada.

— Ele morava na casa onde aconteceu o assassinato, mas tinha ido embora. Ele não estava lá. Não ia lá fazia dias.

— E com quem ele morava naquela casa antes de sair?

— Comigo — admitiu Charlie.

— E não é provável que você tenha pegado o livro de Red, considerando que você morava com ele, em vez de ter ultrapassado minhas extensas medidas de segurança.

— Posso mostrar a todos como fiz isso — ofereceu Charlie, com doçura.

— Sim — prosseguiu Salt. — Isso nos leva a outro assunto. Você acha que há uma razão para ele ter se insinuado em sua vida, há algo em você que ele poderia querer?

Charlie cruzou os braços, encarando Salt.

— Não sei. Meus peitos? Talvez minha bunda?

Aquilo quebrou um pouco da tensão na sala. Vicereine bufou. Bellamy sorriu. Mas Salt estava implacável.

— Não acha que é porque você é uma ladra conhecida? *A Charlatona*, que parou de pegar trabalhos, por pura coincidência, bem na época em que conheceu Red.

Charlie respirou de forma irregular. Uma coisa era saberem que ela era uma ladra, mas era um pouco diferente saberem que ela era alguém com quem todos tinham alguma experiência. Embora tivesse feito um trabalho ou dois para Vicereine, os outros só tinham referência dela como uma causadora de infortúnios.

Você os perdeu, Charlie Hall. Nunca vão acreditar em você agora. Deveria ter imaginado que um bilionário seria um bom golpista.

— Diga-nos, ele informou que era uma sombra viva? — perguntou Salt. — Ou lhe deu um nome falso e uma história falsa, além de um rosto falso?

Charlie não pôde deixar de pensar no conto de fadas da sombra do sábio, brincando de amar. Na boca faminta de Vince na dela. Nele cozinhando ovos para ela.

— Sei quem o Vince é — afirmou Charlie. — E sei quem você é. Você me envenenou quando eu tinha quinze anos. Seu pessoal me perseguiu pelos bosques. Não fale comigo sobre rostos falsos.

Bellamy ergueu as sobrancelhas. Adeline olhou para Vince, como se quisesse confirmação. Mas Charlie não pensava que algum membro da Confraria se importaria muito com uma coisa que havia acontecido mais de uma década antes, com alguém que não era um sombrio, mesmo que acreditassem nela.

Mas ela queria que Salt soubesse.

— Então você guarda um rancor de mim — observou ele com tranquilidade, o que era ousado, mas inteligente.

Coloque-se da pior maneira, admita uma coisa ruim para que eles pensem que você é honesto quando negar outra.

A tentativa de jogar a culpa em Vince era irritantemente convincente. Salt juntara partes suficientes para que fizesse sentido, em especial porque a prova servia para o bem e para o mal. E ele era rico, o que sempre ajudava, enquanto Vince era um monstro aterrorizante, mesmo sem a questão dos assassinatos.

Saber que ela poderia não conseguir dar a volta por cima naquela situação a deixava ainda mais nervosa.

— Bem? — perguntou Malik a Vince. — Você matou aquelas pessoas? Sabemos que pode falar.

Vince olhou para ele sem expressão. Charlie imaginou que a avaliação dele da situação talvez fosse ainda mais sombria do que a dela.

— Eu era a sombra do Remy. Nunca o machucaria. E não toquei em Knight Singh.

— Você tem mais alguma coisa a acrescentar, Stephen? — perguntou Vicereine. — Você tem agido de forma estranha nos últimos tempos.

— Não tenho dormido bem — revelou Stephen, olhando para eles. — Tenho muitos pesadelos.

Bellamy tocou seu ombro e ele se encolheu.

— Entendo minha punição — afirmou Stephen. — Tudo o que eu quero é terminar de cumprir minha sentença.

— Você assassinou um sombrista?

Ele balançou a cabeça.

— Não. Eu caço Pragas. É por isso que tenho procurado Red. Só Red.

No meio daquela segunda frase, Charlie pensou que dava para ver que outra coisa parecia estar falando. Foi uma transição suave, fácil de passar despercebida se você não estivesse de olho.

— O que deixou você tão interessado no *Liber Noctem*? — perguntou Vicereine.

O Hierofante deu de ombros.

— O Lionel prometeu que eu poderia ler o livro. Para ajudar no meu trabalho.

Havia quanto tempo aquela Praga estivera ligada a um bando de imprestáveis e fracassados? Sendo forçada a caçar a própria espécie? Charlie teria sentido compaixão se achasse que ele estava interessado em outra coisa além de matá-la.

Salt pigarreou.

— Red é um farsante, uma coisa feita da inveja, da corrupção e do ódio dos quais o meu neto procurou se livrar. Disse o que essa pobre menina queria ouvir. Vamos acabar com esta conversa ridícula e voltar à festa. Vou manter a Praga contida e vocês podem determinar o que fazer com ela amanhã ou no dia seguinte.

— Espere! — disparou Charlie. — Posso provar que peguei o livro no cofre dele. Posso mostrar onde fica e posso abri-lo.

— Não tenho certeza de que isso... — começou Malik.

— Ofereci antes — interrompeu Charlie. — E ele mal pareceu ouvir. Neste momento, sou a única que tem alguma prova. Tenho o *Liber Noctem*.

— O que poderia provar seu ponto de vista tão bem quanto o meu — lembrou Salt. — E você esquece que eu tenho Red.

— Deixe-me mostrar para vocês — insistiu Charlie. — Por favor.

Vicereine olhou para Salt.

— É possível?

— De jeito nenhum — retrucou ele com um pequeno sorriso. — Minha segurança é impenetrável. Ela tem aquele livro porque foi roubado pela Praga.

Bellamy ergueu as sobrancelhas.

— Então por que não? Uma pequena demonstração e podemos voltar para a festa.

As mãos de Charlie estavam suando quando ela acenou para todos eles. Ela colocou o *Liber Noctem* em uma mesa perto de onde o Hierofante estava e ignorou a maneira como ele foi automaticamente em direção ao livro.

— Muito bem — concordou Salt. — Vá em frente, ladra.

Ela caminhou até onde estava o *Inferno* de Dante e o puxou. Uma das estantes se abriu.

— Interessante — comentou Vicereine.

— Sim — confirmou Salt. — Gosto bastante dessa salinha.

Charlie foi até a pintura e a moveu para que o cofre fosse revelado. Depois começou a trabalhar. Já conhecia os códigos, mas precisava dar um showzinho da primeira parte, então achou as marcações de novo para eles. Foi dramático e a fez ganhar um pouco de tempo. Ela podia ver que ficaram impressionados quando a alavanca desceu até a metade.

— O que vamos encontrar lá dentro? — perguntou Malik.

— Ouro, pedras preciosas, o de sempre — contou Charlie.

Salt apenas sorriu. Ele dera alguns passos, ficando atrás dos outros, com uma das mãos indo para o bolso interno do casaco.

Quando chegou à parte digital, Charlie digitou o código com cuidado. Ela olhou para a Confraria, para Vince, respirou fundo e girou a alavanca.

O alarme disparou, enchendo a sala com o som de uma sirene. Salt digitou um código e o som parou.

— Você fez isso — acusou ela.

Ele balançou a cabeça, os olhos iluminados com a satisfação de vencer.

— Não seja ridícula. Você falhou, só isso.

— Tudo bem, então abra o cofre — orientou Charlie, com o coração acelerado, com frio na barriga. — Prove que não.

— Muito bem, vou fazer sua vontade uma última vez — disse ele, aproveitando o momento ao máximo e o prolongando.

Ele digitou o que ela podia ver que era o mesmo conjunto de números usado antes. A alavanca girou e a porta do cofre se abriu.

O celular dele. Salt o tinha pegado enquanto ela estivera trabalhando, ativando o alarme conforme ela terminava. Enquanto Charlie se exibia, ele estivera encontrando uma maneira de detê-la.

— Lamentamos por duvidar de você — disse Malik a Salt. — Mas entenda que tivemos que...

— Espere — interrompeu Vicereine, passando por ele. — Conheço esse livro.

E do cofre, ela tirou o caderno de Knight Singh, com anotações detalhadas sobre os crimes de Salt na própria caligrafia dele empurrados às pressas de volta para dentro da capa de couro, com as bordas saindo. Exatamente onde Charlie o havia deixado quando pegara o *Liber Noctem*.

— Eu... — começou Salt, mas nenhuma palavra saiu.

Charlie soubera como pegar Salt desde o dia que havia passado com ele. Ela pensara aquilo na ocasião, de bobeira, sem perceber o quanto seria importante. Deixe que ele domine. Deixe que ganhe. Ele estivera tão certo de que pertencia ao topo que nunca imaginaria estar sendo arrastado para uma armadilha.

Ele realmente acreditou que Charlie tinha dado todo aquele tempo para ele enquanto mexia na primeira fechadura sem a porra de um propósito.

Ele realmente acreditou que ela podia arrombar um cofre, mas que não conseguiria adivinhar que ele tinha um aplicativo de segurança no celular.

— A Srta. Hall deve tê-lo colocado aí, seja lá o que for — sugeriu Salt, enfim, recuperando-se o suficiente para perceber que tinha que atribuir o surgimento do livro de Knight a outra pessoa imediatamente.

Lionel Salt era um planejador. Charlie tinha certeza de que havia planejado ser confrontado com vários de seus crimes. Ele conseguiria explicar muitas coisas verdadeiras. Mas ninguém consegue se planejar para provas plantadas por outrem entre seus pertences.

— Não era eu a incapaz de arrombar o seu cofre? — lembrou Charlie. — Não era isso que estava tentando provar? Qual é: você escondeu o *Liber Noctem* ali e eu o roubei e coloquei outra coisa no cofre? Ou eu menti sobre o *Liber Noctem* e agora é você que está mentindo?

Lionel Salt desviou o olhar para o Hierofante. Admitir a primeira coisa era menos condenável, mas significava admitir que estivera enrolando uma Praga muito antiga e poderosa.

Vicereine estava abrindo os papéis enfiados no topo do livro de Knight, desamassando-os. Charlie não tinha certeza de que Salt sabia quais eram, mas ela podia ver pelo jeito que a expressão de Vicereine tinha mudado que ela se dera conta de quem os havia escrito.

Malik franziu a testa.

— Acho que é hora de a Confraria falar com você e Stephen separadamente, Lionel.

Salt enfiou a mão no bolso e tirou sua arma preta fosca, apontando-a diretamente para Charlie.

— Você cometeu um erro muito grave me contradizendo, Charlato...

Charlie congelou. O gato de sombras de Vicereine rugiu enquanto três sombras emanavam de Malik, com as bocas cheias de dentes. Bellamy sacou uma espada feita de sombra.

— Lionel — proclamou Malik. — Não há necessidade disso.

Atrás de Salt, Vince ergueu os pulsos e as algemas caíram no chão. Ele deu um passo à frente com rapidez desumana, pressionando a ponta de um abridor de cartas no pescoço de Salt.

Adeline soltou um som agudo que era quase um grito.

Os sons da festa pareciam muito distantes.

— Você disse que eu era uma criatura feita de ódio. — Vince falou no ouvido de Salt. — E eu de fato odeio você. Por Remy, cujo sangue é meu sangue, cuja carne é minha carne e cujo ódio é meu ódio. Por Char, que sobreviverá a esta noite. Aponte essa arma para outro lugar, ou vou te machucar e continuar te machucando até que não haja nada além da dor.

— Você não pode... — começou Salt, com a voz trêmula.

— Desculpe, Char. — Vince deu um sorriso pequeno e triste. — O plano sempre foi este. Eu sabia que ele me deixaria chegar perto, e isso me daria uma chance.

Quando encontraram Vince esperando na biblioteca, sozinho, Charlie deveria ter percebido que alguma coisa estava errada. Deveria ter percebido o que o desaparecimento do homem de terno significava. Deveria ter percebido o que Vince estivera fazendo no quarto do hotel: falsos azulejos de ônix. Uns que o faziam parecer bem algemado quando era inteiramente capaz de soltar as mãos.

Ele soubera que, com ou sem Charlie, Salt o apresentaria à Confraria, gabando-se. E então tinha planejado tirar as algemas e matar Salt antes que alguém pudesse detê-lo.

E depois daquilo?

Vince pressionou a ponta da faca com mais força, e uma gota de sangue escorreu pelo pescoço de Salt como o rastro de uma única lágrima.

Ele fez um som engasgado e seu braço cedeu, embora não tenha soltado a Glock.

Ainda assim, não estava apontando diretamente para o rosto dela. Charlie se permitiu respirar.

— Largue a arma no tapete, Lionel — comandou Vicereine. — A Praga vai remover a faca, não vai?

— Eu vou? — perguntou Vince de forma casual. — Não vim aqui planejando ir embora.

O rosto de Lionel Salt tinha empalidecido e seus olhos correram pelo cômodo. Como o momento devia ser estranho para ele. Madurai Malhar Iyer havia chamado as sombras de "fantasmas dos vivos", mas Vince era a sombra de um homem morto.

Vince, que era quase neto de Salt. Que era o espectro vingador daquele neto.

— Você vai embora — comunicou Charlie a Vince. — Comigo. Planos mudam. A Confraria sabe o que ele fez. Certamente não vão ignorar o assassinato de um membro deles.

Vince ergueu a ponta da faca infimamente para longe da artéria de Salt.

— Eu não fiz nada... — As palavras de Salt pararam abruptamente quando o Hierofante se colocou entre ele e Charlie.

Ele estava de costas para Salt e seus olhos brilhavam.

A Praga que olhava para ela por meio dos olhos de Stephen era antiga. E cheia de raiva. Estava com o *Liber Noctem* nos braços.

— Me conte — pediu ele. — Me conte sobre este livro. Me conte sobre as mentiras dele.

Charlie pigarreou.

— Vince provavelmente poderia responder isso melhor...

— Você — insistiu a Praga.

Ela assentiu.

— Certo. Quando Remy morreu, empurrou toda a sua energia, seu último suspiro de vida para dentro da sombra dele. Foi assim que o Red conseguiu se passar por humano. — Ela olhou diretamente para o Hierofante, não se permitindo vacilar. — O ritual, aquele que deveria ter feito o Red ficar assim? Não existe. Não está no *Liber Noctem*. Não está em lugar nenhum. Era isso que eu não conseguia entender, no começo. Por que o Sr. Salt me diria para encontrar um livro quando ele estava trancado no seu cofre?

Ela respirou fundo e exalou devagar, forçando-se a fazer uma pausa para um efeito dramático.

— Porque ele tinha prometido a você uma coisa que nunca poderia dar.

Os dedos do Hierofante se fecharam em volta do metal, pressionando com força suficiente para dobrar a borda.

— Ele convenceu você a se expor por ele — prosseguiu Charlie. — E você sabe que esse jovem que você está possuindo não está bem. Não tem muito mais energia aí para pegar. Matar Knight Singh foi em vão. Matar Paul Ecco foi em vão. Matar Adam Lokken foi em vão.

Salt riu, embora soasse forçado.

— É disso que se trata? Óbvio que sei como Red se tornou o que é agora. Está tudo no *Livro das Pragas*.

Era difícil argumentar convincentemente contra um velho com uma faca no pescoço. Ela decidiu ignorá-lo.

— O Red já era bastante sólido porque o Remy tinha colocado nele muito da própria energia e depois o soltou por curtos períodos ao longo dos anos. Ele começou a se parecer com o Remy e manter a forma dele. Não é, Adeline?

A mulher se engasgou de surpresa, como se Charlie tivesse perguntado algo horrível.

— Você assassinou seu próprio neto? — perguntou Vicereine. — E o Knight?

— Você mentiu para mim. — As palavras saíram da boca de Stephen, mas a voz não era nada parecida com a dele. — Farsante, vou arrancar a carne dos seus ossos. Vou...

O som da arma disparando estalou no ar.

O Hierofante caiu no tapete, com sangue saindo do ferimento e dedos segurando a ferida. Sua boca se abriu.

E, atrás do corpo, a sombra do Hierofante se erguia cada vez mais.

— Sopro de vida — murmurou a sombra.

A sombra passou pelo corpo que tinha vestido. Stephen soltou um uivo silencioso conforme murchava, sua pele encolhendo para dentro de si, seu corpo se curvando e depois ficando inerte. O sangue ao redor do buraco da bala estava seco, cristalizado.

A sombra se elevou sobre eles, crepitando com energia nova.

— Minha nossa! — disse Vicereine. — Merda.

Salt se afastou da mão de Vince, levando a própria mão para o corte raso na garganta.

A Praga olhou para eles, crescendo tanto que as luzes da biblioteca diminuíram quando a sombra as cobriu.

— Se ninguém me der carne, vou simplesmente pegar.

— Precisamos contê-lo — afirmou Malik.

— Tenho armas — declarou Salt. — Dispositivos. Descendo por aquele corredor.

Mas não havia tempo.

O Hierofante atacou. O gato de sombras de Vicereine pulou para encontrá-lo, com as garras prontas, mas a Praga apenas o golpeou para longe. Bellamy deu um passo à frente, segurando a espada de sombra. O Hierofante a segurou e a lâmina virou fumaça.

Charlie pegou o braço de Vince. Ele olhou para ela do jeito que tinha feito naquela noite no frio quando parecia não acreditar que ela ainda o tocaria.

— Vamos — disse ela. — Temos que ir. *Agora*.

Ele balançou a cabeça.

— Não vou mais servir — ameaçou o Hierofante com uma voz que era o sopro do vento no céu, o eco de uma sala vazia. Nada humana. — Fui feito da sua espécie, mas sou maior do que vocês agora. Pegarei tudo o que eu quiser e vocês me servirão.

Bellamy correu pelo corredor em direção ao grande salão, gritando um aviso enquanto tirava uma adaga de sombra do casaco. As sombras trigêmeas de Malik circundavam seu corpo, preparando-se para um ataque.

— Chega de se esconder. — Vince pegou a mão dela.

Seu corpo começou a borrar nas bordas. Os olhos foram primeiro, de ocos para vazios e então viraram fumaça. Em seguida, o dourado do cabelo, como faíscas voando de uma fogueira. A escuridão lambeu seu corpo, como se ameaçasse devorá-lo.

— Vince! — gritou Charlie.

A voz do Hierofante se estendeu pela sala, como os uivos do vento entre as árvores.

— Todos vocês que me amarraram, que me prenderam a seus desejos fracos e ambições chorosas, me conhecem. Sou Cleophes e vou pintar o...

Vince se lançou contra ele. Os dois caíram juntos no corredor. Eram sombras contra as paredes, mas a parede de gesso foi quebrada explodindo em pedacinhos onde eles bateram. Uma pintura se soltou, caindo e rachando a moldura.

As mãos do Hierofante se tornaram longas garras, com pontas finas nas extremidades. Sua boca se abriu, cheia de dentes afiados. Ele correu para o grande salão e a sombra de Vince foi atrás.

Charlie estava prestes a seguir Vince quando sentiu o metal frio contra a nuca. Uma arma.

— Vire-se — ordenou Salt.

Ela se virou. Em toda a comoção, ninguém se lembrou da Glock. À queima-roupa, não havia muito que ela pudesse fazer se ele atirasse nela, mas Salt se deleitou com a satisfação de tê-la por um momento longo demais.

Charlie golpeou o braço dele para o lado. A pistola disparou, atingindo as estantes de livros e arrancando um pedaço de madeira.

Ele lançou a arma na direção da cabeça dela como se fosse espancá-la. Charlie pegou o pulso dele e o mordeu o mais forte que pôde.

Uivando de dor, Salt largou a arma. Ela a chutou, fazendo-a deslizar pelo chão.

— Você não é nada — gritou ele. — Uma mancha. Um borrão no universo. E borrão nenhum será minha ruína.

Ele deu um soco na cabeça dela com a outra mão. Ela cambaleou para trás e Salt a acertou de novo. Era um homem velho, mas era forte e estava acostumado a ferir pessoas.

— Eu deveria ter matado você quando tive a chance — bradou ele.

— Ah, com certeza — retrucou Charlie. — Porque não vai me matar agora.

Salt pegou um atiçador perto da lareira e a golpeou. Charlie se abaixou e pegou outro instrumento da bancada. De modo decepcionante, havia uma pá de metal na ponta do objeto, mas ela o ergueu de qualquer maneira, rebatendo outro ataque.

Os metais se chocaram e ela sentiu a colisão por todo o braço.

A única experiência de Charlie naquele tipo de luta era brincando com Posey no estacionamento perto do antigo apartamento delas, balançando gravetos uma para a outra. Infelizmente, era aquele o nível de habilidade que tinha na luta com Salt.

Ela precisava bater com força suficiente para que ele caísse e não se levantasse.

Charlie sabia daquilo e ainda assim parte dela estava horrorizada com a ideia. Ela odiava Salt. Ficaria feliz se ele estivesse morto. Mas de fato matá-lo era outra coisa.

Ele lançou o atiçador contra a perna dela. Ela pulou para sair do caminho. Salt era um homem velho. Com certeza se cansaria rápido, não?

Mas seus olhos arregalados de prazer a fizeram pensar o contrário. Ele queria vê-la esparramada no tapete. Queria abrir o crânio dela. Ficaria deliciado ao vê-la sangrar.

Ele golpeou com o atiçador em direção a sua cabeça quando alguma coisa pegou as mãos de Charlie. Ela se jogou para o lado para que o atiçador passasse por seu quadril sem de fato acertar.

Ela caiu no tapete.

A maldita sombra dele, foi o que a segurou. Ela não estava apenas lutando contra ele, mas contra a sombra também.

No chão, Charlie rolou e procurou a arma. Ela a levantou e apontou na direção dele, com o dedo no gatilho.

Salt parou, com a sombra flutuando em direção a ela como uma cobra, movendo-se para a frente e para trás na parede acima dela.

Charlie se levantou, mantendo a arma apontada para ele.

— Fique onde está.

— Você não vai atirar em mim — zombou Salt.

Com a mão livre, Charlie puxou a faca de ônix do sutiã. Mordeu e puxou para remover a bainha de fita adesiva.

Salt parecia achar graça.

— O que está planejando fazer com isso?

— Essa sua sombra... ela não é exatamente *sua*, é? Pertencia a um sombrista antes de você. Dos bons, aposto. Você não desejaria nada menos do que o melhor.

— E daí?

Ela se agachou, mantendo a arma mirada nele.

— E daí que aposto que ela odeia você.

E com um longo golpe da adaga de Charlie, a sombra se soltou.

Salt recuou tão rápido que tropeçou. A sombra tinha formado uma poça no chão, como uma mancha de óleo, e algo começava a se erguer do centro dela.

— Acho que você estava certo sobre eu não atirar em você — comentou Charlie, saindo da biblioteca.

Ela chegou ao grande salão a tempo de ver Vince e o Hierofante lutar, figuras espalhadas pela parede, enormes como titãs. Alguém tinha aberto as portas do jardim e o ar frio soprava pela sala, fazendo as cortinas dançarem.

— Vivi duzentos anos — vociferou o Hierofante em sua voz que não era uma voz. — E viverei milhares mais.

Gritos cercavam Charlie por todos os lados. As pessoas corriam da sala, esbarrando nela, ou sacavam armas de ônix. Uma sombrista voou com asas de sombra, segurando uma lâmina preta brilhante. O Hierofante rasgou a sombra de suas costas, enviando-a em espiral contra uma mesa de centro.

Uma rajada de flechas de ônix voou em direção às Pragas. As hastes afundaram em ambas as figuras. Vince se contorceu de dor e surpresa, antes que as flechas caíssem dos dois, espalhando-se pelo chão. Um arqueiro correu para recuperá-las, enquanto outros armaram mais flechas.

"Não vim aqui planejando ir embora."

Vince não sobreviveria àquela luta. Ela tinha visto como aqueles dentes e garras e flechas afundavam em seu corpo. A maneira como seus movimentos diminuíam e se tornavam cambaleantes e ébrios.

O Hierofante estendeu as mãos e as unhas rasgaram longas linhas na parede ao longo de ambos os lados da sala.

— Pare de lutar comigo, Red. Juntos, podemos nos tornar mais poderosos do que qualquer Praga desde o Massacre. Seremos como as Pragas de antigamente e devoraremos os confins do mundo.

Vicereine usou longas adagas pretas para guiar os sombristas para o jardim.

Malik estava na galeria no segundo andar, com um pano brilhante nas mãos. Dois outros sombristas estavam com ele.

Adeline apareceu no início do corredor, perto de onde Charlie estava. Seus dedos estavam manchados de sangue.

Vince estava lutando com um propósito, percebeu Charlie. Conduzindo o Hierofante para trás. Ele podia dar um golpe forte e estarrecedor, podia cortar o peito de Vince com aquelas unhas, mas Vince continuava empurrando. Continuava fazendo o Hierofante recuar.

Charlie percebeu tarde demais o que ele estava prestes a fazer.

Com as mãos trêmulas, ela tirou seu anel triplo de ônix, aquele que parecia um soco-inglês chique e o colocou de volta, o ônix voltado para o interior da palma da mão. Então correu para a lareira.

Porque era naquela direção que Vince estivera levando o Hierofante. Vince, que mantinha sua posição, mesmo se tivesse que absorver golpes em vez de evitá-los. Charlie sentiu a eletricidade no ar conforme as sombras se moviam acima dela.

Vince se jogou no Hierofante. Ela viu as unhas da Praga afundarem na lateral dele. E então Vince rolou os dois em direção ao fogo, onde imolaria o Hierofante mesmo que aquilo significasse se jogar nas chamas também.

Charlie só teve tempo de avançar em direção aos dois, estendendo a mão e segurando a forma indistinta de Vince. Ela segurou firme, o ônix forçando-o a permanecer sólido nas mãos dela, fazendo-o cair sobre ela enquanto o Hierofante dava um grito furioso. As chamas subiram, tão altas que incendiaram a parte de baixo da pintura de Salt.

Momentos depois, Malik e seus assistentes lançaram uma rede feita de contas pretas, prendendo Vince e Charlie dentro dela.

33
LADRA DA NOITE

Ninguém deixava Charlie falar com ele.
 Vicereine a levou para a sala de jantar e duas pessoas da carapaça a prenderam lá. Alguém lhe deu uma bebida do armário de bebidas chique de Salt. Deve ter sido o uísque mais caro que ela bebera na vida e Charlie nem conseguira sentir o gosto.

Eles a teriam levado de volta para a biblioteca, mas encontraram o corpo de Salt lá, com o abridor de cartas enterrado no peito.

E então Charlie se sentou, com raiva, a adrenalina ainda correndo nas veias. Ela olhou para a madeira polida do aparador antigo, para a peça de centro prateada ridiculamente ornamentada que repousava em cima e a horrenda pintura a óleo de uma tigela de cabeças decepadas. Seus olhos focaram as pesadas cortinas de seda com enfeites de borlas, até um tapete de seda feito à mão que devia ter pelo menos cem anos. Alguém havia deixado cair cinzas nele.

O mundo seria melhor sem Lionel Salt.

Ela olhou para seu terno vermelho, cuja perna estava manchada de fuligem. Era possível que ela quem tivesse deixado cair cinzas no tapete.

— Você estava certa — declarou Vicereine a Charlie, servindo-se de um copo cheio de uísque. — Sobre o Salt. Sobre tudo, acredito. Tenho certeza de que você queria que alguém dissesse isso, então deixe-me começar por aí.

— Ótimo — respondeu Charlie, começando a se levantar. — Então me deixe falar com o Vince.

Um sombrio se aproximou dela, com a expressão severa, e ela se sentou de novo com um suspiro.

Um sorriso infeliz surgiu nos lábios de Vicereine.

— Temos que pensar em nossas opções com relação a sua Praga. Nunca vimos uma que pudesse passar por humana.

— Vince quase se destruiu salvando vocês — lembrou Charlie.

— Nós sabemos, de verdade. Mas você precisa aceitar que vamos ter que falar com ele e tomar uma decisão sobre como proceder. — Vicereine soltou um suspiro pesado. — Ele é muito perigoso para ser ignorado, e quem sabe quantos mais como ele existem por aí. Vá para casa, Charlie Hall.

— Não vou embora a não ser que você me deixe falar com ele — insistiu Charlie.

Por fim, Bellamy e Malik entraram na sala com expressões exaustas. Bellamy tinha um corte no casaco que ela imaginava ter vindo das garras de sombra.

— Posso te mostrar onde fica a masmorra secreta do Salt — ofereceu Charlie, então levantou uma sobrancelha. — Na verdade, consigo abrir o cofre dele.

— Embora sejamos gratos pela oferta, podemos lidar com a situação daqui em diante — garantiu Malik. — Você tem minha palavra. Não vamos machucar o Red. Temos uma dívida com vocês dois.

Charlie ergueu as sobrancelhas, particularmente sem sentir que podia confiar neles.

— Uau. Sua *palavra*. Isso e um dólar não pagam nem uma xícara de café decente.

Malik fez uma careta para ela.

— Ele é fascinante demais para eu deixar que alguém toque em um fio de seu cabelo — comentou Bellamy, no que ela de fato acreditava. — Pode vir vê-lo na minha casa daqui a três dias. Está bem?

Ela olhou para os outros, esperando ver algum conflito sobre onde ele seria mantido, mas não houve nenhum. Ou eles decidiram aquilo antes ou ninguém mais queria abrigar Vince.

— OK — afirmou Charlie enfim, tendo ficado sem outras opções. — Está bem. Três dias.

Ao sair da mansão de Salt, ela guardou no bolso um tinteiro antigo e enfiou um par de castiçais de prata sólida na manga.

Posey estava esperando por ela no carro, cochilando no banco do motorista. Quando Charlie entrou, ela pulou de susto. Então, vendo que era apenas a irmã, bocejou.

— Onde está o Vince? — perguntou Posey, apertando os olhos para o céu preto salpicado de estrelas como se pudesse ver o tempo através dele. — Quanto tempo você ficou lá?

Charlie balançou a cabeça.

— Dirija. Vou explicar. Temos que fazer uma parada antes de irmos para casa. Você se lembra da Tina?

Após o desvio, Posey as levou de volta para a casa alugada, embora ainda estivesse marcada como um local de crime. Charlie entrou pela janela do quarto, tomou banho no próprio banheiro e dormiu no próprio colchão. A irmã dormiu ao seu lado, com a sombra de Charlie enrolada em torno das duas.

Quando acordou, com o cheiro de alvejante no nariz, ela percebeu que os lençóis ainda cheiravam a Vince.

Charlie ergueu as mãos no ar. Dedos longos. Esmalte preto, já lascado. Mãos inteligentes, capazes de arrombar uma fechadura e abrir um cofre.

Ela pensou em tentar alcançar uma sombra, em segurar Vince. Se ela não tivesse adivinhado o que ele faria, se não tivesse chegado a tempo, o impulso o teria levado ao fogo.

Não teria havido sequer um corpo.

O pensamento fez com que se sentisse vazia conforme foi tomar banho. Parte dela se sentia presa naquele mundo de cabeça para baixo, do qual ele já tinha ido embora. Seu olhar se direcionou para os azulejos da parede, olhando para o nada que estava onde sua sombra deveria estar.

A ausência não tinha apenas fechado uma porta dentro de sua mente; fechava uma porta para um futuro possível. Ela não seria uma sombrista. Não tivera certeza de ter tido vontade de ser, mas ainda assim.

Será que Vicereine e o resto a teriam dado mais ouvidos se ela tivesse tido uma sombra ativada? Teriam deixado Charlie ver Vince?

Ela estivera tão certa de que ele queria voltar para casa com ela, mas, depois de pensar a respeito, talvez não devesse ter estado. Quando a conheceu, Vince não estava acostumado a ficar sozinho no mundo e tinha opções limitadas. Talvez não tivesse visto um futuro para si mesmo depois do fim de Salt, mas naquele momento estava naquele futuro e, quem sabe pela primeira vez, podia moldá-lo como desejasse.

Se a Confraria permitisse, óbvio.

Ela se perguntou o que ele tinha achado da Charlie Hall "aposta tudo e dane-se as consequências" que nunca tinha conhecido antes. Talvez ambos tivessem estado se contendo, quando a outra pessoa estivera à altura do desafio. Quando a outra pessoa poderia ter adorado o desafio.

Depois que estava de banho tomado e vestida com as próprias roupas, ela esperou Posey.

— A mamãe me enviou, tipo, dezessete mensagens para devolver o carro — contou a irmã, saindo do quarto com roupas limpas.

Charlie olhou para trás de Posey, para sua sombra.

Sua irmã seguiu o olhar. Franziu a testa, preocupada.

— É estranho?

— Não sei. É estranho para você? — perguntou Charlie.

Posey moveu os lábios sem emitir som, e a sombra a envolveu, curvando-se sobre seus ombros, parecendo que de fato preferia estar ali. Charlie não pôde evitar um arrepio que era em parte de familiaridade.

— É a coisa mais perfeita que já aconteceu. Você não vai acreditar em todas as coisas que vou me ensinar a fazer.

Os olhos de Posey brilhavam de um jeito que não faziam havia muito tempo e Charlie não queria que nada apagasse aquilo.

Ela foi até a janela e a abriu.

— Bem, vamos lá. Se mamãe e Bob estão desesperados para ter o carro de volta, é melhor a gente ir porque quero parar e comprar um café primeiro — comentou ela.

— Graças a todos os deuses — respondeu Posey com fervor.

Elas pararam na Small Oven Bakery, onde Charlie pegou três expressos em pequenos copos de papel e os alinhou na frente dela como se fossem *shots*. Posey cutucava um pão doce pegajoso enquanto olhava algo no celular.

Charlie pegou o primeiro expresso e bebeu.

— Hum — murmurou Posey, virando o aparelho para a irmã.

No início desta manhã, a *Gazette* recebeu páginas de um diário supostamente escrito por Lionel Salt, envolvendo-o em várias investigações abertas, incluindo a de Rose Allaband. O corpo de Allaband foi encontrado em um carro queimado junto com o corpo do neto de Salt, Edmund Carver, há mais de um ano. Ambos podem ter sido vítimas de Salt. Outros casos devem ser reabertos com base nas informações das páginas, incluindo Randall Grigoras, Ankita Eswaran e Hector Blanco. O diário não só inclui relatos detalhados de suas mortes, mas também desenhos de experimentos médicos realizados em suas sombras.

Os examinadores de caligrafia conseguiram confirmar com 98% de certeza que as anotações no diário eram consistentes com as amostras da caligrafia de Salt que a *Gazette* obteve. Entramos em contato com os representantes de Salt para coletar comentários, mas não tivemos resposta até o momento.

— Você fez isso com Lionel Salt? — indagou Posey, surpresa. — Como?

Quando Charlie abriu o cofre, ela só esperara encontrar o *Liber Noctem*, mas houvera algo mais lá também. Um caderno, do qual algumas páginas foram arrancadas.

O *Hampshire Gazette* não devia receber um furo de reportagem como aquele com muita fequência.

Charlie tomou a segunda dose de expresso e depois a terceira.

— Não fiz isso com ele. Ele fez isso consigo mesmo.

Naquele domingo, Charlie apareceu para o turno no Rapture. Mas sua cabeça não estava ali, e ela precisou ficar pedindo às pessoas que repetissem os pedidos de bebida. Deixou cair duas taças de vinho e colocou fogo em um copo inteiro de absinto em vez de apenas no cubo de açúcar. Aquele vidro quebrou também e de uma forma muito mais dramática.

No meio do expediente, Odette a puxou de lado. Ela pensou que seria para repreendê-la ou perguntar sobre um terno vermelho desaparecido, mas era apenas para apresentá-la ao novo bartender, que pegaria os turnos do ex de José. Charlie ficou surpresa ao ver Don.

— Oi — cumprimentou ele. — O Top Hat está com um novo gerente e decidi que precisava de uma mudança de ares.

— Bem, este é o lugar — comentou Charlie e começou a mostrá-lo onde se colocava cada item, como usar a caixa registradora e quanto gelo seco pôr em uma bebida.

— Se engolirem, tomamos um processo — explicou ela.

— Talvez não devêssemos ter isso no cardápio? — sugeriu Don.

— Vai levar um minuto para você entender a vibe do lugar — previu Charlie.

Perto da hora de fechar, Balthazar foi ao bar.

— Sirva uma última bebida para a gente. O que quer que você esteja tomando — disse ele para Charlie.

— Ah, vou beber também? — Ela sorriu.

— Se eu fosse você, beberia.

Charlie não poderia argumentar com aquilo. Pegou o *Laphroaig 15* novinho em folha, o abriu e serviu dois dedos para eles.

— Então, o seu cara — começou Balthazar.

Charlie assentiu.

— Imagino que você ficou sabendo. Foi um auê.

— Isso quer dizer que voltou à antiga vida? — perguntou ele.

Ela deu de ombros.

— Depois do show que dei, eu provavelmente deveria ficar quieta por um tempo.

— Ah, não sei não. A reputação da Charlatona está mais em alta do que nunca — informou ele, tomando um gole da bebida e depois fazendo careta.

— *Argh*, isso tem gosto de gasolina despejada em um pneu, com fogo ateado e depois apagado com terra.

Odette aproximou-se e sentou-se ao lado de Balthazar.

— Tomando uns drinques, é? Bem, não me deixem de fora.

— Pode ficar com o meu — ofereceu Balthazar, passando a bebida. — Por favor.

Odette aceitou sem reclamar. Charlie serviu *Amaretto* para Balthazar em vez daquilo, e ele aceitou com gratidão.

— Viu as notícias? — perguntou ele a Odette.

— Sobre o Lionel? — Odette fez um som de nojo. — O engraçado é que eu sempre soube que ele era sádico e um pouco narcisista. Mas *interessante* e, eu achava, *consciente*. Você pode saber quem uma pessoa é e ainda não ter ideia do quão longe ela irá. Achei que eu entendia os limites dele e agora tenho que me perguntar se era porque não queria o desconforto de perceber que ele não tinha nenhum.

Charlie tomou um gole da bebida e se perguntou sobre os próprios limites.

— Agora estão dizendo que ele pode ser o responsável pela morte do doce menino da Fiona.

— Edmund Carver — elucidou Balthazar, enunciando cada sílaba, com seu olhar indo para Charlie.

— Achei que o nome da mãe dele era Kiara — observou Charlie.

Odette assentiu.

— Sim, estou me referindo à *primeira* esposa de Salt. Foi assim que ele e eu nos conhecemos, por meio da Fiona. Coitadinha. Primeiro perdendo a filha, depois o neto e agora isso. Tudo em um período de dois anos.

— Como é possível você conhecer todo mundo? — perguntou Balthazar.

— Ah, mas conheço bem alguém? — Odette olhou no espelho, como se analisasse o próprio rosto.

Balthazar se endireitou.

— Bem, deixe-me nos distrair dessa conversa cada vez mais mórbida com uma fofoca. Vocês conhecem o Murray, da Joalheria Murray?

— Óbvio — respondeu Charlie, pensando no tinteiro de prata e castiçais que precisava vender. — Por quê?

— Ele fechou a casa de penhores — contou Balthazar, erguendo as sobrancelhas. — Ficou rico. Vai se aposentar e vai para Boca, pelo visto.

Odette deu uma bufada delicada.

— Você faz parecer que ele desenterrou um pote de ouro do quintal.

— Praticamente — concordou Balthazar. — Dizem por aí que ele ganhou tudo com uma aposta de sorte nos cavalos.

— Ah — murmurou Charlie. — Imagine só.

A espera de três dias para ver Vince foi horrível. A mente de Charlie ficava repassando todas as possibilidades. E se a Confraria tivesse mentido e o machucado no fim das contas. E se quisessem fazer experimentos com ele. E se decidissem que sua existência era um risco grande demais. E se não a deixassem vê-lo no fim das contas. Sua mente percorria um caminho e depois outro, fazendo jogadas e contrajogadas imaginárias, um jogo de xadrez contra si mesma sem nenhum propósito, exceto satisfazer sua ansiedade. Uma cobra comendo o próprio rabo e depois se engasgando com ele.

Pelo menos àquela altura ela e Posey estavam de volta a casa. Winnie, que trabalhava com Vince, tinha sido a técnica contratada para se livrar das manchas de sangue. Ela havia mandado uma mensagem para Charlie para dizer que tinha feito um trabalho extracuidadoso por causa de sua amizade com Vince. Ela também dera a Charlie um monte de informações que ela nunca quis sobre os lugares mais estranhos onde havia encontrado pedaços de Adam.

Já Posey havia passado os últimos dias com Malhar. Ela alegava que ele estava apenas fazendo alguns testes, uma vez que ela havia concordado em participar de seu estudo, mas Charlie achava que havia muitas refeições envolvidas para que aquilo fosse estritamente verdade.

Mas aquilo significava que Charlie estava com muita energia nervosa e ninguém para descontá-la conforme se preparava, vestindo calça preta, botas e um suéter sem furos. As calças eram elásticas o suficiente para que funcionassem caso precisasse fazer movimentos rápidos. E as botas eram pesadas o suficiente para machucar se alguém tivesse que levar um chute na cabeça.

O Corolla estava no conserto, mas ela havia conseguido localizar a van de Vince a dois quarteirões do East Star Motel. Ela encontrou as chaves atrás do quebra-sol do lado do motorista. Enfiando duas multas de estacionamento no porta-luvas, Charlie a levara para casa.

Foi o que ela dirigiu até a fortaleza de Bellamy.

Fiel a sua natureza misteriosa, ele havia ocupado uma torre de vigia em Holyoke, que era acessível apenas por trilha e parecia abandonada quando vista de fora.

A porta da frente estava apodrecida na parte de baixo, com as dobradiças grossas de ferrugem. Charlie bateu forte.

Alguns momentos depois, ela se abriu, revelando uma garota com a cabeça raspada e maquiagem preta pesada ao redor dos olhos. Cílios magnéticos pendiam ligeiramente tortos. Um piercing recente na bochecha parecia vermelho e inflamado. Sua sombra rodopiava ao redor dela como uma cobra pronta para atacar. Provavelmente algum tipo de aprendiz.

— Estou aqui para ver o Vince — anunciou Charlie.

— Quem? — perguntou a menina.

Se Bellamy e os outros achavam que dispensariam Charlie, ela faria cada um deles se arrepender.

— A Praga.

— Ah — murmurou a garota. — Certo. Entre. Estão te esperando.

O interior tinha a aparência de um castelo, ou uma tumba. A garota a conduziu ao longo de câmaras feitas apenas de paredes de concreto, marcadas cá e lá com pichações, e subiu um lance de escadas, até um cômodo com cortinas brocadas. Finas velas vermelhas queimavam em candelabros de Halloween em formato de crânios prateados. O chão frio de cimento estava repleto de almofadas.

Sentado de forma relaxada em um pufe de veludo vermelho estava Bellamy. Charlie olhou ao redor com cautela.

— Onde ele está?

— Nós o estamos mantendo em uma sala no topo da torre, como uma princesa esperando o resgate — retorquiu Bellamy. — Ileso.

— Ele vai embora hoje — disse Charlie. — Comigo.

Bellamy tomou um gole de uma xícara delicada, fina o suficiente para ser translúcida. Porcelana de osso.

— Vá e fale com a sua Praga. Suba as escadas. Toda a vida para cima. Voltaremos a conversar depois.

Charlie não gostou de como aquilo soou, mas em sua ânsia de ver Vince, deixou para lá. Ela começou a voltar para as escadas quando foi interrompida por uma voz de mulher.

— Srta. Hall — proclamou Adeline Salt.

Ela estava sentada em um sofá levemente rasgado numa sala cheia de caixas de metal trancadas contendo livros.

Ela vestia jeans de lavagem escura e uma blusa esmeralda que amarrava em um laço em seu pescoço. Havia um computador e um estojo metalizado cor-de-rosa equilibrados em suas coxas. Adeline tinha aquela aparência estranhamente polida que as pessoas ricas têm, o cabelo extraliso e a pele extrabrilhante.

Não poderia parecer mais deslocada.

Charlie ficou encostada na entrada, sem entrar no cômodo.

— Você veio ver o Red, certo? Ah, que bom, tenho certeza de que ele vai gostar disso. Estava perguntando por você. — O sorriso de Adeline era completamente falso.

— Vince — corrigiu Charlie.

Foi interessante ver Adeline tentando decidir se deveria discutir sobre o nome dele. Aquilo obviamente a incomodava; não que Charlie o chamasse de outra coisa, mas Charlie agir como se o nome que ele usava com ela fosse o verdadeiro. *Bem, era como ele havia se chamado.*

— Falei com a Confraria. Ele vai voltar para casa comigo. Serei sua guardiã e ele poderá continuar de onde a vida do Edmund terminou.

Estranhamente, parecia haver um lampejo de medo nos olhos de Adeline.

— Como exatamente ele vai fazer isso? — perguntou Charlie.

— Já dei início ao processo de anulação da certidão de óbito. — Adeline sorriu de novo, de forma rígida. — Você entende que é melhor assim, não é? O Red será muito rico. E só ficará ligado a mim por alguns anos.

A ideia de que Adeline pudesse ser considerada a *guardiã* de Vince quando deveria ser a pessoa punida era irritante. O tom possessivo de sua voz tornava tudo pior e muito mais assustador.

— Talvez não seja isso que ele queira.

Adeline jogou o cabelo para trás.

— Acha que ele preferiria permanecer se escondendo com uma ladra?

— Acho que ele prefere fazer quase qualquer coisa a morar na casa do seu pai.

— Você não soube? — Ela arqueou uma sobrancelha perfeitamente bem-feita. — Meu pai morreu naquela noite, depois de ficar sozinho com você. Esfaqueado trinta e três vezes com um abridor de cartas.

— Trágico — comentou Charlie, com malícia.

Ela *tinha* ficado sabendo.

— O que você fez com ele lá dentro? — perguntou Adeline, de maneira tranquila.

— Peguei a arma dele e cortei sua sombra — informou Charlie. — O que quer que tenha acontecido depois disso, eu não estava lá para ver.

— Conveniente. — Adeline sorriu com sarcasmo.

— Concordo. — Charlie olhou para o laptop de Adeline, para a bolsa Chanel de couro verde que ela usava para transportá-lo, para os brincos de diamante. — Você é a única herdeira dele, não é?

A mão de Adeline foi até o cabelo, pegando uma mecha com nervosismo.

— Não tente me envolver no seu crime — contrapôs ela com rigidez. — Você que lute com a sua culpa.

— No grande salão — começou Charlie —, eu estava bem distraída quando você entrou. Mas o engraçado é que eu ainda assim notei que você tinha sangue nas mãos.

Charlie foi em direção ao corredor, então olhou para trás por cima do ombro.

— A propósito, de nada.

Charlie tentou andar com calma pelos degraus de concreto, mas, quando atingiu o segundo patamar, se viu andando cada vez mais rápido até estar praticamente correndo. No topo, ela encontrou uma porta, com faixas de ônix e trancada com uma barra. Charlie a ergueu, surpresa com o peso.

Vince estava na pequena sala sem janelas, de costas para ela. Parecia o mesmo de sempre, os mesmos ombros largos, a mesma altura, tudo igual. Mas, ao se virar, seus olhos eram órbitas vazias, cheias apenas de fumaça. Aquilo a fez pensar em seu corpo como uma carcaça com alguma criatura rodopiante vivendo dentro.

Charlie pensou nas cartas de tarô que escolhera no baralho de Posey. A conversão do espiritual em material. O Mago.

Quando os olhos de Vince se fecharam, ela notou que o cabelo havia escurecido para bronze, como se o ouro tivesse sido expelido quando ele mudou. Estava vestido com uma camisa preta de botão e suas calças eram de algum tipo tecido especial de aparência cara. As roupas de Remy.

Charlie se sentiu virada do avesso pela proximidade dele, como o homem naquela história que ele havia contado na festa de Barb, como uma meia. Todas suas partes vulneráveis pareciam estar aparecendo. O menor toque poderia causar dor.

— Não voltei a ficar do jeito que estava, não é? — perguntou Vince.

Charlie percebeu que ela havia parado no cômodo, não indo além do primeiro passo. Não é à toa que ele não parecia feliz. Devia achar que ela estava com medo.

E ela estava com medo, mas só um pouco. Charlie se obrigou a caminhar em direção a ele. O Louco, seguindo por um penhasco.

— Eu gosto. É estranho.

Aquele pequeno levantar surpreso do canto do lábio, como se ele tivesse esquecido de que *podia* sorrir, era familiar o suficiente para ela relaxar de fato.

Quanto mais olhava, menos Charlie se importava com a estranheza dos olhos.

— Por que fez isso?

— Mentir para você? — perguntou ele. — Esconder o que eu era?

— Não. — Charlie suspirou, sentando-se no braço de um dos sofás brocados. — *Por que lutou com o Hierofante?* Você quase morreu. Por *nada*. Nem um desses escrotos se importa com você.

O sorriso dele aumentou.

— Essa é uma pergunta que ninguém fez desde que cheguei aqui, e eles perguntaram muita coisa.

— Bem, não acho que estão focados no seu bem-estar.

— Não me diga. — Vince acenou para ela em direção a uma das cadeiras e ela olhou o resto do cômodo pela primeira vez.

Havia duas cadeiras, um colchão no chão, lençóis e um pequeno tapete. Nenhum livro. Nada pesado. Nada afiado. Uma única lâmpada brilhante queimava acima deles. Uma algema cravejada com ônix verdadeiro prendia a perna de Vince a uma placa de metal no chão. Era possível que o ônix o estivesse mantendo sólido. Charlie não tinha certeza. Realmente desejava que tivesse lido muito mais dos livros que havia roubado.

Ela se sentou e uma pequena nuvem de poeira subiu do assento.

— Olha, estou meio tenso — revelou ele. — Então, você poderia simplesmente falar logo? Sei que você tem algumas coisas a dizer sobre eu ser uma sombra.

— Tenho tentado não pensar muito nisso — respondeu Charlie.

Ele a olhou, incrédulo.

— E isso tem funcionado?

— Achei que podia pensar nisso quando saíssemos daqui. E talvez — retrucou Charlie, esperançosa —, a gente pudesse até ter uma grande briga por causa disso. Com gritos. Atirando coisas. E eu poderia dizer o quanto você foi estúpido por pensar que eu estava tendo um caso com Adam.

— Depois que você descreveu o assassinato dele, percebi isso por conta própria. Você parecia muito chateada por causa do *sofá*. — Ele riu antes que pudesse se conter, sua mão cobrindo a boca. — Desculpa. Isso não é engraçado.

— É um pouco engraçado — admitiu Charlie.

Vince olhou para ela com olhos que sangravam fumaça.

— Então, temos mais quais motivos para brigar?

Ela desviou o olhar.

— Quando você descobriu que eu era a garota que você guiou para fora da casa do Salt?

— No bar — admitiu ele. — Naquela primeira noite.

— E o quê? Você queria curtir com alguém que tinha salvado?

Pronto, era daquele jeito que uma discussão deveria soar.

— Talvez. Não. Eu não sei. — Ou ele não percebeu a oportunidade de brigar ou a desperdiçou. — Gosto de você, Char. Sempre gostei de você. Eu deveria ter dito alguma coisa, mas não sou uma boa pessoa. Nem tenho certeza se sou uma pessoa.

— Ah... — Surpresa, Charlie pegou a mão dele e entrelaçou os dedos nos dele. Eram surpreendentemente sólidos. — Você é uma pessoa. Você é a minha pessoa.

Ele abaixou a cabeça para levar os dedos entrelaçados aos lábios.

Foi quando Charlie começou a entrar em pânico.

Porque eles tinham acabado de ter uma versão abreviada da briga... tudo bem, tinha sido mais uma *conversa*... que ela esperava ter quando chegassem a casa. E a única razão para Vince conversar com ela enquanto estava preso na torre de Bellamy era porque ele não iria para casa com Charlie.

Ele estava planejando ir com Adeline, como ela mesma dissera. Assumiria as responsabilidades de Edmund Vincent Carver, como se nada tivesse acontecido. Recuperaria a antiga vida dele. Seria a primeira Praga a sediar um baile beneficente.

— Então o que acontece agora? — perguntou Charlie, porque tinha que ouvir Vince dizer aquilo. — Com a gente.

Havia algo na tensão da mandíbula dele que a fez pensar em como ela o havia descrito para Adeline, como um lago que estava calmo na superfície, mas com uma cidade inteira afogada dentro.

— Eu matei o Hierofante. A Confraria precisa de um novo Hierofante.

— Não. Porra, não. — Charlie pulou da cadeira e andou pelo cômodo, tentando controlar seus pensamentos. — Não pode deixar que façam isso com você. Não depois de tudo que você fez por eles.

— Não é um trabalho pior do que limpar cadáveres em quartos de hotel. — Sua voz soava calma, mas os dedos estavam curvados para dentro, como se estivesse prestes a cerrar os punhos.

— Achei que a Adeline seria tipo sua guardiã ou algo assim? — ponderou ela, franzindo a testa.

Ele assentiu.

— Essa é uma maneira de ver a coisa. Mas ainda estarei caçando Pragas.

Charlie fez uma carranca.

— Não pode concordar com isso. Quanto tempo até que você não apenas odeie o que aconteceu com você, mas odeie a pessoa a quem está vinculado?

Seu olhar se desviou de Charlie e ele abaixou a cabeça.

— Já a odeio.

Ah.

Naquele momento ela entendia a insinuação evasiva de Adeline. E entendia exatamente o quanto Vince estaria preso. Eles seriam amarrados juntos. Ela o vestiria.

— É por isso que você e eu precisamos ficar separados por um tempo — anunciou ele. — Nunca vou deixar de sentir o que sinto por você, Char. Mas não serei o mesmo. Alguém vai tentar me controlar.

Ela se lembrou de Vince falando enquanto dormia. *Adeline. Adeline,* não. O pensamento fez a pele de Charlie se arrepiar.

— Posso te tirar da algema. Podemos fugir.

Ele balançou a cabeça.

— Se fizéssemos isso, não estariam apenas me caçando.

— Não me importo.

Ele colocou a mão na bochecha dela.

— Eles me disseram que preciso provar que sou confiável e que, quando fizer isso, não vou precisar ficar amarrado. Vou sair disso. Vou encontrar uma maneira de ficarmos juntos.

Ah, eles encontrariam uma saída para aquilo, com certeza.

— E eles vão fazer isso *hoje*?

Óbvio que sim. Era por aquela razão que Adeline estava lá. Costurariam Vince a ela assim que Charlie partisse.

Ele se virou para que ela não pudesse ver muito de seu rosto, mas parecia resignado. E ela estava tornando tudo mais difícil.

— Hoje, sim. Já concordei.

Charlie podia perceber que ele odiava o fato de ela estar tornando as coisas mais difíceis.

— Me diga uma coisa — pediu ela. — Se você pudesse, me escolheria?

— Acima de qualquer coisa — respondeu Vince.

— Certo — concordou ela, enfim. — Acho que é uma má escolha, mas já fiz muitas delas.

Aquilo era o que Vince tinha aprendido sendo a sombra de Remy: se havia um problema, deveria se jogar nele. Deveria se deixar ser capturado para que pudesse tentar matar uma Praga antiga, deveria desistir de sua liberdade para garantir que a Confraria não se sentisse ameaçada. Se havia uma tarefa terrível, era ele quem deveria fazê-la. Se havia uma emoção difícil, era ele quem deveria senti-la.

Seus cílios dourados captaram a luz enquanto ele abaixava o olhar, escondendo a fumaça dos olhos.

— Às vezes não existem boas escolhas.

E não era aquela a simples verdade?

— Se não posso fazer você mudar de ideia, então que tal eu te distrair? Aposto que temos alguns minutos antes de me expulsarem.

Ele ergueu as sobrancelhas, visivelmente surpreso. Talvez pensasse que ela teria um problema com seus olhos cheios de fumaça, ou com o fato de ele ser uma Praga. Ou talvez pensasse que ninguém era desatinado o suficiente para querer transar em um cômodo frio feito de concreto com alguém cujo tornozelo estava algemado no chão.

Ora, bem-vindo à bagunça absoluta que era Charlie Hall. Ela segurou o rosto dele e levou a boca até a dela.

Por um momento, Vince ficou totalmente imóvel, e ela se perguntou se ele a afastaria. Suas bochechas queimaram de vergonha.

Então ele a beijou como se tivesse pensado que nunca faria aquilo de novo, as mãos segurando a nuca dela, os dedos se embrenhando no cabelo. Por um momento, houve apenas a sensação de lábios, dentes e língua. De pele e o cheiro dele que não estava mascarado por alvejante nem sabão, como uma carga de eletricidade no ar.

E quando Vince a pressionou na parede como havia feito fora do bar naquela primeira noite, ela sorriu para ele.

— Charlie Hall — sussurrou ele em seu cabelo. — Nunca vai existir alguém como você.

— Ao que todos nós podemos agradecer — sussurrou ela em resposta, lamentando ter vestido a legging, que eram um inferno para tirar.

A parte difícil foi sair do cômodo. Mas ela o fez, com passos firmes no corredor. Esperando que ele a chamasse de volta para dizer que havia cometido um grande erro e que deveriam fugir, no fim das contas. Vince não fez aquilo, apesar do quanto Charlie queria que ele fizesse.

Depois de descer quatro lances de escada, ela achou o caminho de volta para Bellamy e seu pufe de veludo vermelho. Ele não estava sozinho. Vicereine estava lá, bem como Malik. Nem um deles parecia muito surpreso ao vê-la, mas também não pareciam felizes.

— Olá — cumprimentou Charlie, passando por Malik para encontrar uma almofada própria para se acomodar.

— Você nos prestou um serviço — começou ele. — A Confraria lhe deve algo. Gostamos de acertar nossas dívidas. Se o mundo da luz se envolver, nossos conflitos só os deixarão nervosos.

— Nós recompensamos nossos amigos — explicou Vicereine. — E punimos nossos inimigos. Você provou ser nossa amiga, Charlie Hall.

Justiça pirata. Recompensas e punições.

— Queremos te ajudar — explicou Malik. — Peça alguma coisa.

— Vocês sabem o que eu quero — respondeu Charlie. — Deixem o Vince ir. Ou pelo menos deixem que ele fique solto. Não aprenderam com o último Hierofante?

— O que aprendemos foi a não confiar em Pragas — retrucou Malik. — Imagine como teria sido pior se o Hierofante estivesse estado solto.

— Não seria pior para Stephen — retrucou Charlie.

— Stephen roubava sombras — contrapôs Bellamy. — Sombras ativadas, sombras de pessoas vulneráveis. Vendi-as para traficantes. Não tenha tanta compaixão por ele.

Malik assentiu.

— E o problema não era o Stephen. Acreditamos que o Lionel o tenha dosado com alguma coisa que permitiu que o Hierofante tomasse posse de seu corpo. Com o tempo, ou aprendeu a fazer isso por conta própria, ou continuaram a drogá-lo.

— Peça alguma coisa que não tenha a ver com a Praga. Ficaria surpresa com o que podemos fazer acontecer.

Charlie supunha que a Confraria podia lhe dar um monte de coisas. Matricular sua irmã de novo na faculdade no semestre da primavera. Dar uma bolsa de estudos. Pagar a dívida médica de Charlie. Comprar um carro novo fantástico para ela. Cacete, talvez até lhe dessem o Phantom de Salt se ela pedisse.

Mas Posey nunca quis ir para a faculdade e Charlie não queria ser subornada.

— Quero que vocês deixem o Vince ir.

Malik soltou um som frustrado.

Ela não podia evitar aquilo. Era sua natureza. Charlie Hall, recusando-se a aprender com seus erros. Ansiosa para se jogar contra a mesma parede de novo e de novo, não importando o quanto doesse.

— O que Adeline Salt deu a vocês para permitirem que ela se torne guardiã dele?

Bellamy pareceu surpreso.

— Acho que você não entendeu a situação.

— Vocês estão deixando a Adeline levar Vince para casa, não é? — disse Charlie.

Vicereine deu um sorrisinho cruel.

— De certa maneira. Mas isso não é uma escolha dela. Você sabe o que esperamos que ela faça?

— Cace Pragas — respondeu Charlie.

— E sabe por que isso é considerado uma punição, uma forma de compensar crimes passados?

— Por que é perigoso? — adivinhou ela.

— Muito — enfatizou Malik em um tom ligeiramente horrorizado.

O que foi que Balthazar dissera a Charlie? Que ela podia roubar o fôlego de um corpo, o ódio de um coração, a lua do céu? Bem, naquele caso, talvez não precisasse roubar nada. Talvez eles lhe dessem tudo o que ela queria.

Tudo o que custaria seriam seus segredos.

Charlie colou um sorriso no rosto. Olhou para a antiga tatuagem *"fear less"* subindo pela pele do braço.

— Tudo bem — disse ela. — Nesse caso, eu gostaria de confessar.

— Confessar? — repetiu Vicereine, confusa.

— Você lembra quando Brayan Araya escreveu seus segredos com laser em grãos de arroz e os guardou em uma jarra de vidro embaixo do travesseiro? Arranquei aquilo de lá como se eu fosse a fada dos dentes. Ou lembra quando Eshe Godwin pegou aquele livro com todas as ilustrações detalhadas e ninguém conseguiu entender nada? Os segredos estavam escritos nas artes, então cortei as páginas. Não tenho certeza se ela abriu para ver que estão faltando. Peguei as memórias do século 18 de Owain Cadwallader e descobri uma pilha inteira de anotações costuradas na encadernação interna de outro livro, esqueci o título, mas tinha esses fechos de metal legais na lateral, e peguei essas anotações sem que ninguém percebesse. Ah, e peguei toda a coleção de zines de magia das sombras de Jaden Coffey dos anos 1970. Querem que eu continue? Faço isso há anos.

Ela se sentiu entusiasmada, como se estivesse descendo uma colina, sem ter como parar. Toda a exultação de finalmente admitir alguma coisa.

— Você cortou páginas do livro da Eshe? — Vicereine parecia irritada.

— Sou uma pessoa má. — Charlie enfiou a mão no bolso da calça jeans, tirou algo e jogou para Malik. Surpreso, ele pegou. Quando olhou para o que estava em suas mãos, franziu as sobrancelhas. — Também peguei sua carteira quando passei por você. Desculpe.

— Você está fazendo inimigos muito perigosos — alertou Vicereine para ela.

— De que se trata tudo isso? — Malik tensionou a mandíbula. — O que está fazendo?

— Quero uma punição — explicou Charlie. — Sou muito pior do que a Adeline.

— Você o quer amarrado a *você*? — perguntou Bellamy.

A ideia de alguém dentro de sua cabeça, alguém de quem ela não conseguiria esconder os piores pensamentos, alguém que ela amava, a fez se sentir um pouco perturbada.

— Sim. Recompensa ou punição, me deem o Vince. Eu serei o Hierofante.

Quando Vince entrou na sala, com colares de ônix no pescoço e um preso ao braço como uma coleira, seus olhos mudaram ao vê-la. Ele se virou para Bellamy.

— Mas onde está a Adeline?

— Nós a mandamos para casa — explicou Malik.

— Então quem.

— Eu — respondeu Charlie. — Se você pode fazer uma escolha estúpida, então eu também posso.

Ele balançou a cabeça.

— Isso deveria ser um *castigo*.

— Ah, eu sei — confirmou ela. — Você vai ficar preso na minha cabeça, com todos os meus segredos. Nem eu sei todos os meus segredos. Vai ser horrível.

Ele parecia estar considerando seriamente estrangulá-la.

— *Char*.

— Ela se voluntariou — declarou Vicereine. — E confessou alguns crimes apenas para nos convencer.

O olhar de Vince para ela foi mordaz.

— É mesmo?

— Vou precisar que fique de pés descalços — informou Vicereine, concentrada no trabalho.

Charlie se abaixou para tirar as botas. Elas já estavam desamarradas, com os cadarços soltos por as ter tirado na torre.

Vince parecia estar se perguntando tarde demais se poderia se libertar das correntes de ônix e escapar. Ela o viu puxar os elos brilhantes no pulso. Devem ter ficado no mesmo lugar porque sua expressão ficou rígida.

— Você não sabe como eu ficarei, depois. Ninguém sabe — comentou ele baixinho.

— Você ainda será você — sussurrou Charlie de volta.

Bellamy disse algo para Malik, e os dois pareceram achar graça. Charlie não achou que foi dirigido a ela, mas ficou nervosa. Ela lembrou a si mesma que já havia passado por aquilo antes, arrancando a própria sombra enquanto a costurava nos pés da irmã. Posey teve que terminar a costura e nenhuma delas era uma grande costureira. Ainda assim, parecia estar presa. E Posey parecia bem.

Ela lembrou a si mesma que estava roubando Vince bem debaixo do nariz deles.

Vicereine instruiu Charlie a ficar na frente dele, o que ela fez.

— A Winnie mandou lembranças — sussurrou ela. — Seu chefe está furioso, mas provavelmente você não quer seu antigo emprego de volta de qualquer maneira. Ah, e acredite ou não, a Posey talvez peça desculpas.

Vince olhou para ela e suspirou. Mas quando ela pegou a mão dele, ele a deixou segurá-la.

Charlie apertou uma vez antes que ele voltasse a ser sombra.

A porta da frente da torre de vigia se fechou pesadamente atrás de Charlie conforme ela atravessava o gramado, esmagando folhas congeladas sob as botas.

— Vince — chamou ela, baixinho. — Viu, falei que iríamos embora juntos e estamos indo.

Ele não respondeu, mas quando ela olhou para baixo, a forma da sombra que a seguia era dele. Ela enfiou as mãos nos bolsos do casaco. Ouviu o assobio do vento através das árvores.

— Sei que está bravo — comentou Charlie.

Na van, ela puxou a faca tática presa às chaves. Pressionou a extremidade na ponta de seu dedo anelar até uma gota de sangue brotar.

— Vicereine disse que eu deveria fazer isso imediatamente, então aqui vamos nós.

Aquilo pareceu chamar a atenção dele. A sombra rodou ao redor dela em uma nuvem escura. Ela sentiu algo contra a pele que poderia ser uma língua, exceto que não era molhada. A sensação a fez estremecer.

— Vince. — chamou ela de novo, começando a ficar nervosa. — Pare de brincar comigo. Diga alguma coisa.

Um sussurro veio em sua mente, fazendo-a se sentar ereta.

— Você não é o Remy.

— Sou sua namorada — respondeu ela, com a voz instável. — E essa piada não é nem um pouco engraçada.

Charlie olhou para a sombra que se espalhava pelo banco do carona, para a luz agitada filtrada pelas árvores. Assistiu enquanto a sombra dele tomava forma sem o controle dela. Uma figura feita de escuridão com os mesmos olhos ardentes, olhos que não a reconheciam.

A sensação de triunfo ficou amarga em sua boca.

A voz dele era suave com ameaça.

— Se isso fosse verdade, eu te conheceria. E não conheço.

Ela pensou na história que Vince havia contado, sobre fugir de Salt, sobre acordar sob aquela passagem subterrânea sem se lembrar de como tinha chegado lá. Ela havia entendido que aquilo significava que ele não se lembrava do tempo entre a morte de Remy e despertar. Mas talvez tivesse perdido mais e por mais tempo.

Ou talvez aquilo fosse diferente. Talvez ele nunca se lembrasse de se sentar com ela sob as estrelas. Nunca se lembrasse de levar gelo para a festa de Barb. Nunca se lembrasse de comer torradas com manteiga e tomar café na cama. Ela sentiu o ardor das lágrimas. Piscou para afastá-las. Sentiu gosto de sal no fundo da garganta.

Lá fora, a noite estava chegando. Alguns flocos de neve caíam.

Ela bateu o punho no volante.

Ele a observou, com fumaça nas órbitas dos olhos.

Sempre houvera algo errado com Charlie Hall. Mau-caráter, desde o dia em que nasceu. Nunca havia se deparado com uma má escolha na qual não estivera disposta a se jogar de cabeça.

— Sou uma ladra boa o suficiente para roubar uma sombra de uma torre — contou ela a ele. — Posso roubar seu coração de volta.

Ele não disse nada em resposta. E alguns momentos depois, a sombra havia se dissipado, deixando-a sozinha.

Agradecimentos

Todos os meus romances me deixaram com uma imensa gratidão por muitas pessoas, mas nem um mais do que este.

Em primeiro lugar, obrigada a todos que estiveram em um retiro de escrita comigo na Grécia e suportaram meus zilhões de falsos começos. Lamento e sinto gratidão ao mesmo tempo.

Tenho uma dívida enorme com Steve Berman por me ajudar com o sistema mágico, várias vezes, inclusive uma vez desenhando em um papel retirado de um rolo, que acabou cobrindo todo o chão de minha cozinha com regras arcanas.

Fico muito grata por Marie Rutkoski, que me ajudou a articular o que eu estava tentando capturar.

Obrigada, Chris Cotter, Emily Lauer e Eric Churchill, por conversarem comigo sobre todas as maneiras como as pessoas interagiriam e abusariam dessa magia durante as profundezas da pandemia.

Obrigada, Roshani Chokshi, por me incentivar a colocar o amor na página.

Obrigada, Paolo Bacigalupi, por me fazer repensar o começo (de novo).

Obrigada a Sarah Rees Brennan, Robin Wasserman e Leigh Bardugo por lerem um rascunho muito confuso, convocar um workshop por Zoom e fazer com que eu sentisse que poderia consertar o que havia feito.

Obrigada, Joshua Lewis, por fazer com que eu me importasse com aquele cara morto.

E mil agradecimentos a Cassandra Clare e Kelly Link por não me matarem quando mudei tudo e depois mudei de novo, e depois mudei DE NOVO. Vocês leram tantos rascunhos. Ouviram tanta reclamação. De verdade, a paciência de vocês é infinita.

Todos os elogios para minha editora fantástica, Miriam Weinberg, que me fez desacelerar e acrescentar camadas. Fico muito grata por ela e pelo entusiasmo e experiência de todos na Tor Books, em particular Devi Pillai, Lucille Rettino, Renata Sweeney, Eileen Lawrence, Sarah Reidy, Lauren Hougen, Molly McGhee e Michelle Foytek. Obrigada a Sam Bradbury, Roisin O'Shea e a todos da Del Rey do Reino Unido. Vinte anos atrás, eu pretendia escrever um livro para adultos e, graças a todos vocês, parece que finalmente consegui.

Obrigada a minha agente, Joanna Volpe, que acreditou que eu poderia escrever este livro, colocando-o no plano, e depois se certificando de que eu seguisse o plano. Sou grata por ela e todos na New Leaf, em particular pela organização aterrorizante de Jordan Hill e a estratégia de Pouya Shahbazian.

E obrigada a meu parceiro, Theo, e a nosso filho, Sebastian. Sem vocês dois eu teria arrancado meu próprio rosto há muito tempo.

Por fim, agradeço ao "Vale" do Oeste de Massachusetts, onde moro há quase duas décadas e, mesmo assim, ainda estou descobrindo. Peço desculpas por todos os lugares que inventei completamente e por cortar caminhos com a geografia. Por favor, considerem isto o Oeste de Massachusetts *alternativo*, cheio de fazendas de raios, bares com absinto na pressão e magia das sombras.

Vire a página para ler

Conteúdo Extra

Capítulo Bônus

Ele foi encontrado desacordado debaixo de uma passagem subterrânea; a sombra dele tinha sido arrancada do corpo. O relatório da polícia descrevia um indivíduo na casa dos vinte anos, nu, com os pés cortados por estilhaços de vidro por ter corrido pela estrada.

Aquele tipo de coisa (o roubo de sombras) estava se tornando cada vez mais comum. Só naqueles últimos meses, o jornal *Times* havia publicado três grandes reportagens a respeito. O incidente que ganhara a manchete falava de pacientes pós-operados que acordaram sem as sombras na ala de um hospital. Pelo monitor de vídeo, pôde-se ver cinco jovens perambulando pelos corredores com o que pareciam ser facas de carne nas mãos. Ao dar *zoom* nas imagens, porém, ficou evidente que as facas não eram sólidas. Dava para ver direitinho através delas.

— Quem é o cara?

Natalie estava sentada à mesa na redação, com o celular pendurado no ouvido, fazendo rabiscos displicentes em um *post-it* a sua frente.

A detetive deu um suspiro pesado.

— Não faço ideia. Ele disse que não lembra. Vai escrever sobre ele?

— Talvez. Me dê alguma outra coisa — pediu Natalie. — Um detalhe esquisito. Alguma coisa que agrade o meu editor.

— Posso fazer mais que isso — afirmou Aisha. — Ouvi dizer que ele sai do hospital hoje. Que tal você levá-lo para tomar um café ou algo do tipo? Quem sabe arranjar umas calças para ele.

O homem sem sombra saiu do hospital vestindo roupas disponibilizadas pela loja do estabelecimento: camiseta, calça hospitalar e chinelos. Ele era loiro, alto e desleixado. Até mesmo bonito, ainda que houvesse uma espécie de vazio em seu rosto, algo que fez Natalie se questionar o que mais ele teria perdido além da sombra.

— Oi, sou Natalie West. Escrevo para o jornal local — cumprimentou ela, abordando-o com o seu sorriso profissional mais sincero. — Soube do que aconteceu com você. Posso te levar para almoçar? Oferecer uma carona?

Ser jornalista era bem parecido com ser uma golpista. Era preciso convencer as pessoas a revelarem coisas que não queriam que ninguém soubesse. Era preciso fazer perguntas desconfortáveis, mas o tipo certo de desconfortável, no momento certo e do jeito certo. Era preciso ser amigável com várias pessoas diferentes e úteis e era preciso nutrir tais amizades com conversas ao telefone, almoços e drinques, rodadas infinitas de drinques, noites contínuas ao lado de legistas, agentes, policiais e oficiais de justiça, na esperança de que um deles revelasse algo que rendesse uma boa matéria.

— Por que você faria isso?

Ele olhava para ela como se a avaliasse.

— Sei que o que aconteceu com você deve ter sido traumático — explicou ela. — Não precisa me contar nada, se não quiser. Mas acho que uma refeição te cairia bem.

— Devo estar parecendo um lixo — respondeu ele, ensaiando um sorriso nos lábios.

— Uma amiga detetive me contou que você não lembra de nada — prosseguiu Natalie, deixando a pergunta implícita.

Ela gesticulou para o carro com a cabeça e ergueu as sobrancelhas. *Vem comigo?*

Ele deu de ombros, resignado, e a seguiu.

Enquanto Natalie conduzia o carro para fora do estacionamento, ele checou os retrovisores, como se verificasse se havia alguém os seguindo.

A jornalista ficou em silêncio. Era um truque do ofício. Apenas ficar calada e aguardar. As pessoas odiavam o silêncio, então buscavam preenchê-lo.

Funcionou.

— Não me lembro de muita coisa — comentou o homem sem sombra, olhando pela janela. — E não quero que saia nada no jornal sobre mim. Pode garantir isso?

— Se você me ajudar a entender por que não quer — retrucou Natalie.

Ela estacionou no espaço entre um supermercado e uma lavanderia. Do outro lado da rua, havia um restaurante que servia vários tipos de tortas e massas, incluindo empanadas de carne e a sopa do dia. Era o tipo de lugar íntegro no qual ela imaginava que ele pudesse desabafar.

Ela pediu duas grandes cumbucas de sopa de lentilha e fatias de torta de limão *shaker*, além de café para acompanhar. Ao levar a bandeja abarrotada para a mesa, percebeu uma mulher sentada perto da porta observando o homem sem sombra com interesse.

Natalie se deu conta de que ele parecia um médico residente. Um médico residente desleixado no seu dia de folga. Mesmo o olhar frágil e atormentado no rosto do homem poderia ser justificado como uma mistura de exaustão e excesso de trabalho.

— Como devo te chamar? — perguntou ela. — Não precisa ser seu nome verdadeiro.

— Você acha que estou fingindo não me lembrar das coisas.

Não havia sentido em negar.

— Algo assim.

— Porque você é ótima em identificar mentirosos.

Ela não pôde conter um pequeno sorriso.

— Me diz você.

Ele desviou o olhar, observando o poste da rua.

— Red. Que tal esse nome?

— Red? — repetiu a jornalista, incrédula.

— Por que não? — Ele pegou o garfo e provou um pedaço da torta. — Está gostosa. Ácida. Prove a sua.

Havia fatias inteiras de limão no recheio da torta, com casca e tudo, banhadas em calda de açúcar, adstringente o suficiente para fazer os lábios dela arderem.

— O que você acha que o pessoal que roubou sua sombra queria com ela? — questionou Natalie, mudando de estratégia.

Se ele não queria falar sobre uma coisa, talvez falasse sobre a outra.

— Sorte, certo? — respondeu ele. — Magia. Como nos contos de fada. *A bruxa e o irmão azarado* e aquele da mulher que tem *três* sombras e o marido está tentando matá-la...

— Então não acha que você era um alvo específico deles? — sondou Natalie. — Você não os conhecia?

— Não — retorquiu ele. — Mas não quero que você publique isso porque não quero ser alvo de ninguém. É melhor que as pessoas que fizeram isso pensem que morri.

Ela o encarou. Ele tinha começado a comer a sopa de lentilha. Comia com rapidez e eficiência, como se tentasse esconder o quanto estivera faminto.

— Podemos conversar em off? — sugeriu a jornalista.

— Se você derrubar a matéria. — Ele a encarou de volta com olhos pretos feitos para desarmar qualquer um.

Ela deu um gole no café.

— Posso tentar. Sua sombra tinha sido alterada antes de ser roubada?

Ele hesitou, então negou com a cabeça.

— Você conhecia alguém que tinha uma sombra alterada?

Todas as reportagens que Natalie lera estavam impregnadas de ceticismo, como se aquilo tivesse que ter sido algum tipo de truque. E havia alguma informação sobre sangue, sobre sombras serem alimentadas com sangue.

Ele deu de ombros.

— Algumas pessoas. Uma mulher em Springfield tem uma sombra que consegue se afastar dela e fazer uns truques, coisas assim. Um cara que trabalha em uma garagem em Conway usa a dele para ligar carros sem usar chave. Ele a chama de "fantasma na máquina", como o nome do álbum do *The Police*. Também conheci um cara que vendeu a sombra dele. Conseguiu mil dólares por ela.

Ela focou o olhar no ponto onde a sombra de Red deveria estar sendo projetada. Ela se lembrava de ter lido *A bruxa e o irmão azarado* quando era criança, em uma coletânea ilustrada junto com *Cinderela* e *Chapeuzinho vermelho*. O bondoso irmão que nascera com a sombra ativada é traído pelo malévolo irmão sem sombra, que se ressente da sorte dele. Ela ainda se lembrava de uma frase da história: "Um homem sem sombra tem um buraco no coração".

— Qual é a sensação? De não ter...

— Poderia fazer uma pausa no interrogatório por um momento? — Red se levantou, olhando pela janela em direção à lavanderia. — Vou ali roubar umas roupas mais adequadas.

Natalie estava surpresa demais para responder, então apenas o observou atravessando a rua. Ela deveria se levantar e ir embora. Não conseguiria arrancar nada dele (e mesmo se conseguisse, não queria publicar uma história que colocasse um homem inocente, ou mesmo um ladrão de lavanderia fajuto, em perigo).

Ela deveria ir para o escritório. Tinha muito o que fazer. Havia mensagens a serem respondidas, outros artigos a serem escritos.

Natalie se levantou, deixando na mesa o dinheiro da gorjeta, e foi até o carro. Quando Red reapareceu vestindo um jeans justo, um pouco curto na altura do tornozelo, e uma camisa preta úmida, ela já tinha dado ignição no carro.

— Entra — orientou ela. — Rápido. Antes que alguém te veja.

Os olhos dele se iluminaram com malícia.

A outra semelhança entre jornalistas e golpistas era que em vez de correr de problemas, se corria em direção a eles.

— Você é uma excelente piloto de fuga — comentou ele enquanto se afastavam do meio-fio.

— Vou te levar para um dos abrigos que conheço. É um lugar em que pode ficar até conseguir se reestabelecer.

— Agradeço pelo almoço. E, óbvio, por me ajudar no meu pequeno ato criminoso. — A voz dele era educada, mas firme. — Mas se puder me deixar no centro da cidade, dou meu jeito.

— Você não tem dinheiro nem identidade e está usando roupas de outra pessoa — lembrou Natalie.

Ela não mencionou o hospital, a sombra ou o quanto ele devia ter estado machucado. Não disse nada sobre o fato de que estava na cara que ele escondia algo.

— Vou ter que ser esperto, suponho — ponderou Red. Ele apontou para uma esquina. — Ali, está ótimo.

Ela encostou o carro e vasculhou o compartimento central do veículo em busca de uma caneta e algo no qual pudesse escrever. Encontrou uma canetinha e um recibo da Starbucks.

— Aqui, fica com o meu número. Caso você mude de ideia e queira conversar. Ou se quiser ir para o abrigo.

Ele aceitou o papel e o enfiou no bolso da calça roubada.

— Adeus, Natalie West. Você é uma boa pessoa.

Mas ao conduzir o veículo para longe, ela não se sentiu nem bem nem boa. Ela não sabia como se sentia.

Mais tarde, no escritório, em vez de responder a e-mails, ela analisou artigos sobre magia das sombras. Anotou alguns nomes.

Havia um professor na Universidade do Alabama que estivera fazendo uma pesquisa com o auxílio de um estudante que tinha duas sombras.

Havia Balthazar Erebos, que alegava ter "despertado" sombras no fim dos anos 1990, chamando o ato de *umbramagia*. Ela ficou com dor de cabeça só de ler os artigos, uma vez que tantos deles se referiam ao escândalo do endinheirado sócio de um escritório de advocacia que invadira a casa de alguém e o atacara. De alguma forma Balthazar estava envolvido, mas ela não conseguia especificar como. Ninguém fora acusado e Balthazar se mudara para Londres.

Havia Marcus Fine, que apareceu na mesma época que Balthazar partiu e chamara o que eles faziam de "escultura de sombras". Diferente de Balthazar, ele apenas despertava sombras com hora marcada.

E havia os beneficiários da mudança em si. Natalie viu vídeos de uma mulher que parecia conseguir estender a mão através de uma parede, um homem que parecia ter a sombra de um monstro o seguindo, outro ainda que parecia poder se transformar em fumaça.

E havia o vídeo de um idoso depois do ataque no hospital. Ele estava em uma cadeira de rodas e era possível ver com nitidez a sombra do aparato atrás do homem, mas a sombra do idoso em si não aparecia. A repórter movimentou a luz ao redor do idoso, mas nada mudou. A sombra do homem já era.

— O que diabo você está pesquisando?

Mike, o seu editor, estava atrás de Natalie, espiando por cima de seu ombro e fazendo uma careta.

— Magia — respondeu a jornalista, virando-se novamente para a tela.

Nota da autora: uma das coisas que me interessa quando estou escrevendo um livro é como a magia do universo altera a estrutura do universo em si. O surgimento de novas repercussões e como elas se desenrolam nas histórias que as pessoas contam umas às outras. E assim sendo, com isso em mente, durante um período em que eu estava frustrada com o livro, escrevi contos de fadas a respeito de sombras.

A bruxa e o irmão azarado

Certa vez um camponês e a esposa tiveram filhos gêmeos. Os meninos tinham um belo cabelo e eram tão iguais que pareciam reflexos no espelho, exceto por uma coisa: um deles nascera com uma sombra ativada e o outro nascera sem sombra alguma.

O garoto com a sombra tinha toda a sorte do mundo. Ele ganhava com frequência nos jogos de dados e de cartas. Tinha a sorte de sempre escolher no mercado a vaca que produziria mais leite, suas galinhas conseguiam a proeza de botar ovos com duas gemas, e seus cães de caça eram as criaturas mais leais já vistas. Não apenas aquilo, mas seu carácter era tão acessível e generoso que todos no povoado o amavam, em vez de se ressentirem dele devido a sua boa sorte.

Todos, exceto o irmão gêmeo. O irmão sem sombra nascera com todo o azar que se podia imaginar. Se ele saísse de casa sem chapéu e casaco, imediatamente começava a chover e trovejar. Quando ele comprava um cavalo, no caminho para casa o animal pisava em uma pedra e se tornava manco. Seu rebanho de cabras produzia um leite tão ralo e azedo que não servia nem para fazer queijo, e seu gato brincava com os ratos, em vez de caçá-los. Pior ainda, ele se remoía em ressentimento pelo gêmeo, acreditando que o irmão roubara dele tanto a sorte quanto a sombra, na época em que compartilharam o ventre. Sua amargura era tamanha que ninguém aguentava ficar perto dele, uma vez que suas palavras eram sempre cheias de rancor e maldade.

O irmão sem sombra resolveu se vingar. Ele foi até a casa de uma bruxa em busca de ajuda. Mas graças à sorte que ele não tinha, a bruxa não estava em casa. E sim sua formosa filha. Seu cabelo era escuro como o céu noturno e os olhos brilhavam como estrelas.

— Entre — convidou a moça. — Não sou tão astuta quanto minha mãe, mas sou astuta o suficiente para ajudá-lo. Do que precisa?

— Preciso matar meu irmão e roubar a sombra dele para que eu possa recuperar minha sorte — explicou o irmão sem sombra.

— Ah — murmurou a filha da bruxa. — Então você deve encher uma caneca com seu próprio sangue e colocar debaixo da cama do seu irmão enquanto ele dorme. A sombra dele vai beber o sangue e se tornar leal a você. Então a sombra o matará e ninguém saberá que foi você o responsável.

Durante todo o caminho para casa, o irmão sem sombra contemplou o plano em júbilo. Ele pegou uma caneca de madeira da cozinha da mãe e a encheu com o próprio sangue. Então passou pelos cães de caça do irmão sortudo a caminho de colocar a caneca debaixo da cama do gêmeo. Contudo, quando acordou na manhã seguinte, ainda que a caneca estivesse totalmente vazia, o gêmeo seguia vivo.

Ele retornou à casa da bruxa em busca de mais orientações. Mas graças à sorte que ele não tinha, a bruxa não estava em casa. E sim sua formosa filha.

— Entre — convidou a moça. — Não sou tão astuta quanto minha mãe, mas sou astuta o suficiente para ajudá-lo. Do que precisa?

— Coloquei a caneca com sangue debaixo da cama do meu irmão como me orientou, mas ele ainda está vivo.

— Talvez a sombra ainda não tenha se saciado — ponderou a filha da bruxa. — Despeje seu sangue em uma tigela desta vez. Quando a sombra beber, ficará satisfeita e será leal a você. Então a sombra matará seu irmão e ninguém suspeitará de que é você o responsável.

E assim o irmão sem sombra pegou uma tigela de pedra na cozinha da mãe e a encheu do próprio sangue. Passou pelos cães de caça do irmão sortudo e colocou a tigela debaixo da cama do gêmeo. Contudo, quando acordou na manhã seguinte, ainda que a cumbuca estivesse totalmente vazia, o gêmeo seguia vivo.

Outra vez, ele foi até a casa da bruxa. Outra vez, encontrou lá a formosa filha em vez da bruxa.

— Entre — convidou a moça. — Não sou tão astuta quanto minha mãe, mas sou astuta o suficiente para ajudá-lo. Do que precisa?

— Por duas vezes fiz o que você me orientou e por duas vezes ele sobreviveu — explicou o irmão sem sombra.

Ela sorriu para ele.

— Nesta última noite, rasteje para baixo da cama do seu irmão e marque o seu rosto com o próprio sangue. Assim, tudo acontecerá como digo. A sombra saberá que foi você quem forneceu sangue a ela e será leal. Então a sombra matará seu irmão e ninguém saberá o que você fez.

— Pois bem — respondeu o irmão sem sombra. — Vou seguir seu conselho mais uma vez. Mas se não funcionar esta noite, vou voltar e matar você em vez disso.

Depois de proferir aquelas palavras sinistras, ele foi para casa. Naquela noite, o irmão sem sombra marcou o rosto com o próprio sangue. Ele começava a passar pelos cães de caça para rastejar para debaixo da cama do gêmeo quando os cães avançaram com um rosnado.

Nas últimas duas noites, haviam sido os cães que beberam o sangue do recipiente, assim a sombra nunca tinha provado o sangue do irmão azarado. E uma vez que tinham tomado gosto pelo irmão sem sombra, quando ele adentrou o quarto na terceira noite, os cães o devoraram.

Ninguém nunca soube o que aconteceu com ele. O irmão com a sombra ativada lamentou a perda, mas não por muito tempo. Nem mesmo um mês havia se passado quando todo o povoado se reuniu para dançar no casamento entre a formosa filha da bruxa e o irmão sortudo, cuja sombra dançava alegremente junto a eles.

Nota da autora: uma das coisas que me interessa quando estou escrevendo um livro é como a magia do universo altera a estrutura do universo em si. O surgimento de novas repercussões e como elas se desenrolam nas histórias que as pessoas contam umas às outras. E assim sendo, com isso em mente, durante um período em que eu estava frustrada com o livro, escrevi contos de fadas a respeito de sombras.

A moça das três sombras

Era uma vez um barão que fora casado meia dúzia de vezes, ainda que os casamentos não tenham durado sequer um ano. Conforme suas esposas eram enterradas, cresciam rumores sobre o apreço do barão pela crueldade. E ainda assim, quando a filha mais jovem de uma pobre família de tecelões captou o olhar dele, era impossível haver uma recusa da proposta. Os pais da moça tentaram consolar um ao outro com histórias de como o parto era perigoso e fora apenas azar o que levara as esposas a morrerem tão jovens. Eles consideraram tudo o que poderiam fazer com o dinheiro que o barão os prometera. Então, com o coração pesado no peito, concederam a mão da filha ao barão.

Na véspera da cerimônia de casamento, as irmãs da moça foram até ela e costuraram as próprias sombras nos pés da jovem, assim a moça começaria a vida de casada com três sombras.

— Esperamos que elas lhe tragam sorte — afirmaram as irmãs. — E a mantenham segura.

O barão era muito bonito, mas seus olhos brilharam com algo que a jovem não gostou enquanto eles eram conduzidos na carruagem até a propriedade dele na colina. Lá, todos os empregados evitaram olhar para ela e a moça começou a acreditar que estivesse em perigo.

Em vez de se preparar para a noite de núpcias, ela deu à sua sombra um pouco de sangue e proclamou:

— Ó sombra, minha querida sombra, por favor me ajude.

A sombra se tornou de carne e osso, com as bochechas rosadas e tão formosa quanto a moça.

A sombra falou com a voz da própria jovem:

— Não se preocupe, irmãzinha. Vou tomar seu lugar e tudo ficará bem.

A moça se escondeu no guarda-roupa e espiou pelo buraco da fechadura. Ela observou o barão entrando no quarto e viu que ele tinha uma faca escondida às costas. Ele foi até o leito matrimonial e se deliciou ao cortar a garganta da sombra.

O barão deixou o quarto e naquela altura a sombra já se tornara tão insubstancial que a moça temia que fosse desaparecer.

Ela levou a sombra até o estábulo e cortou a garganta de um dos bezerros do barão. A sombra bebeu o sangue do animal, tornando-se forte e sólida outra vez.

— Você me salvou — disse a sombra. — Mas sou uma jovem mortal agora, não posso mais lhe ajudar.

— Não importa — respondeu a moça. — Você já ajudou o bastante.

E com aquilo, ela foi se deitar e caiu em um sono agitado.

Na manhã seguinte, o marido ficou estupefato ao vê-la viva.

— Esposa, eu não lhe matei ontem à noite? — questionou ele.

— Não, esposo — respondeu ela com uma risada. — Você deve ter sonhado, pois o que matou foi um bezerro.

Ele ficou confuso com aquilo, mas depois de verificar, não pôde negar que havia um bezerro recém-degolado no estábulo. Durante o dia, a esposa se dedicou às tarefas como qualquer boa esposa faria e, naquela noite, serviu a ele bezerro assado no jantar e se retirou para se preparar para dormir.

No quarto do casal, ela deu à segunda sombra um pouco de sangue e proclamou:

— Ó sombra, minha querida sombra, por favor me ajude.

A sombra se tornou de carne e osso, com as bochechas rosadas e tão formosa quanto a moça.

A sombra falou com a voz da própria jovem:

— Não se preocupe, irmãzinha. Vou tomar seu lugar e tudo ficará bem.

A moça se escondeu no guarda-roupa e espiou pelo buraco da fechadura. Ela observou o barão entrando no quarto e viu que ele tinha um martelo escondido às costas. Ele foi até o leito matrimonial e se deliciou ao esmagar o crânio da sombra.

O barão deixou o quarto e naquela altura a sombra já se tornara tão insubstancial que a moça temia que fosse desaparecer.

Ela levou a sombra até o estábulo e golpeou a cabeça de uma das cabras do barão. A sombra bebeu o sangue do animal, tornando-se forte e sólida outra vez.

— Você me salvou — disse a sombra. — Mas sou uma jovem mortal agora, não posso mais lhe ajudar.

— Não importa — respondeu a moça. — Você já ajudou o bastante.

E com aquilo, ela foi se deitar e tentou dormir.

Na manhã seguinte, o marido ficou estupefato ao vê-la viva.

— Esposa, eu não lhe matei ontem à noite? — questionou ele.

— Não, esposo — respondeu ela com uma risada. — Você deve ter sonhado, pois o que matou foi uma cabra.

Ele ficou confuso com aquilo, mas depois de verificar, não pôde negar que havia uma cabra com a cabeça recém-esmagada no estábulo. Ele a observou o dia todo, mas não parecia haver nada de suspeito. A esposa se dedicou às tarefas como qualquer boa esposa faria e naquela noite, serviu a ele cabra assada no jantar e se retirou para se preparar para dormir.

No quarto do casal, ela deu à última sombra um pouco de sangue e proclamou:

— Ó sombra, minha querida sombra, por favor me ajude.

A sombra se tornou de carne e osso, com as bochechas rosadas e tão formosa quanto a moça.

A sombra falou com a voz da própria jovem:

— Não se preocupe, irmãzinha. Vou tomar seu lugar e tudo ficará bem.

Mas naquela altura a moça sabia o que aconteceria e que não ficaria tudo bem. Então ela desceu pela escada dos fundos e deixou que as duas moças que um dia foram sombras entrassem. A primeira moça portava uma faca e a segunda, um martelo.

As três se esconderam no guarda-roupa e se revezaram para espiar pelo buraco da fechadura. Elas observaram o barão entrando no quarto e viram que ele tinha uma corda escondida às costas. Quando ele chegou ao leito matrimonial, pegou a sombra pela garganta, cravando os dedos no pescoço dela.

— Desta vez — anunciou ele — vou me certificar de que você esteja morta.

Com aquilo, as moças saltaram para fora do guarda-roupa e atacaram o barão. Elas o cortaram, esmagaram sua cabeça e o estrangularam. Quando terminaram, a sombra bebeu o sangue do barão e se tornou forte e sólida.

— Sou uma jovem mortal agora — declarou a última sombra —, não posso mais lhe ajudar.

— Não importa — respondeu a moça. — Você já ajudou o bastante.

Dali em diante, a moça e suas três sombras viveram lado a lado como irmãs e governaram as terras do barão de forma justa e inteligente. E quando se casaram, foi por amor.

Este livro foi composto na tipografia Minion Pro,
em corpo 11/14, e impresso em
papel off-white no Sistema Cameron da
Divisão Gráfica da Distribuidora Record.